JOSEF RIEGLER

Vorrang Mensch!

Antwort auf Zukunftsfragen

Verlag DTW ZukunftsPR

Ernst Scheiber
Kurt Ceipek

„Die sieben Todsünden der heutigen Welt:
Reichtum ohne Arbeit
Genuss ohne Gewissen
Wissen ohne Charakter
Geschäft ohne Moral
Wissenschaft ohne Menschlichkeit
Religion ohne Opferbereitschaft
Politik ohne Prinzipien.“

Mahatma Gandhi

IMPRESSUM
Verlag DTW ZukunftsPR; 3001 Mauerbach, Postfach 6
E-Mail-Adresse: zukunftsPR@gmail.com: Tel.: +43 (0) 664 5458457;
Herausgeber: Prof. Dkfm. Ernst Scheiber und Prof. Kurt Ceipek
Erste Auflage erschienen im Oktober 2018
Redaktion: Ernst Scheiber, Kurt Ceipek
Umschlaggestaltung: Studio Striedner; Layout und Satz: Andreas Unterberger
Druck und Bindung: Ferdinand Berger & Söhne Ges.m.b.H., A-3580 Horn, Tel.: +43 (0) 2982-4161-0
© Das Copyright für die einzelnen Beiträge liegt bei den einzelnen namentlich angeführten Autoren.

ISBN 978-3-200-05959-7

Nachgedacht

Wie steht es um die Bedeutsamkeit des Menschen im Gefüge der ökologischen, sozialen und ökonomischen Lebensbedingungen unserer Zeit? Dass die Welt derzeit von verschiedensten Krisen geschüttelt oder zumindest bedroht ist, wird von kaum jemandem bestritten. Nur einige der Problemfelder zur Auswahl:

Ernst Scheiber
Herausgeber

Wirtschaftskrise. Die Wirtschaft boomt zwar in einigen Ländern, aber die Warnungen vor einem weiteren, noch schwerwiegenderen Kollaps als nach dem Bankenkrach 2008 dürften nicht ganz unberechtigt sein.

Flüchtlingskrise. 2015 haben sich etwa eine Million Menschen auf den Weg nach Europa gemacht und damit Länder wie Deutschland, Schweden und Österreich vor eine unlösbar scheinende Belastungsprobe gestellt. In vielen Ländern Afrikas, in Afghanistan, Syrien, Tschetschenien, im Irak und anderen Regionen warten Millionen Menschen, vor allem junge Männer, auf die Chance, in das vermeintliche Sozialparadies Europa zu gelangen.

Klimakrise. Viele Menschen bezweifeln einen Klimawandel nach wie vor, oder sie leugnen zumindest, dass die spür- und messbaren Klimaveränderungen von Menschen verursacht worden sind. Bei seriösen Wissenschaftern und Leuten mit Hausverstand besteht kein Zweifel daran, dass die Verbrennung von Kohle, Öl und Gas Hauptverursacher der drohenden

Kurt Ceipek
Herausgeber

Klimakatastrophe ist, deren mögliche Folgen sich niemand auch nur annähernd vorstellen kann.

Wirtschaftskrise, Klimawandel und Flüchtlingsströme führen zu nicht kalkulierbaren Bedrohungen und Problemen, die gesamthaft gelöst werden müssen.

Aber sie sind lösbar. Das Rezept, das alle Probleme erfasst und einer Lösung zuführen könnte, findet sich im Konzept der Ökosozialen Marktwirtschaft. Mit Lösungsansätzen und Rezepten von Vordenkern und Praktikern befasst sich dieses Buch.

INHALT

Erfahrung

Ausblick

Auftakt

„*Wenn die Preise uns vorgaukeln, die Natur sei unendlich, rennen der technische Fortschritt und die Zivilisation in den Abgrund.*"

Ernst Ulrich von Weizsäcker

DR. ALEXANDER VAN DER BELLEN
Bundespräsident

Ökosozial und liberal – unversöhnlich?

Josef Riegler weiß als ehemaliger österreichischer Spitzen-politiker, internationaler Vordenker und heimat-verbundener Weltbürger sehr genau, was gute Politik theoretisch ausmacht: die Orientierung am Gemeinwohl, an Menschlichkeit und Solidarität, Fairness und Gerechtigkeit.

Gute Politik wird sich diesen Prinzipien auch in der Praxis immer ver-pflichtet fühlen, sie nie aus den Augen verlieren. Auch dann nicht, wenn die Welt sich rasant wandelt und Gewohntes brüchig wird.

Josef Riegler weiß aber auch sehr genau, was gute Politik darüber hinaus ausmacht: Mut zur Vision, Überzeugungskraft, Beharrlichkeit, Durchhaltevermögen und die nicht immer einfache Suche nach demo-kratischen Mehrheiten und Kompromissen.

Josef Rieglers diesbezügliches politisches Credo, das er seit fast drei Jahrzehnten mit viel Überzeugungskraft und Beharrlichkeit propa-giert, hat längst einen globalen, zukunftstauglichen Markennamen: die Ökosoziale Marktwirtschaft.

Ich möchte das Buch zum Anlass nehmen, das Konzept etwas näher zu beleuchten, wird doch die Ökosoziale Marktwirtschaft häufig als Gegenstück, als Antithese zur liberalen Marktwirtschaft, gesehen.
Ich meine, es kommt darauf an.
Ein Stück weit, und zwar ein großes Stück weit, stehen die beiden nicht in einem Gegensatz zueinander, geschweige denn in einem unversöhnlichen.

Der Markt: im Kern liberal

Jede Marktwirtschaft hat einen liberalen, oder etwas zugespitzt formuliert, einen anarchistischen Kern. Die Produzenten bieten Waren und Dienstleistungen an, und die Konsumenten fragen diese nach – oder auch nicht. Jede Produzentin entscheidet autonom, welche Waren oder Dienstleistungen sie anbieten will, und jeder Konsument entscheidet selbst, welche davon er kaufen will. (All das natürlich im Rahmen der jeweils gegebenen Budgetrestriktionen: bei der Produzentin das einsetzbare Kapital, beim Konsumenten das verfügbare Einkommen.) Wesentlich ist: keine zentrale Planungsbehörde entscheidet in umfassender Weise darüber, was angeboten wird – und daher nachgefragt werden kann. Das Präfix „ökosozial" lässt diesen Kern einer Marktwirtschaft im Wesentlichen unverändert; der Gegensatz zur Marktwirtschaft ist insofern nicht das eventuell als einschränkend interpretierte „Ökosoziale", sondern der Typus einer sowjetischen Planwirtschaft.

Aber sozialpolitisch ist er blind

Eine Marktwirtschaft ist ein Allokationsmechanismus, d. h. sie steuert die Zuteilung knapper Ressourcen – Arbeit und Kapital – auf die verschiedensten Produktionen. Dafür ist sie die effizienteste Methode, die bisher entwickelt wurde. Aber sie ist nicht von sich aus „sozial".
Etwa wird der Arbeitnehmer, zumindest in der Theorie, nach seiner Produktivität entlohnt, und jedenfalls nicht danach, wie viele Kinder er zu versorgen hat. Manche könnten verhungern, weil sie nicht über die physischen, psychischen oder kognitiven Mindestqualifikationen verfügen, die am Arbeitsmarkt verlangt werden. Es gibt einen Markt für Altenpflege, aber ob die markträumenden Preise für diese Dienstleistungen von jenen, die sie dringend bräuchten, bezahlt werden

können, steht auf einem anderen Blatt. Arbeitslosigkeit, Krankheit, Altersarmut – der sich selbst überlassene Markt gibt sehr unvollkommene Antworten.

Der Markt belohnt auch nicht schlechthin „Leistung". Die begnadete Operndiva, der geniale Fußballer, der Erfinder eines neuen Energydrinks – sie können reich werden, wenn ihre Leistung auf eine kaufkräftige Nachfrage trifft. Auf einen Franz Schubert braucht Letzteres (zu Lebzeiten) auch heute nicht zuzutreffen.

Für die „Lösung" sozialer Fragen braucht es eine zentrale Intervention: den Staat, der über Steuern und Abgaben soziale Hilfen finanziert und bestimmte Regeln dekretiert, zum Beispiel die obligatorische Pensions-, Kranken- und Arbeitslosenversicherung.

Es wird nur sehr wenige Liberale geben (vor allem in Europa), die das im Grundsatz bestreiten. Strittig zwischen Liberalen und „Anderen" wird das Ausmaß und die Intensität des staatlichen Eingriffs sein, aber nicht die Diagnose, dass sich selbst überlassene Güter-, Dienstleistungs-, Kapital- und Arbeitsmärkte soziale Fragen nicht lösen (können).

Marktversagen und Ökologie

Aber auch als Allokationsinstrument versagt der Markt in bestimmten Situationen: vor allem bei der Berücksichtigung (positiver oder negativer) externer Effekte, bei der Herstellung öffentlicher Güter, in Prisoners-Dilemma-Konstellationen oder bei natürlichen Monopolen mit fallenden Grenzkosten. Die ersten drei sind ökologisch bzw. umweltpolitisch relevant.

Negative Externalitäten

Negative externe Effekte der Produktion liegen vor, wenn diese bei Dritten Schäden bewirkt, die in der Kalkulation des Produzenten nicht berücksichtigt werden. Eine Fabrik, die ungeklärte Abwässer in den nächsten Bach leitet, verursacht Kosten bei Dritten; diese Externalisierung von Kosten bewirkt, dass das Fabriksprodukt zu billig angeboten wird und daher zu viel davon nachgefragt wird. Das Resultat ist eine Wettbewerbsverzerrung zulasten von Firmen, die alle Produktionskosten einkalkulieren. Oder anders formuliert: das Zulassen externer

Kosten ist de facto eine Subventionierung jener Firmen, die diese externen Kosten verursachen.

Im Rahmen moderner Energiepolitik ist die Internalisierung externer Kosten von höchster Bedeutung. Die CO_2-Emissionen bei der Nutzung fossiler Brennstoffe (Kohle, Öl, Gas) sind die Hauptursache des anthropogenen Treibhauseffekts, d. h. der weltweiten Klimakrise. In ökonomischer (und marktwirtschaftlicher) Sicht spricht das nicht für die Subventionierung erneuerbarer Energieträger, sondern für die höhere Besteuerung des Einsatzes fossiler Brennstoffe (Carbon Taxes), oder, alternativ, für die Auktionierung zulässiger CO_2-Emissionen bei vorgegebener Emissionsmenge (z. B. durch das European Trading System, ETS). Das heißt, entweder wird über staatliche Intervention der Preis erhöht, dann wird je nach Preiselastizität der Nachfrage die Menge (hier: der Energieverbrauch bzw. die CO_2-Emissionen) zurückgehen, oder die staatliche Intervention setzt unmittelbar bzw. direkt die zulässige Menge fest und überlässt die Preisbildung dem Markt. Ohne staatliche Intervention kommt es zu einer Wettbewerbsverzerrung, ganz abgesehen von den schädlichen Folgen des Klimawandels.

Public Goods

Öffentliche Güter sind dadurch charakterisiert, dass entweder von ihrem Konsum niemand ausgeschlossen werden kann, oder ihr Konsum nicht „rival" ist, d. h. ihre Nutzung durch einen zusätzlichen Konsumenten keine Grenzkosten verursacht. Im ersten Fall kann der Markt diese Güter nicht anbieten, weil die Nutzer keinen Preis zu zahlen brauchen. Im zweiten Fall soll der Markt diese Güter nicht anbieten, weil der Ausschluss zusätzlicher Konsumenten ineffizient wäre. Im Öko-Bereich sind Beispiele: saubere Luft, Lärm-Freiheit oder die Nutzung eines Parks, solange er nicht überlaufen ist.

Kontraproduktive individuelle Anreize

Ein Gefangenen-Dilemma (ein Konzept, das ursprünglich in der Spieltheorie entwickelt wurde und zur Klasse der nichtkooperativen Nichtnullsummenspiele gehört) liegt vor, wenn die Anreize für die individuellen Akteure so beschaffen sind, dass individuell rationales Verhalten zu einem Ergebnis führt, das für alle Beteiligten schlechter ist als jenes, das sie bei kooperativem Verhalten hätten erzielen können. Die Probleme bei der Einführung des Katalysators in Österreich illustrieren diese Situation. Der Katalysator verhindert bzw. verringert die Emission bestimmter Schadstoffe beim Betrieb eines Autos. Ein Pkw mit Katalysator ist jedoch teurer als ein Pkw ohne Katalysator.

Zunächst wurde der Katalysator subventioniert; die Subvention deckte aber nur einen Teil der Zusatzkosten ab. Der Erfolg dieser Maßnahme war gering. Daraufhin strich der Staat die Subvention und machte den Katalysator für alle Neuwagen vor 32 Jahren obligatorisch; ein Aufstand der Pkw-Fahrer blieb aus.

„Individuell rationales Verhalten führt so zu einem kollektiv unerwünschten Ergebnis.“

Alexander Van der Bellen

Die Erklärung: selbst wenn alle Pkw-Fahrer über den Katalysator Bescheid wissen und seinen Nutzen schätzen, weiß doch jeder Einzelne, dass der Umwelteffekt seines individuellen Katalysators vernachlässigenswert klein ist. Der Nutzen des einzelnen Pkw-Fahrers wird maximiert, wenn alle anderen ein Katalysator-Auto fahren, nur er nicht. Und wenn sich das alle so überlegen, kauft niemand ein Katalysator-Auto. Individuell rationales Verhalten führt so zu einem kollektiv unerwünschten Ergebnis.

Ähnlich, aber in der Therapie viel schwieriger, ist die Situation bei internationalen Verhandlungen über die Begrenzung von Treibhausgas-Emissionen. Angenommen, jeder einzelstaatliche Verhandler weiß über die Bedrohung durch die Klimakrise Bescheid. Er weiß aber auch, dass es sich um ein transnationales, weltweites Phänomen handelt, und dass der Emissions-Beitrag jedes einzelnen Staates (von China und den USA einmal abgesehen) vernachlässigenswert klein ist. Jeder Verhandler weiß daher, dass der Nutzen für seinen Staat am größten wäre, wenn alle anderen Staaten ihre Treibhausgas-Emissionen reduzieren und die entsprechenden Kosten auf sich nehmen, nur er nicht.

Das ist keine erfolgversprechende Ausgangssituation. Erstaunlich ist daher nicht, dass diese Verhandlungen regelmäßig scheitern, sondern dass es zu einem Pariser Klima-Abkommen gekommen ist – auch wenn die USA bedauerlicherweise unter Donald Trump wieder ausgestiegen sind.

Markt braucht Politik

Es wird sehr wenige ökonomisch gebildete Liberale geben, die die Phänomene des Marktversagens, wie oben skizziert, grundsätzlich bestreiten. Persönlich kenne ich keinen. Strittig werden, wie bei der sozialen Frage, Ausmaß und Intensität der staatlichen Intervention sein, aber nicht deren Notwendigkeit an sich.

„Liberale Marktwirtschaft" ist im Grunde ein Pleonasmus. Jede Marktwirtschaft, die diesen Namen zu Recht trägt, ist, wie eingangs beschrieben, liberal. (Mit „neoliberal" bezeichnet man in der Regel eine Deregulierungswelle gegen Ende des letzten Jahrhunderts, die vor allem den Bankensektor betraf und mit der Subprime-Krise in den USA, dem Kollaps der Lehman Brothers 2007/08 und dessen Folgen, ein unrühmliches Ende fand. Mitunter meint man damit auch eine radikale Austerity-Politik, d. h. den Vorrang der staatlichen Schuldenbegrenzung vor allen anderen ökonomischen Zielen.) Das Konzept der „Ökosozialen Marktwirtschaft" verweist in meinen Augen auf die allokativen Vorteile von Märkten, aber auch darauf, dass sich selbst überlassene Märkte weder den ökologischen noch den sozialen Herausforderungen gewachsen sind.

Zu deren Bewältigung brauchen wir den Staat – und die Politik.
Und weitsichtige Politiker wie Josef Riegler.

EIN GESPRÄCH
ZWISCHEN
JOSEF RIEGLER
UND ERNST SCHEIBER

Balance zwischen Mensch und Natur

Uns beschleicht eine beklemmende Ratlosigkeit, wenn wir an das derzeitige Wirtschaftssystem denken. Von Fortschrittsbegeisterung und Markteuphorie kann heute keine Rede mehr sein. Indizien dafür sind jahrzehntelange Klimaverhandlungen, geprägt von der Mutlosigkeit der Politiker, Welthungerkonferenzen mit ergebnislosem Ausgang und der Prolongation des fatalen gefährlichen Weltfinanzsystems, das die Anzahl der Superreichen und deren Vermögen vermehrt und den Ärmsten weiteres Elend aufbürdet. Weitgehend tatenlos wird zugesehen, wie die globale Wirtschaftsmaschinerie dabei ist, im Müll zu ersticken und die Menschheit dabei ist, ihren Lebensraum mit Konsequenz zu verbrennen.

Die Verursacher dieser Probleme liefern dazu noch die entsprechende Dosis an Pessimismus, indem sie behaupten, es gäbe dagegen keine Alternative. Es sind genau jene, die den Siegeszug neoliberaler Politik befeuern, die mit sozialer Ungleichheit und Umweltverwüstung untrennbar verbunden ist. Doch es gibt Wege zur Umkehr. Postuliert werden die Ansätze der Ökosozialen Marktwirtschaft nunmehr auf weltweiter Ebene von den Vereinten Nationen, der Weltbank und dem

15

Internationalen Währungsfonds – das zwar nur auf dem Papier, aber immerhin. Auf nationaler Ebene – bis auf Schweden und Dänemark – wird dieses Konzept der Ökosozialen Marktwirtschaft mehr oder minder schubladisiert und, wie in Österreich, von der Politik schlichtweg totgeschwiegen. Über die Gründe dafür mit dem Vater der Idee der Ökosozialen Marktwirtschaft, Josef Riegler, zu reden, soll Sinn und Zweck dieses Gesprächs sein.

Ernst Scheiber: Herr Vizekanzler, unser Interview soll partout nicht vor lauter Pessimismus strotzen, eingangs muss aber die Frage erlaubt sein, bei wem liegt die Verantwortung dafür, dass Ihre Ideen in Österreich nur ein Mauerblümchendasein fristen? Ernst Ulrich von Weizsäcker bezeichnet die Herangehensweise der derzeitigen Politik an Ihr Überlebenskonzept als blanke Rhetorik. Tun sich die internationalen Akteure auf internationaler Ebene deshalb leichter, weil sie nicht in die unmittelbare Umsetzung vor Ort eingebunden sind?

Josef Riegler: Beschäftigen wir uns zuerst mit der ÖVP. Im Grundsatzprogramm der Partei ist das Modell der Ökosozialen Marktwirtschaft seit 1994 gut verankert und in der Neufassung 2015 aktualisiert: „Unser Modell der Ökosozialen Marktwirtschaft sehen wir als ordnungspolitisch richtige Antwort auf wirtschaftliche, soziale und ökologische Herausforderungen … Wir vertreten die Ökosoziale Marktwirtschaft offensiv als wegweisendes politisches Leitbild für Europa und die Welt." Faktum ist auch, dass sowohl Bundesminister a. D. Andrä Rupprechter wie insbesondere auch Bundesministerin Elisabeth Köstinger beherzte und überzeugte Verfechter der ökosozialen Idee sind. In der politischen Tagesarbeit gibt es allerdings eine breite Phalanx der Verhinderer und Besitzstandswahrer.

Eines ist auch klar: Ohne die Gründung des Ökosozialen Forums, die wir beide 1992 geschafft haben, wäre die ökosoziale Idee wohl schon lang schubladisiert worden. So ist es uns gelungen, das ökosoziale Modell sowohl auf europäischer wie auch auf globaler Ebene zu verankern. 2015 gelangen zwei beachtliche Schritte: Der Beschluss der „Nachhaltigen Entwicklungsziele 2015 bis 2030" durch die UNO-Generalversammlung sowie der Klimavertrag von Paris. Seit 2016 versuchen allerdings Präsident Trump und Konsorten, das Rad wieder in eine unheilvolle Richtung zurückzudrehen. Ich bin aber überzeugt, dass die 2015 angestoßene internationale Dynamik stärker sein und die Episode der Retropolitik überdauern wird.

Wie ist es denkmöglich, gegen die ungezügelte Gier, nichts anderes als die Wurzel der weltweiten Fehlentwicklungen, anzukämpfen? Besonders treffend hat das Mahatma Gandhi beschrieben. „Die Erde hat genug für jedermanns Bedürfnisse, aber nicht für jedermanns Gier!"

Riegler: Beängstigend ist, wie Gandhi die sieben „Todsünden" in der heutigen Welt, den derzeitigen Verlust der ethischen Orientierung, zielsicher formuliert: Reichtum ohne Arbeit, Genuss ohne Gewissen, Wissen ohne Charakter, Geschäft ohne Moral, Wissenschaft ohne Menschlichkeit, Religion ohne Opfer, Politik ohne Prinzipien.

Seit mehr als 25 Jahren rollt eine raffiniert aufgezogene Gehirnwäsche über die Menschheit … Im Buch „Der totale Markt" hat das Gerald Mader bereits 2001 treffend formuliert: „... ein entfesselter, irrationaler Markt und eine unkontrollierte Globalisierung schaden den Menschen nicht nur materiell, sondern auch psychisch und charakterlich, da dieses System auf einem extremen Individualismus und einer brutalen, selbstmörderischen Konkurrenz beruht, welche das Negative im Menschen fördert. …"

Riegler: Ein entfesselter, profitgetriebener Kapitalismus und penetranter Marktfundamentalismus treiben die Menschheit unweigerlich in den Ruin. Gott sei Dank haben die wichtigsten globalen „Denkschmieden" seit 2008 erkannt, dass der entfesselte Markt nicht die Lösung, sondern das Problem ist. Alle unsere Denkanstöße durch die Ökosozialen Foren und die Initiative von Franz Josef Radermacher „Global Marshall Plan für eine weltweite Ökosoziale Marktwirtschaft" waren erfreulicherweise nicht wirkungslos: In dem vom IWF, der OECD, der G20 etc. vertretenen Modell der „Green and inclusive economy" ist das Konzept der Ökosozialen Marktwirtschaft 1 : 1 abgebildet.

Eine Ökosoziale Marktwirtschaft erfordert eine Balance zwischen leistungsfähiger Wirtschaft, sozialer Fairness und ökologischer Nachhaltigkeit – und das auf staatlicher, europäischer und weltweiter Ebene, nicht zu vergessen, den ethischen Rahmen, in dem diese Leitlinien eingebettet werden müssen. Konstruktive Kritiker verweisen darüber hinaus noch auf den Schuss notwendiger Spiritualität.

Riegler: Die Prinzipien der christlichen Soziallehre: Personalität, Solidarität, Subsidiarität, Bewahrung der Schöpfung sind der geistige Nährboden, auf dem das ökosoziale Gedankengut aufbaut. Die Enzyklika „Laudato si" von Papst Franziskus ist geradezu eine Offenbarung für ökosoziales Handeln. Ich habe Ökosoziale Marktwirtschaft immer als ethikbasiertes Wirtschafts- und Gesellschaftsmodell verstanden. Eine die gesamte Menschheit umspannende ethische Basis für unser konkretes Handeln ist eine zentrale Herausforderung, die sich an alle religiösen Gemeinschaften sowie geistigen und kulturellen Kräfte richtet. Ich verweise auf die bahnbrechenden Initiativen von Hans Küng in seinem Projekt „Weltethos".

> *„Die Enzyklika ‚Laudato si' von Papst Franziskus ist geradezu eine Offenbarung für ökosoziales Handeln."*
>
> Josef Riegler

Grundsätzlich ist die Frage zu stellen, ob Politik, Wirtschaft und Gesellschaft die Zukunftsstrategie der Ökosozialen Marktwirtschaft überhaupt tragen wollen.

Riegler: Ob sie wollen oder nicht ... im Prinzip hat die Menschheit nur zwei Möglichkeiten: Entweder sie verfolgt weiter eine Raubbau-Strategie und fährt damit mit Sicherheit an die Wand – oder sie schafft die Kurve in Richtung einer Balance zwischen Mensch und Natur.

Wir brauchen also einen kompletten Umstieg hin zu einer zukunftsfähigen und friedensfähigen Zivilisation. Von allen derzeit bekannten Konzepten scheint mir der ökosoziale Weg am überzeugendsten zu sein.

Der Begriff Soziale Marktwirtschaft ist 85 % der Befragten be-
kannt. Über den Bekanntheitsgrad der Ökosozialen Markt-
wirtschaft gibt es keine Daten. Warum muss man mit „green
and inclusive economy" agieren, wozu ein neuer Begriff?

Riegler: Wie schon erwähnt, begrüße ich es sehr, dass es gelungen ist, mit der „green and inclusive economy" auf globaler Ebene einen Paradigmenwechsel in unsere Richtung einzuleiten. Die Begriffe „Soziale bzw. Ökosoziale Marktwirtschaft" werden offensichtlich von Franzosen und Briten nicht verstanden. Daher ist es zu begrüßen, wenn es nun einen global gängigen Begriff gibt, der exakt unserem Modell entspricht.

Im Wettstreit zwischen der Sozialen Marktwirtschaft und
dem Kommunismus kamen Umweltschutz sowie Energie- und
Naturverbrauch unter die Räder.

Riegler: Bis 1987 war Ökologie im politischen Diskurs praktisch kein Thema. Erst mit dem Brundtland-Report in Vorbereitung der Rio-Konferenz 1992 wurde der Begriff „Sustainability" (Nachhaltigkeit) eingeführt. Unabhängig davon habe ich im Jänner 1987 erstmals die ökosoziale Idee formuliert: wirtschaftlich leistungsfähig, sozial ausgewogen, ökologisch verantwortungsvoll.

Nach 1990 bekam das Gebäude der Sozialen Marktwirtschaft
als Kontrastprogramm zum Kommunismus arge Risse, verlor
die Idee der Ökosozialen Marktwirtschaft, die auf dem der So-
zialen Marktwirtschaft aufbaut und die der Marktwirtschaft
die soziale und ökologische Orientierung verleihen soll, immer
mehr und mehr an Attraktivität.

Riegler: Zwischen 1987 und 1992 erlebte die ökosoziale Idee eine Blüte, Höhepunkt war die Rio-Konferenz mit dem Konzept der „Nachhaltigen Entwicklung", auf dem das Kyoto-Protokoll und die Lokale Agenda 21 beruhen. Bei einer Konferenz der „Europäisch-Demokratischen-Union" im September 1991 in Paris bekannten sich an die 40 christdemokratische Parteien zum Modell der Ökosozialen Marktwirtschaft. Aber ab etwa 1994 setzte der weltweite Siegeszug des US-amerikanischen Marktfundamentalismus ein. Die völlige Freizügigkeit der Finanzmärkte sowie die Schaffung der Welthandelsorganisation WTO als Instrument eines weltweiten Freihandels ohne soziale und ökologische Rahmenbedingungen überrollte die Welt und brachte in Europa das bewährte Modell der Sozialen Marktwirtschaft immer mehr unter Druck.

Der Sozialismus musste scheitern, weil er nicht zuließ, dass die Preise die ökonomische Wahrheit widerspiegelten. Der Neoliberalismus wird letztlich ohne Chance bleiben, weil die Preise die ökologischen Wahrheiten leugnen. Die Alternative zu den beiden Modellen ist die weltweite Ökosoziale Marktwirtschaft. Vonnöten sind weltweit geltende ethische Regeln.

Riegler: Eine überzeugende Alternative ist unausweichlich ... Bisherige Versuche politischer Akteure sind fehlgeschlagen: Tony Blair mit seinem „Dritten Weg" oder Nicolas Sarkozy mit „Den Kapitalismus neu erfinden". Ohne Überheblichkeit: Das Konzept der Ökosozialen Marktwirtschaft ist in sich schlüssig und politisch praktizierbar. Sie erfordert allerdings starke Persönlichkeiten in der Politik, die den Mut und die Kraft haben, die Weichen richtig zu stellen. Die drei entscheidenden Hebel sind: Ökologische Kostenwahrheit, striktes Verursacherprinzip, Umbau des Steuersystems und der rechtlichen Rahmenbedingungen, damit sich das ökologisch Notwendige auch wirtschaftlich rechnet.

Mittlerweile darf ungestraft ausgesprochen werden, dass ein starker Staat und ordnende Hände für das Finanzsystem und die Wirtschaft von essenzieller Bedeutung sind. Immerhin durften der Staat und mit ihm die Steuerzahler die Banken in der Finanzkrise vor dem wirtschaftlichen Untergang retten.

Riegler: Als das Kartenhaus von Spekulation, Lug und Betrug im September 2008 mit der „Lehman-Pleite" an die Wand gefahren war und die Weltwirtschaft in die Katastrophe getrieben hätte, durfte die von den Marktfundamentalisten verachtete Politik die Kastanien aus dem Feuer holen und mit Unsummen von Steuergeldern Banken vor dem Untergang retten. Ein Dankeschön war nicht zu hören. Während jene Geldinstitute, die sich um die Finanzierung von Unternehmen und

Konsumenten kümmern, mit aberwitzigen bürokratischen Auflagen traktiert werden, treibt die Spekulation weiterhin ihr Unwesen.

Heute steht das Maximierungskalkül zugunsten des eigenen Vorteils im Mittelpunkt. Neben der Maximierung von Nutzen in der Wirtschaft geht es aber auch darum, wie man in seinem Ethos kalkulierbar bleiben kann. Wie kann der fatale Dualismus von Wirtschaft und Ethik auf Unternehmensebene durchbrochen werden?

> *„Heute steht das Maximierungskalkül zugunsten des eigenen Vorteils im Mittelpunkt."*
>
> Ernst Scheiber

Riegler: Von Milton Friedman, einem der Propheten des Marktfundamentalismus, stammt der sarkastische Spruch: „Die soziale Verantwortung von Managern ist die Profitmaximierung für die Aktionäre." Genau nach diesem Denkmodell wird auch heute noch in der globalisierten Ökonomie agiert: Unermessliche Gier auf Kosten der Menschen und der Natur. Wirtschaft ohne Ethik und Politik ohne Ethik führen unweigerlich ins Verderben. Wir brauchen daher eine Renaissance von Ethik als Grundlage für menschliches Handeln in allen Bereichen.

Johannes Schasching, einer der großen Denker der christlichen Soziallehre, verlangt von einer marktwirtschaftlich-demokratischen Wirtschaftsordnung eine „Triple Bottom Line". Es sollten eine Profitabilität und eine ökosoziale Nachhaltigkeit erreicht werden. Diese Erfolgstriade soll – einfach gesagt – sachgerecht, menschengerecht und umweltgerecht sein.

Riegler: Johannes Schasching hat unser Modell „vorausgedacht." Als Autor vieler Texte von Sozialenzykliken und des ökumenischen „Sozialwortes der Kirchen" in Österreich hat er unverzichtbare geistige Fundamente für eine ethikbasierte Wirtschaft und Gesellschaft geschaffen.

Wirtschaftsethik ist keine Schönwetterdisziplin zur Vertreibung von Krisengewittern. Kann sie grundlegend für die Akzeptanz und den nachhaltigen Erfolg der modernen Marktwirtschaft verantwortlich gemacht werden?

Riegler: Vom großen österreichischen Konzilstheologen Karl Rahner stammt der Satz: „Der Mensch der Zukunft wird Mystiker sein oder er wird nicht sein." Das heißt, die Menschheit steht vor dem nächsten großen Bewusstseinssprung, wenn sie überleben will. Der Schweizer Anthropologe Jean Gebser hat bereits in den 1970er-Jahren die großen Bewusstseinswandel in der Entwicklung der Menschheit definiert: Das archaische Urbewusstsein, das magische Bewusstsein, die mythische Bewusstseinsstufe und schließlich das rationale, vom logischen Denken geprägte Bewusstsein, in dem wir uns heute befinden. Diese ausschließlich „hirngesteuerte" Entwicklung brachte dem Menschen die größten Erfolge, sie führt ihn aber jetzt an den Abgrund. Daher geht es nun um den Wandel hin zu einem integralen Bewusstsein, das alle Bereiche der menschlichen Natur zusammenführt: Körper, Geist, Seele, Spiritualität – es geht aber auch um die Entwicklung eines globalen Bewusstseins, da die künftigen Herausforderungen – siehe Klimawandel – eine globale Dimension haben und nur global gelöst werden können.

Besonders beschäftigen uns heute Fragen der Steuervermeidung und der extensiven Nutzung transnationaler Gestaltungsspielräume zur Minimierung von Unternehmenssteuern oder privater Besteuerung – siehe „Panama Papers" und „Luxembourg Leaks". Darüber hinaus gibt es Verfahren gegen einzelne internationale Großbanken und sonstige Finanzinstitute. Auch die Fälschung von Messergebnissen hinsichtlich der Einhaltung von ökologischen Standards, wie zum Beispiel die VW-Diesel-Affäre, ist kein ethisches Ruhmesblatt.

Riegler: Die Ideologie des „freien Marktes", wie sie von den „Chicago-Boys" jahrzehntelang aufbereitet und mit einer gigantischen Marketingstrategie in die Gehirne einsickerte, führte ab Mitte der 1980er-Jahre durch die Politik von Ronald Reagan, Margaret Thatcher etc. zu jener fatalen Weichenstellung, die uns heute all das Ungemach beschert: Politik ohne Anstand, Märkte ohne Moral ...

*Multinationale Konzerne treiben die Regierungen vor sich
her, spielen Staaten gegeneinander aus, betreiben durch die
Lenkung von Finanzströmen undurchschaubare Politik, demokratische Systeme werden ausgehöhlt ... Wann werden die
maßgeblichen politischen Akteure erkennen, dass sie angesichts einer global agierenden Ökonomie nur miteinander
die Chance haben, das wieder zu tun, wozu Politik da ist: Die
Spielregeln für Wirtschaft und Gesellschaft festzulegen!*

Riegler: Freistilringergruppen aus Staaten ohne verbindliche und ökologische Mindeststandards catchen auf dem Weltmarkt mit ethisch
sauberen Gegenspielern. Innerhalb gesetzlicher Rahmenkonditionen
agieren die Akteure frei vom Zwang ethischer Regelungen und überlegen nicht, was sie dem Gemeinwohl antun. Der Weg vom legitimen
Gewinnstreben zu unersättlicher Profitgier ist nicht weit. Im Moment
erleben wir die mutwillige Schwächung der wichtigsten multilateralen Institutionen sowie eine immer gefährlicher werdende Polarisie-
rung. Manches erinnert fatal an Entwicklungen in den 1930er-Jahren,
als einige „Narren" die Macht an sich rissen und die Menschheit in die
bis dahin größte Katastrophe, den Zweiten Weltkrieg, stürzten.

*Eigennutz und Habgier bestimmen unter anderem auch das
Handeln der Politiker. 268 von 534 Politikern des US-amerikanischen Kongresses hatten 2012 ein Vermögen von mehr als
einer Million Dollar. Damit ist der US-Kongress längst zum
Millionärsklub konvertiert. Der Verdacht, dass vielen dieser
Millionäre und Milliardäre das eigene Vermögen wichtiger
ist als das Gemeinwohl, liegt nahe.*

Riegler: Ohne ein gebildetes Gewissen, ohne ethischen Kompass für
menschliches Handeln, ohne faire Spielregeln für wirtschaftliches
Agieren, ohne funktionierende demokratische Kontrolle für Ausübung
von Macht geht alles „den Bach hinunter". Exzesse von Gier führen
zu schreiender Ungerechtigkeit und bilden den Nährboden für Gewalt
und Revolution. Man vergleiche die Zustände vor Ausbruch der Fran-
zösischen Revolution!

Man nutzt und missbraucht daher die Demokratie nach Belieben. „Moderne" Demokratien werden von neoliberalen Ausbeutern unterlaufen. Die „unabhängige" Justiz, die „freie" Presse, das „geldbestimmte" Parlament sind dann die Resultate.

Riegler: Die einzige Chance sehe ich in einer wachen und engagierten Zivilgesellschaft, die die Chancen durch die moderne Informationstechnologie nützt und ihre Kräfte bündelt. Das gefährlichste Gift ist Lethargie, Pessimismus, Mieselsucht und Defätismus. Wir brauchen wache, mutige, engagierte Bürgerinnen und Bürger – vor allem unter den jungen Menschen.

Eine Globalisierung ohne soziale und ökologische Grenzen führt zurück in den ausbeuterischen Manchesterliberalismus.
Riegler: Daher brauchen wir eine weltweite Ökosoziale Marktwirtschaft – wie immer man sie nennt.

Der Krieg der Reichen gegen die Armen findet heute in den Haushalten der Arbeitslosen und Altersarmen und Kranken sowie dort statt, wo Kinder hungrig zur Schule gehen. Er findet dort statt, wo Akademiker ein Praktikum nach dem anderen absolvieren müssen, und dort, wo Menschen in Containern nach noch genussfähigen Lebensmitteln suchen. 42 Milliardäre besitzen heute so viel wie die 3,7 Milliarden Menschen der ärmeren Hälfte der Weltbevölkerung. Die Kluft zwischen Arm und Reich wird größer. Die Anteile an der Wertschöpfungskette signalisieren die Ausbeutung der Produzenten, auch auf weltweiter Ebene, vor allem durch die multinationalen Konzerne.
Riegler: Man kann hier nur das wiederholen, was Mahatma Gandhi über die Todsünden der modernen Welt formuliert hat … Ganz klar: Entweder es gelingt ein Umdenken, eine ethische Neuorientierung – oder die „Geschichte" explodiert …

Die Wachstumsfetischisten – in diesem Chor singen auch die verantwortlichen österreichischen Politiker – wären zu fragen, wie sie die Folgen eines unbeschränkten Wachstums für Ökologie und Gesellschaft einschätzen. Die Unmöglichkeit eines unbegrenzten Wachstums zeigt sich aus unleugbaren Daten: Ein Wachstum von nur einem Prozent bedeutet bereits eine Verdoppelung der Wirtschaftsleistung in nur 72 Jahren, ein Wachstum von vier Prozent bewirkt eine Verdoppelung nach 18 Jahren. Auf welchem Planeten soll das passieren?

Riegler: Es geht um einen kompletten Wandel – den Umstieg von einer Zivilisation des Raubbaues an begrenzten Ressourcen hin zu einer Zivilisation der dauerhaften Balance mit dem Natursystem. Wir brauchen den Umstieg von einer Haltung des „Nie genug" zu einem Zustand des „Genug für alle". Das erfordert den größten Geistes-, Gesinnungs-, Kultur- und Verhaltenswandel, den die Menschheit bisher zu bewältigen hatte. Was uns bevorsteht, ist der Bewusstseinssprung

> **„Wir brauchen den Umstieg von einer Haltung des ‚Nie genug' zu einem Zustand des ‚Genug für alle'."**
>
> Josef Riegler

vom derzeit dominierenden rationalen zum integralen Bewusstsein, das alle Bereich einschließt. Alle Religionen, alle wachen geistigen Kräfte, alle Verantwortlichen in Bildung, Kultur und Medien sind gefordert und müssen zusammenwirken. Wünschenswert wären natürlich Politiker, die geistig vorangehen. Was muss konkret erreicht werden? Die Bevölkerungsexplosion muss gestoppt werden. Das erfordert Bildung, Information, medizinische Versorgung, Selbstbestimmung der Frauen sowie soziale und gesellschaftliche Stabilität. Der Verbrauch an Gütern und Ressourcen sowie die Belastung der Ökosysteme pro Kopf muss stabilisiert und tendenziell gesenkt werden. Wir brauchen ein prinzipiell anderes Wirtschaftssystem: weg vom Zinseszins, weg aus der Falle ständigen Wachstumszwangs ...

Seit 1950 hat sich die Weltbevölkerung von damals 2,5 Mrd. Menschen auf heute von fast acht Mrd. mehr als verdreifacht. Der Druck auf Natur, Ressourcen und Klima zeigt bereits verheerende Auswirkungen. Unser Konsum- und Wachstumsmodell im Westen, übertragen auf die gesamte Menschheit, lässt erschaudern. Aus dem künftigen ökologische Fußabdruck der Menschheit kann man ableiten und errechnen, dass wir künftig zwei bis drei Erden benötigen würden.

Riegler: Die Fakten belegen, dass sich die Menschheit derzeit in einer nicht zukunftsfähigen Phase ihrer Entwicklung befindet. Wir brauchen den Umstieg von einer Zivilisation des Raubbaues hin zu einer Zivilisation der Nachhaltigkeit, der Balance mit der Natur. Die Natur wird immer stärker sein als der Mensch – sie kommt auch ohne den Menschen aus. Wenn wir klug sind, lernen wir, wieder im Einklang mit der Natur zu leben – etwa durch den Umstieg vom fossilen zum solaren Zeitalter.

Die Menschheit nutzt die Natur schneller als sie sich regenerieren kann. Jeden Tag werden mehr als 230.000 Menschen mehr geboren als in der gleichen Zeit sterben. Auf ein Jahr umgerechnet sind das 80 Millionen Menschen, so viel wie in Deutschland derzeit leben.

Riegler: Das bedrohliche Phänomen der Bevölkerungsexplosion kann man überhaupt nur begreifen, wenn man sich grafisch anschaut, wie die Kurve „nach oben schießt". In nur 300 Jahren seit 1800 wird sich die Zahl der Menschen mehr als verzehnfacht haben – von einer Milliarde auf mehr als 10 Milliarden. Mehr als 100.000 Jahre hat es gedauert, bis eine Milliarde erreicht war. Wir brauchen einen kulturellen Wandel. Wir brauchen endlich das Selbstbestimmungsrecht der Frauen auf der ganzen Welt. Wir brauchen ein Mindestmaß an sozialer Sicherheit, wir brauchen Bildung, Bildung, Bildung …

Wie lange werden sich die Bewohner in den Entwicklungs-
ländern gefallen lassen, dass sie schamlos ausgebeutet werden
und dass ihre Ressourcen die Grundlage unseres Wohlstandes
bilden? Pro Tafel Schokolade lukrieren afrikanische Arbeits-
kräfte drei Euro-Cent. Verarbeiter und Händler stopfen sich
die Taschen voll – versteuert wird in der noblen Schweiz oder
der Steuervermeidungsprovinz Luxemburg nahezu zum Null-
tarif.

Riegler: Faire Partnerschaft mit den Ländern des Südens ist keine Frage des Wohlwollens, sondern sie muss im ureigensten Interesse einer friedlichen Zukunft der Länder des Nordens gelegen sein. Die Millennium-Entwicklungsziele der UNO 2000 bis 2015 waren ein wichtiger Schritt. Die Fakten zeigen, dass die formulierten acht Ziele zumindest zu mehr als der Hälfte erreicht wurden. Die 2015 beschlossenen „Nachhaltigen Entwicklungsziele 2015 bis 2030" sind ein weiterer Meilenstein für eine zukunftsfähige globale Agenda.

Bevölkerungszunahme, Kriege, Hunger und der Klimawandel
sind die Gründe dafür, dass in Bälde nicht mehr Tausende,
sondern Millionen Menschen vor unseren Grenzen stehen
werden, aus Eritrea, Nigeria, Somalia, Marokko und Co. Sie
werden nicht warten ...

Riegler: Das unterstreicht die Dringlichkeit einer fairen Entwicklungspartnerschaft, wie wir sie seit 2003 mit dem Projekt „Global Marshall Plan für eine weltweite Ökosoziale Marktwirtschaft" immer wieder als Denkanstoß eingebracht haben. Daher müssen die „Nachhaltigen Entwicklungsziele" mit aller Kraft vorangetrieben werden.

Wertschöpfung mit fairen Löhnen und Preisen ist die beste Entwicklungshilfe. Hilfe in den Entwicklungsländern selbst sollte forciert werden. Das posaunen die Politiker im Westen lauthals hinaus. Den lauten Tönen fehlt aber die notwendige Konsequenz. So hat Österreich seine Mittel für Entwicklungszusammenarbeit weiter gekürzt. Dabei hatten sie nie auch nur annähernd das vereinbarte Niveau erreicht.

Riegler: Sebastian Kurz ist es als erstem Außenminister seit langem gelungen, die Mittel für Entwicklungszusammenarbeit zu erhöhen: Von 930 Millionen Euro 2014 auf 1.251 Millionen 2017. Bedauerlicherweise gibt es 2018 wieder einen Rückschlag – von 0,35 auf 0,30 Prozent des BIP. Das Ziel wären bekanntermaßen 0,7 Prozent.

Mehr als die Hälfte der globalen Wertschöpfung geht heute auf das Konto von multinationalen Konzernen. Produziert wird vielfach in den Schwellen- und Entwicklungsländern, versteuert in Steueroasen. In den Entwicklungsländern herrschen Arbeitsbedingungen ohne existenzsichernde Löhne und ohne medizinische Versorgung, die Natur wird schonungslos ausgebeutet.

Riegler: Der Grundgedanke unseres „Global Marshall Plan für eine weltweite Ökosoziale Marktwirtschaft" ist daher genau die Zusammenführung von zwei globalen Strategien: Faire Entwicklungspartnerschaft und fairer Rahmen für die globalisierte Wirtschaft! Nur so ist ein wirklicher Erfolg möglich. Derzeit verlieren die ärmeren Länder durch unfaire Wirtschaftspraktiken ein Mehrfaches von dem, was sie an „Entwicklungshilfe" bekommen.

> *„Faire Entwicklungspartnerschaft und fairer Rahmen für die globalisierte Wirtschaft! Nur so ist ein wirklicher Erfolg möglich."*
>
> Josef Riegler

Die Sustainable Development Goals kritisieren mit Recht die fehlende soziale Minderversorgung und den weltweiten Hunger. Sie sagen aber nicht, woher das Geld für die Lösung dieser Missstände kommen soll. Nur 50 Euro-Cent pro Kopf und Tag wären erforderlich, um den Ärmsten der Armen zu helfen. Dafür wären 200 Mrd. US-Dollar notwendig, eine überschaubare Summe. Bedenkt man, dass 1,7 Billionen US-Dollar pro Jahr weltweit für Militär- und Rüstung ausgegeben werden.

Riegler: Das schreiende Missverhältnis zwischen den Aufwendungen für Kriege und den Investitionen in den Frieden ist eine Schande. In Zeiten von Trump und Konsorten wird es leider noch viel schlimmer …

Gier besiegt Moral, so könnte der Titel der Entwicklung der Globalisierung verkürzt lauten.

Riegler: Eine „To-do-Liste" für globale Politikgestaltung müsste lauten: Verbot destruktiver Spekulation, weltweit verpflichtende Sozial- und Umweltstandards für Produktion und Handel, vergleichbare Steuerleistungen für alle Marktteilnehmer, striktes Verbot für Steuerflucht, Steuerdeals und Steueroasen – Ächtung von Staaten, die sich nicht daran halten, Einführung einer verpflichtenden weltweiten Abgabe auf Kapitaltransfers. Ohne die produzierende Wirtschaft und die Konsumenten ungebührlich zu belasten, ließen sich damit spielend die nötigen Mittel aufbringen, um allen Menschen eine menschenwürdige Lebensqualität zu sichern.

Es ist dringend notwendig, den Spekulationshandel zu begrenzen. Konzentrieren sich die Einkommen bei den Superreichen, dann fließen sie nicht in die Realwirtschaft zurück. Sie werden meist in Finanzwerten oder Immobilien angelegt. Es gibt keinen Grund dafür, warum die Veräußerung von Waren, Dienstleistungen oder Immobilien mit Steuern belegt werden – warum nicht Finanzwerte? Eine Finanztransakti-

onssteuer von 0,01 Prozent würde Europa neben mehr Transparenz Erträge von jährlich bis zu 80 Mrd. Euro einbringen.

Riegler: Ja – aus allen genannten Gründen ist die adäquate Besteuerung des Finanzsektors ein unverzichtbares Muss. Die Politik wird sich nicht auf Dauer an diesem Thema vorbeidrücken können – ohne irgendwann einen gewaltigen Aufstand zu provozieren.

Riskiert die Politik, den spekulativen Finanzanlagen einen Riegel vorzuschieben und die Steuerparadiese der multinationalen Konzerne mit der ausschließlichen Funktion der Steuervermeidung einigermaßen auszutrocknen, könnte eine Vielzahl von sozialen Projekten gestartet werden. Wie können Ressourcen und Kapital in die Realwirtschaft gelenkt werden? Die lautesten Gegner der Steuerparadiese sind die Politiker der USA, obwohl doch dort mit Delaware die Hauptstadt der Steuervermeidung liegt.

Riegler: Spekulation um der Spekulation willen muss unattraktiv gemacht werden. Für die produzierende Wirtschaft und Dienstleistungen im Interesse der Lebensqualität – Bildung, Gesundheit, Pflege – müssen attraktive wirtschaftliche Rahmenbedingungen geschaffen werden. Wenn die politischen Akteure dazu nicht bereit oder fähig sind, werden es sich die Menschen auf Dauer nicht gefallen lassen.

> *„Die lautesten Gegner der Steuerparadiese sind die Politiker der USA, obwohl doch dort mit Delaware die Hauptstadt der Steuervermeidung liegt."*
>
> Ernst Scheiber

Jeder Trafikant, der zwölf Stunden täglich im Geschäft steht, zahlt mehr Steuern als ein multinationaler Konzern ... Sie verschieben – und das auch noch legal – ihre Gewinne bis zum steuerlichen Nulltarif. Es geht schlicht um nichts anderes als um Steuerflucht von Großkonzernen. Diesem „digitalen Kapitalismus" von Amazon & Co muss ein Riegel vorgeschoben werden.

Riegler: Dass es die Regierungen bisher nicht geschafft haben, sich zusammenzutun und dafür zu sorgen, dass auch alle multinationalen Konzerne und alle „Geldverschieber" die gleichen Steuerleistungen zu erbringen haben wie alle mittelständischen Unternehmen, Arbeitnehmer und Pensionisten, ist ein riesiger politischer Skandal. Alle Verhinderer und Blockierer gehören öffentlich an den Pranger gestellt. Jene Staaten, die Steueroasen halten und Steuerdeals abschließen, müssen mit wirtschaftlichen Sanktionen belegt werden. Das Bemühen der EU-Kommission um ein „Konzernsteuer-Transparenzgesetz" und die Behinderungsmanöver durch einzelne Finanzminister ist ein aktuelles Beispiel.

Die Wirtschaft will endlich Klarheit bei der Energiewende. Die Pro-Entscheidungen müssten längst gefallen sein, doch der Politik fehlt offensichtlich der Mut. Entscheidend ist die langfristige Planbarkeit des Umstiegs. Das sagen Klimaschützer und sogar die Kohlewirtschaft. Je weniger Zeit, desto härter wird der Verzicht.

Riegler: Viele politische Akteure hinken der tatsächlichen Entwicklung hinterher. Die Energiewende ist eine Chance und eine Notwendigkeit für unser Überleben. Man muss endlich aufhören, sich von den Verhinderern, Blockierern und Besitzstandswahrern das Geschehen diktieren zu lassen.

Dipl.-Ing. Dr. h. c. Josef Riegler

Lebenslauf

Geboren am 1. November 1938 in Judenburg

Eltern: Franz Riegler, Bergbauer in St. Peter ob Judenburg, geboren 1906, gefallen 1944; Maria Riegler, geboren 1911, gestorben 1993

1966   Verehelichung mit Antonia, geborene Schaffer, landwirtschaftliche Fachlehrerin

Kinder und Enkelkinder: Martina (1967), Klemens (1970); Jakob (1992), Sara (1993); Maria (1990), Sonja (1994), David und Amina (2010)

AUSBILDUNG:

1955-1956   Landwirtschaftliche Fachschule Grottenhof-Hardt

1956-1960   HBLA Raumberg/Irdning, Matura mit Auszeichnung

1960-1964   Studium an der Universität für Bodenkultur Wien, Vorsitzender der Studienrichtung Landwirtschaft in der ÖH und der Katholischen Hochschuljugend an der BOKU
Studien- und Praxisaufenthalte in Deutschland, Großbritannien, Belgien und Frankreich

1964-1965   Präsenzdienst beim Gardebataillon Wien sowie der Heeres-Sport- und Nahkampfschule

1965   Ablegung der Dritten Staatsprüfung, Graduierung zum Diplomingenieur

BERUF UND POLITIK:

1965   Fachlehrer Landwirtschaftliche Fachschule Grottenhof-Hardt

1965-1967   Diözesan-Jugendführer Katholische Jugend Steiermark

1968-1969   Generalsekretär der Katholischen Aktion Steiermark

1965-1970   Fachlehrer Landwirtschaftliche Fachschule St. Martin, Silberberg und Flamberg (Weststeirische Bauernschule)

1971   Verleihung des Berufstitels „Professor"

1971   Direktor der Landwirtschaftlichen Fachschule Stainz

1972   Direktor des Steirischen Bauernbundes

1975   Abgeordneter zum Nationalrat

1976   Agrarsprecher der ÖVP

1980	Direktor des Österreichischen Bauernbundes; Aktion „Lebensschancen im ländlichen Raum"
1983	Mitglied der Steiermärkischen Landesregierung, Landesrat für Land- und Forstwirtschaft sowie Wohnbauförderung
1985	Bestellung zum ersten Umwelt-Landesrat
1986	Wahl zum Bundesparteiobmann-Stellvertreter der ÖVP
1987	Bundesminister für Land- und Forstwirtschaft
1988	„Ökosoziales Manifest"; umfassende Reform der agrarischen Marktordnung: Produktionsalternativen anstelle von Überschüssen
1989	Vizekanzler und Bundesminister für Föderalismus und Verwaltungsreform
1989	Bundesparteiobmann der ÖVP, Beschluss des Konzeptes der Ökosozialen Marktwirtschaft
1991	Parteiführerkonferenz der Europäisch-Demokratischen Union in Paris – Definition des Konzeptes der Ökosozialen Marktwirtschaft als gemeinsames Ziel
1990	Nationalratswahl, herbe Verluste für die ÖVP; erfolgreiche Regierungsverhandlungen, Reform der ÖVP
1991	Rückzug als Bundesparteiobmann
1991-1993	Abgeordneter zum Nationalrat, Energiesprecher der ÖVP
1991	Präsident der Österreichischen Gesellschaft für Land- und Forstwirtschaftspolitik
1992	Gründung des Ökosozialen Forums gemeinsam mit Dkfm. Ernst Scheiber
1992-2005	Präsident des Ökosozialen Forum Österreich
1994-2001	Gründung von Ökosozialen Foren in mehreren europäischen Staaten sowie in österreichischen Bundesländern
2001	Gründung Ökosoziales Forum Europa, Präsident bis 2005
2003	Gründung der Initiative „Global Marshall Plan für eine weltweite Ökosoziale Marktwirtschaft" mit Prof DDr. Franz Josef Radermacher und Frithjof Finkbeiner
1993-2003	Obmann der Raiffeisen-Landesbank Steiermark
1993-1994	Geschäftsführender Obmann Raiffeisenverband Steiermark
1994-2003	Generalanwalt-Stellvertreter Österreichischer Raiffeisenverband
1996-2003	Vizepräsident Verband der Europäischen Landwirtschaft
1999	Ehrendoktorat der Universität für Bodenkultur Wien
2012-2014	Präsident von Nova EUropa

Die Menschheit „feiert" Pyrrhussiege gegen das Klima. Nach wie vor negiert sie die Gefährdung unseres Planeten durch den Klimawandel. Klimawandelleugner wie Donald Trump haben das Sagen. Ihre Falschinformationen irritieren große Teile der Weltbevölkerung.

Riegler: Die Dynamik des Klimavertrages von Paris wird letztlich stärker sein als die steinzeitliche Retropolitik von Trump und Konsorten. Das zeigen auch die Bemühungen von China und Indien, die sich zu Weltchampions in Sachen Photovoltaik mausern.

> *„Die USA stiegen aus dem Pariser Abkommen aus. Alle Begründungen dafür sind auf Fake News aufgebaut."*
>
> Ernst Scheiber

Der Weltklimagipfel in Paris schien ein erstes großes Umdenken zu signalisieren, doch die Taten zugunsten des Klimas bleiben aus, mit Ausnahme von Indien und China. Mehr als paradox, Wissenschafter des Öl- und Gasriesen Exxon warnten schon 1977 vor der dramatischen Erderwärmung, aber die Wissenschafter verheimlichten die Ergebnisse, mit anderen Worten: Ronald Reagan war vorerst Klimaschützer. Dann begann man aus allen Rohren zu schießen. Mit Think-Tanks, gezinkter Pressearbeit, sogenannten „Klimaexperten", finanziert durch Milliardäre aus dem Süden – aus der Kohle-, Stahl-, Öl- und Chemieindustrie wurde mit riesigen Geldern Meinung gemacht. Ergebnis: Die USA stiegen aus dem Pariser Abkommen aus. Alle Begründungen dafür sind auf Fake News aufgebaut.

Riegler: Wir dürfen einfach nicht nachlassen, die geistige Dynamik weiter anzufachen. Es geht um die Bündelung aller verantwortungsbewussten Kräfte aus Wissenschaft, Wirtschaft, Medien, Zivilgesellschaft …

Wie kann es aber gelingen, den Klimawandelleugnern Paroli zu bieten? Kann es überhaupt gelingen? Kann die Zivilgesellschaft mit Hilfe der sozialen Netzwerke das Steuer herumreißen?

Riegler: Die wache Zivilgesellschaft unter Zuhilfenahme aller Möglichkeiten der informellen Vernetzung mit Hilfe der modernen Informationstechnologie ist unser wichtigster Trumpf und möglicherweise unsere einzige Chance.

Multinationale Konzerne werden von der Politik künstlich ernährt. Kohle-, Auto- und Ölindustrie werden hoch subventioniert, nicht nur durch Steuerbegünstigungen und/oder Handelsprivilegien, sondern sogar durch direkte Förderungen aus Steuergeldern. Laut IAE wird vor allem die Öl-, Erdgas- und Kohlebranche weltweit mit jährlich 550 Mrd. US-Dollar gefördert, die Förderung für den Straßenbau oder den Aufwand für die Absicherung der Pipelines und Raffinerien nicht eingerechnet. Das globale Finanzsystem könnte ohne billionenschwere staatliche Finanzspritzen überhaupt nicht existieren. „Too big to fail", heißt es dann einfach. Großbanken profitieren von Rettungsmilliarden – noch kein Banker hat sich bei den Steuerzahlern je bedankt. Die Unsterblichkeitsgarantie wird als Selbstverständlichkeit dargestellt. Großunternehmungen der Chemie- und Ölbranche richten ökologische und soziale Katastrophen an und bleiben praktisch ungestraft. Bhopal, Deep Water Horizon und der Supergau von Fukushima sind die horribelsten Beispiele.

Riegler: Alle diese richtigen Argumente unterstreichen, dass ein fundamentales Umdenken der politischen Akteure im Sinne einer funktionsfähigen „Global Governance" unausweichlich ist. Entweder wir schaffen die Kurve oder wir fahren an die Wand. Die möglichen Lösungen sind längst erdacht: siehe Global Marshall Plan für eine weltweite Ökosoziale Marktwirtschaft, siehe Sustainable Development Goals 2015 bis 2030, siehe Klimavertrag von Paris, siehe Marshall Plan mit Afrika vom deutschen Entwicklungshilfeminister Gerd Müller ...

Die größte und dramatischste Form der Subventionierung ist jedoch der Klimawandel. Nur weil sich die Politiker der einzelnen Staaten weigern, die Verwendung fossiler Brennstoffe zu stoppen und so Schäden von ihren Bürgern abzuwenden, können die größten Unternehmungen ihr Geschäftsmodell ohne Internalisierung der Umweltkosten überhaupt prolongieren.

Riegler: Daher muss der Klimavertrag von Paris mit Leben erfüllt werden. Der ab 2020 mit 100 Mrd. Dollar pro Jahr zu dotierende Klimafonds für die vom Klimawandel unschuldig betroffenen ärmeren Länder ist ein erster Schritt …

Freihandelsverträge à la CETA enthalten Formeln der indirekten Subventionierung. So können Regierungen mit diesen Verträgen privaten Investoren das Recht einräumen, sie zu verklagen, wenn die Investoren der Meinung sind, dass ihnen durch Umwelt- und Verbraucherschutzgesetze Gewinne vorenthalten werden. Wenn Plündern für eine Gruppe in der Gesellschaft zur Lebensart wird, schafft sie im Laufe der Zeit ein Rechtssystem, das dieses legalisiert und einen Moralkodex, der es glorifiziert. Neoliberalismus ist nicht die Lösung, sondern das Problem.

Riegler: Unser Modell legt den Schwerpunkt auf die Weiterentwicklung der Welthandelsorganisation durch Einbau weltweit verpflichtender Sozial- und Umweltstandards anstatt bilateraler „Deals" …

Das Paris-Abkommen umzusetzen, bedeutet in Österreich die Einsparung von jährlich mindestens drei Mio. Tonnen Treibhausgasen. Seit dem Pariser Abkommen gab es aber mehr als zwei Jahre Untätigkeit und weiter steigende Emissionen. Der Energie- und Klimastrategie fehlt das Herz. Und das ist der Steuerumbau.

Riegler: Bisher ist die Phalanx der Verhinderer noch zu stark. Die Bundesregierung hat sich durch die Formel „Keine neuen Steuern" eine Selbstfesselung auferlegt. Ich bin überzeugt: Ohne intelligenten ökologischen Steuerumbau wird es nicht gehen. Die für 2020 in Aussicht gestellte „Steuerstrukturreform" ist eine Chance.

Österreich ist ein Steuerparadies für fossile Energie. Treibstoffe, Heizöl und Gas und deren Steuerbegünstigungen bleiben unangetastet, die Mineralölwirtschaft fördert Ölheizungen. Frühere Regierungen begünstigten in Nebenabsprachen die fossile Energie, auch von der Regierung Kurz/Strache haben die Innovatoren im Bereich erneuerbarer Energiesysteme bisher wenig zu erwarten. Einige Bundesländer fördern sogar den Gasausbau, Fördermittel für Gebäudesanierung und der Ausbau der Wärme auf Basis erneuerbarer Energien werden gekürzt, die Umstellung auf E10 gestrichen. Ein Energieeffizienzgesetz ist für das klassische „Krenreiben". Die Energiewende kann die Geldquellen der Fossilenergie-Wirtschaft austrocknen.

Riegler: Ja – deshalb ist sie unverzichtbar! Ich verweise insbesondere auf die Anregungen, die Heinz Kopetz zur Energie- und Klimastrategie eingebracht hat. Damit decke ich mich vollinhaltlich.

War der weltweite Widerstand gegen die 2°-Celsius-Formel nicht erstaunlich kraftlos?

Riegler: Möglicherweise war man sich der damit verbundenen Konsequenzen nicht bewusst: Das Ziel lautet schließlich: 2050 vollständiger Ausstieg aus der Verwendung fossiler Energie. Die bisherigen Entwicklungen im Klimasektor seit Paris verheißen nichts Gutes. Geschehen ist bis auf Aktivitäten in China und Indien, beide gewaltige Klimasünder, wenig bis nichts. Die Entwicklungsländer haben sich auf 1,5° Celsius eingeschworen – ein nahezu chancenloses Unterfangen. Vornehmlich um sich von den Industrieländern abzuheben. Jenseits von 2° Celsius werden die Folgen des Klimawandels richtig gefährlich, in Grönland beginnt ab 1,6° Celsius das irreversible Abschmelzen. Derzeit zeigt die Kurve der THG-Emissionen deutlich nach oben, auf eine Er-

> *„Die Entwicklungsländer haben sich auf 1,5° Celsius eingeschworen – ein nahezu chancenloses Unterfangen."*
>
> Josef Riegler

wärmung von katastrophalen 3° Celsius. Franz Josef Radermacher verweist immer wieder darauf, dass bei voller Umsetzung der Vorhaben aus dem Klimavertrag von Paris nur ein Teil des Zieles erreicht werden kann. Wir brauchen zusätzlich die Aktivitäten der Unternehmen und des Privatsektors zur Herstellung von CO_2-Neutralität sowie vielfältige Aktivitäten hinsichtlich Humusaufbau und Aufforstung. Ich verweise auf die Bemühungen in der Ökoregion Kaindorf in der Steiermark betreffend Humusaufbau und auf die eindrucksvollen Aktivitäten von „Plant for the Planet" von Felix Finkbeiner.

Wirklich glaubwürdig wird es bei den Einzelnen mit der Abkehr vom überbordenden Wachstum erst, wenn sie nicht gegen die dritte Landebahn, sondern gegen das Fliegen sind ... Entscheidend ist, dass man nicht nur gegen BP und den Umweltgau Deepwater Horizon Position bezieht, sondern sich an der Tankstelle überlegt, woher das Benzin kommt, das man tankt ... Wem man das Geld in den Rachen stopft, der damit Kriege im Nahen Osten und Terror bei uns finanziert.

Riegler: Der notwendige Wandel muss beim jeweils einzelnen Menschen beginnen, bei seinem Bewusstseinswandel, bei seiner Haltungs- und Verhaltensänderung. Jeder kann seinen persönlichen ökologischen Fußabdruck bestimmen und sein Verhalten korrigieren. Gleichzeitig muss aber auch an den „großen Schrauben" gedreht werden: ökologische Kostenwahrheit, striktes Verursacherprinzip, Steuer- und Rechtssysteme, die umweltgerechtes Handeln belohnen. Das gilt für Produzenten, Verkehrsteilnehmer und Konsument. Solange Menschen halb gratis um den Globus fliegen können und sich die Fluglinien dabei gegenseitig zugrunde richten, solange „Geiz ist geil" propagiert werden kann, werden Menschen bewusst zu „Konsumtrotteln" verführt.

Steckt der Ressourcen-Killer namens Kapitalismus nicht in jedem von uns? Sind wir nicht diejenigen, für die letztlich produziert wird? Der Einzelne müsste Widerstand leisten, doch ist es zu verlockend, nicht selbst zu denken, sondern für sich denken zu lassen ...

Riegler: Wir alle unterliegen jener raffinierten Gehirnwäsche, die seit Jahrzehnten über die Menschheit rollt. Eigentlich beginnt es beim oft bewusst missverstandenen Adam Smith und auf die Spitze getrieben durch Milton Friedman und Konsorten mit dem Irrglauben, dass es für das Gesamte am besten wäre, wenn jeder seinem Egoismus frönte. Die Egoismusfalle ist eine schier unwiderstehliche Versuchung für die menschliche Natur.

Die ungebremste Klimaerwärmung der vergangenen Jahrzehnte ist das größte Versagen der Zivilisation. Nur ein „Weltbürgertum der Nachhaltigkeit" kann die Entwicklung noch verlangsamen oder stoppen. Die wissenschaftliche Beweislage, dass wir der Selbstverbrennung entgegengehen, ist erdrückend. Gleichzeitig scheinen alle Politiker und Ökonomen, die das Steuer gegen das Feuer noch herumreißen könnten, den Selbstmordkurs beizubehalten. Geradezu ungeheuerlich ist der Vorschlag, mit Spiegelkonstruktionen die Sonne abzuschirmen, die Meere mit Eisen zu düngen und damit die Algen als Müllabfuhr des Klimagiftes CO_2 einzusetzen. Alles das soll unsere Trägheit und unser Nichtstun beim Klimawandel kaschieren.

Riegler: Ja, das unterstreicht die maßlose Verblendung und Uneinsichtigkeit sowie bizarre Hoffnung, durch technische Lösungen das Nichthandeln kaschieren zu können ...

Verdrängung ist angesagt, wenn es um die Ausplünderung Afrikas geht. Sie hat mittlerweile einen Umfang erreicht, der bei der Relation von Geldmittelzuflüssen in Form von Investitionen und Entwicklungshilfe zu den Geldmittelabflüssen an die multinationalen Konzerne, Rohstoffhändler und korrupten Eliten 1 : 10 beträgt. Im Zentrum aller „Unappetitlichkeiten" stehen die multinationalen Konzerne – wertgeschöpft wird in Afrika, versteuert auf schmähliche Weise in der Schweiz. Nur 2,5 % der Rohstoffeinnahmen fließen zum Beispiel im Kongo in die heimischen Haushalte. Von den „Fußabdrücken" wie Hungerlöhne, Dreck, Müll und verschmutzte Umwelt gar nicht zu reden. Ein besonders erschreckendes Beispiel lieferte seinerzeit Leopold II., der belgische König, der bei Nichterfüllung der von ihm vorgegebenen Kautschukquoten den einheimischen Sklaven die Gliedmaßen abhacken ließ.

Riegler: Afrika ist unser Schicksal, ob wir das wollen oder nicht! Ein Lichtblick ist das Projekt „Marshall Plan mit Afrika" des deutschen Bundesministers für wirtschaftliche Zusammenarbeit und Entwicklung, Gerd Müller. Sein Projekt wurde durch die geistige Vorarbeit von Franz Josef Radermacher inspiriert und ist im besten Sinn des Wortes zukunftsorientierte Partnerschaft. Es ist zu wünschen, dass die EU dieses Projekt für eine koordinierte europäische Strategie übernimmt.

> *„Afrika ist unser Schicksal, ob wir das wollen oder nicht!"*
>
> Josef Riegler

Statt herkömmlicher Entwicklungshilfe müssen faire Investitionsprogramme und sinnvolle Berufsbildungsprogramme stehen. Anzustreben sind Bodenreformen, die das Land via Einführung des Grundbuchs an die heimische Bevölkerung rückverteilen. Der Ausbau des Schulwesens, vor allem der Berufsschulen, das wären wichtige Stabilisierungsschritte. Dazu kommen Solarenergieprogramme. Bei den Frauen brächte eine Verbesserung der Bildungssituation einen positiven Beitrag zur Geburtenkontrolle.

Riegler: Die Antwort findet sich in unseren Modellen …

Die Steuerzahler mussten für die Spekulationswut von Bankern Billionen US-Dollar „blechen". Für einen Marshallplan für und mit Afrika muss genau so viel oder mehr Geld riskiert werden.

Riegler: Eine weltweite Abgabe auf Finanztransfers sowie eine adäquate Besteuerung multinationaler Konzerne und globaler Wirtschaftsaktivitäten sind zwingend notwendig.

Wie kann die sogenannte offene Gesellschaft dem Meinungsterror der Klimawandelleugner begegnen?

Riegler: Indem die Politik die Dramatik der Gefährdung der Menschheit durch den Klimawandel erkennt. Dem längst begonnenen Cyberkrieg muss Paroli geboten werden. Finanzierung und Professionalisierung mit dem Ziel, Fake News zu erkennen und ihren Produzenten das Handwerk zu legen. Die Zivilgesellschaft muss in den sozialen Medien intensiver Position beziehen. Facebook und Twitter müssen vermehrt zur Verantwortung gezogen werden, auch für sie sind journalistisches Ethos und redaktionelle Standards anzuwenden.

Der entscheidende Schritt ist jedoch die weltweite Dynamisierung der Energiewende – aber nicht mit österreichischem Tempo.

Riegler: Es geht um ein geistiges Ringen! Die Kraft der Ideen entscheidet über das weitere Schicksal der Menschheit. In Papst Franziskus mit seinen vielfältigen geistigen Impulsen haben wir einen wertvollen Verbündeten. Es geht um die Mobilisierung aller positiven geistigen Kräfte aus allen Kulturen, Religionen und Bildungsinstitutionen – es geht um alle verantwortungsbewussten Menschen.

DIPL.-ING. DR. H. C. JOSEF RIEGLER
ehemaliger Vizekanzler
und Landwirtschaftsminister
der Republik Österreich, Graz

Schöpfungsverantwortung leben!?

Wir leben in einer bewegten Welt. Vielen von uns geht es gut, viele Menschen – vor allem in anderen Kontinenten, aber auch hierzulande – leiden materielle Not. Wesentlicher Grund dafür ist die ungleiche Verteilung der Güter, die uns die Schöpfung zur Verfügung stellt. Und die Verteilung dieser Güter ist eine Machtfrage.

Diese Verteilung hängt davon ab, wer die Entscheidungen trifft, die nicht nur uns betreffen, sondern sich auf weite Teile der Menschheit auswirken. Wer hat das Sagen? Wer bestimmt? Entscheiden verantwortungsbewusste Menschen, die global denken? Oder stellen Machthaber die entscheidenden Weichen, die nur kurzfristige Interessen für ihren unmittelbaren Bereich haben? Wenn die Entscheidungsträger das Gesamtwohl der Menschheit im Blick haben, dann gibt es keine Opfer.

In welche Richtung sich die Wirtschaft und Gesellschaft der Welt bewegen müssen, hat Papst Franziskus in seiner Enzyklika „Laudato si" wunderbar deutlich gemacht. Diese Überlegungen sind ein Gesamtkunstwerk zum Thema Zukunft. Die vieldiskutierte Enzyklika ist ein starker Ansporn. Das Ziel sind maßgebliche Impulse in Richtung einer „ganzheitlichen Ökologie".

Es geht dabei nicht nur um den Respekt vor dem Oberhaupt der Katholischen Kirche, sondern es geht im gleichen Maße um die Verantwortung gegenüber der Schöpfung. Jeder und jede muss sich hier engagieren. Es geht um unsere Welt, um die Menschheit und vor allem um die nächsten Generationen. Gerade wir Christen können auf eine geistliche Tradition zurückgreifen, die eine nachhaltige und zukunftsfähige Lebenshaltung fördert.

> *„Marktwirtschaft bringt aus eigenem Antrieb keine Gerechtigkeit hervor. Dazu braucht es wohldurchdachte und faire institutionelle Rahmenbedingungen."*
>
> Josef Riegler

Völlig unverzichtbar ist im Zusammenhang mit der Weiterentwicklung und Verbesserung der Welt die Gerechtigkeit. Das gilt auch oder vielleicht vor allem für die Bereiche Wirtschaft, Umwelt und Soziales. Wesentlicher Teil der Gerechtigkeit ist die Freiheit des Menschen. Das ist ein zerbrechliches Gut, das völlig unverzichtbar ist. Freiheit stellt sich aber nicht von selbst ein.

Von vielen wird auf die uneingeschränkte Freiheit der weltweiten Marktwirtschaft gepocht. Aber die eigene Freiheit darf nicht die Freiheit anderer beschneiden oder gar rauben. Marktwirtschaft bringt aus eigenem Antrieb keine Gerechtigkeit hervor. Dazu braucht es wohldurchdachte und faire institutionelle Rahmenbedingungen.

Initiativen gegen den Werteverfall, verwerfliche Geschäftspraktiken, Gewinnsucht und Übervorteilung sind in den letzten Jahren in vielen Wirtschaftsbereichen gestartet worden. Anstand und Redlichkeit werden wieder in den Mittelpunkt gerückt. Zu den menschlichen Kardinaltugenden zählen Weisheit, Tapferkeit, Mäßigung und Gerechtigkeit, freilich in zeitgemäßer Interpretation. Es gehören aber auch Toleranz, Wahrhaftigkeit und Solidarität dazu.

In diesem Zusammenhang ist nachdrücklich auf die biblischen Leitmotive Recht und Gerechtigkeit, Güte und Erbarmen zu verweisen.

Die Bibel macht deutlich, dass alle Menschen, ob Christen oder nicht, Ebenbild Gottes sind. Dieser radikale Gleichheitsgrundsatz prägt die christliche Ethik.

Man kann sich heute oft nicht des Eindrucks erwehren, dass der Markt die Wirtschaft und die Welt übermächtig dominiert. Das ist eine Fehlentwicklung. Man muss den Markt und dessen Proponenten mit allem Nachdruck drängen, in den sozialen Dialog – auch über Grenzen von Ländern und Kontinenten – und in eine ernsthafte Umweltdebatte einzutreten.

Dazu braucht es vor allem in der Politik starke Persönlichkeiten, die in der Lage sind, ein solches Programm umzusetzen, also prophetische Gestalten mit ganzheitlichem Blick. Die Entscheidungsträger von heute und morgen müssen erkennen, welche Bedeutung die Balance zwischen Ökonomie, Ökologie und Sozialem für die Menschheit hat.

Für eine ethisch verantwortungsvolle Marktwirtschaft braucht es starke Institutionen und durchsetzungsfähige Persönlichkeiten, die das wirtschaftliche Regelwerk auf das Gemeinwohl hin orientieren. Mitarbeiterinnen und Mitarbeiter sind die wichtigste Ressource jedes Unternehmens. Jeder kluge und langfristig denkende Unternehmer muss deshalb ein lebhaftes Interesse daran haben, dass sich seine Mitarbeiterinnen und Mitarbeiter mit dem Unternehmen identifizieren.

Zum nachhaltigen Erfolg jedes Unternehmens und der gesamten Weltwirtschaft gehört praktizierte Ethik. In Österreich gibt es viele erfolgreiche Ansätze, wieder Ethik in die Unternehmen zu bringen. Es ist zu hoffen, dass derartige Bemühungen nicht nur der Geschäftsankurbelung und der Verbesserung des Images des Unternehmens dienen sollen, sondern ein neues nachhaltiges ökosoziales Wirtschaftsverständnis zum Ausdruck bringen. Ich bin da nach wie vor sehr zuversichtlich.

Jeder Mensch dieser Erde hat Verantwortung für die Schöpfung zu tragen. Umweltbewegungen haben hier wertvolle und beispielgebende Impulse gesetzt.

Im Besonderen jedoch gilt der Auftrag, als leuchtendes Vorbild Schöpfungstheologie und -verantwortung zu leben, für Christen und die gesamte Katholische Kirche.

Reinhard Kardinal Marx
Vorsitzender der
Deutschen Bischofskonferenz, Bonn

Sehen – Urteilen – Handeln

Mit der Enzyklika „Laudato si" hat Papst Franziskus zur rechten Zeit ein starkes Signal für die Schöpfung gesendet. Mit der 2015 vorgestellten Enzyklika nimmt der Papst die Kirche, sich selbst und die Weltgemeinschaft in die Pflicht, verantwortlich mit der Schöpfung umzugehen.

Zentrale Themen der Enzyklika sind die derzeit stattfindende Zerstörung des Planeten und die weltweite Armut und soziale Ungerechtigkeit. Diese Enzyklika ist ein großes Werk des Papstes, das ich mir gerne zu eigen mache. Der Papst redet der Welt und auch der Kirche ins Gewissen, ob gelegen oder ungelegen. Seine Botschaft ist nicht bequem, sie rüttelt wach und mahnt uns, Verantwortung zu übernehmen.

Es ist ein großes Anliegen des Papstes, ökologische und soziale Probleme, den Einsatz für die Umwelt und die Armen, auf keinen Fall zu trennen. Die manchmal verwendete Formulierung, es handle sich um eine Umwelt- oder Klimaenzyklika, greift deshalb zu kurz. Es geht vielmehr um eine Verschränkung von Umwelt und Entwicklung.

Der Papst greift in seiner Enzyklika den Dreischritt „Sehen – Urteilen – Handeln" auf, den die christliche Sozialethik im Anschluss an „Mater et magistra" von Johannes XXIII. als zentrales methodisches Instrument ansieht. Er beginnt die Enzyklika mit einer Analyse der Situation im ersten Kapitel unter der Überschrift „Was unserem Haus widerfährt". Es geht ihm um entscheidende Umweltprobleme, aber auch um weltweite soziale Ungerechtigkeit sowie schließlich die Schwäche der Reaktionen und die Unterschiedlichkeit der Meinungen.

Der zweite Schritt ist der des „Urteilens", in dem Grundwerte und Grundlinien seiner theologischen und sozialethischen Perspektive und Argumentation aufgezeigt werden. Es geht um das Evangelium der Schöpfung, die menschliche Wurzel der ökologischen Krise und das Konzept einer ganzheitlichen Ökologie. Daran schließt sich der Schritt des „Handelns" an, was eher meint: einiger Optionen für ein sach- und wertgerechtes Handeln.

> *„Papst Franziskus wendet sich aufgrund der allgemeinen Bedeutung und der Dringlichkeit der Thematik an die gesamte katholische Welt und darüber hinaus auch an ‚alle Menschen guten Willens'."*
>
> Reinhard Kardinal Marx

Franziskus wendet sich aufgrund der allgemeinen Bedeutung und der Dringlichkeit der Thematik an die gesamte katholische Welt und darüber hinaus auch an „alle Menschen guten Willens", um „in Bezug auf unser gemeinsames Haus in besonderer Weise mit allen ins Gespräch zu kommen". Er verbindet damit die Intention des Dialogs. Sehr klar formuliert er in dem Zusammenhang die Kompetenz und Verpflichtung, zugleich aber auch die Grenzen kirchlicher Stellungnahmen in Bezug auf konkrete Fragen: Es ist „nicht Sache der Kirche, endgültige Vorschläge zu unterbreiten. Sie versteht, dass sie zuhören und die ehrliche Debatte zwischen den Wissenschaftern fördern und die Unterschiedlichkeit der Meinungen respektieren muss."

War es bislang eher üblich, in derartigen Texten nahezu ausschließlich frühere lehramtliche Schriften sowie Kirchenväter zu zitieren, so wird hier auf relevante Theologen verwiesen und werden deren Texte zitiert, wenn sie hilfreiche Aussagen machen. Zu nennen ist hier etwa der ausführliche Hinweis auf Romano Guardini im Kontext der Ausführungen zum modernen Anthropozentrismus[1], aber auch auf Teilhard de Chardin, wo es um den Bezug zwischen dem Reifungsprozess des Universums und der Fülle Gottes geht.

Bezeichnend ist, dass der Papst schon im Titel „Die Sorge für das gemeinsame Haus" den Inhalt der Enzyklika benennt. Auch im Folgenden spricht der Papst immer wieder von der Erde als einem „gemeinsamen Haus" für die „ganze Menschheitsfamilie" und fordert eine „universale Solidarität": „Wir müssen uns stärker bewusst machen, dass wir eine einzige Menschheitsfamilie sind."

Die derzeit stattfindende Zerstörung des Planeten wird in klaren Worten angeprangert, jedoch immer im Zusammenhang mit der Ungerechtigkeit gegenüber den Armen. Er beruft sich auf den Ökumenischen Patriarchen Bartholomäus, um Umweltverschmutzung als Sünde zu brandmarken. Später wird er deutlich machen, dass der Glaube an Gott unbedingt auch die Liebe zu seiner Schöpfung impliziert. Wer die Schöpfung nicht liebt, kann deshalb auch kein wirklich guter Christ sein.

Entscheidende Umweltprobleme sind Verschmutzung, Klimawandel, Wasserknappheit und Verlust der Artenvielfalt, verknüpft mit weltweiter sozialer Ungerechtigkeit. Dem Papst geht es dabei nicht nur um Information, sondern darum, dass wir das, was der Welt widerfährt, in „persönliches Leiden verwandeln".

---

[1] Anthropozentrisch bedeutet, dass der Mensch sich selbst als den Mittelpunkt der weltlichen Realität versteht. Der Anthropozentrismus hat eine weltanschauliche, eine ethische und eine religiöse Komponente als Schnittpunkt.

Hinsichtlich des Klimawandels und der Erderwärmung hegt der Papst keinen Zweifel daran, dass mit hoher Sicherheit davon auszugehen ist, dass der Klimawandel menschengemacht ist. „Zahlreiche wissenschaftliche Studien zeigen, dass der größte Teil der globalen Erwärmung der letzten Jahrzehnte auf die starke Konzentration von Treibhausgasen (Kohlendioxid, Methan, Stickstoffoxide und andere) zurückzuführen ist, die vor allem aufgrund des menschlichen Handelns ausgestoßen werden." Im Folgenden macht er insbesondere auf die dramatischen Folgen des Klimawandels aufmerksam, vor allem für die ärmsten Bewohner unseres Planeten.

Um die genannten Probleme zu lösen, sind alle Menschen gefragt, besonders aber die entwickelten Länder. Insofern kritisiert der Papst massiv neben der Umweltzerstörung und der weltweiten sozialen Ungerechtigkeit die Tatsache, dass die reichen Länder bisher so wenig zur Bewältigung der Umweltprobleme getan haben. Hier verlangt er einen Kurswechsel: „Es ist notwendig, dass die entwickelten Länder zur Lösung dieser Schuld beitragen, indem sie den Konsum nicht erneuerbarer Energie in bedeutendem Maß einschränken und Hilfsmittel in die am meisten bedürftigen Länder bringen, um politische Konzepte und Programme für eine nachhaltige Entwicklung zu unterstützen. Die ärmsten Regionen und Länder besitzen weniger Möglichkeiten, neue Modelle zur Reduzierung der Umweltbelastung anzuwenden, denn sie haben nicht die Qualifikation, um die notwendigen Verfahren zu entwickeln, und können die Kosten nicht abdecken. Darum muss man deutlich im Bewusstsein behalten, dass es im Klimawandel diversifizierte Verantwortlichkeiten gibt."

Im zweiten Kapitel wird relativ ausführlich die christliche Schöpfungstheologie entfaltet. Er glaubt, dass die Theologie einen produktiven Beitrag zur Diskussion leisten kann. Zudem habe es einen großen Nutzen für die Menschheit, wenn Gläubige die ökologischen Verpflichtungen besser erkennen.

Franziskus greift hier auch die Debatte nach dem biblischen Herrschaftsauftrag auf, den Gott dem Menschen erteilt hat. Er wendet sich gegen den Vorwurf, damit sei Tor und Tür für jede Ausbeutung der Erde in menschlicher Selbstherrlichkeit geöffnet. Dagegen wendet er ein, dass es bei dem Herrschaftsauftrag nicht um eine „absolute Herrschaft über die anderen Geschöpfe" geht, sondern um ein Herrschen, das „hüten, schützen, beaufsichtigen, bewahren, erhalten, bewachen meint. Das schließt eine Beziehung verantwortlicher Wechselseitigkeit zwischen dem Menschen und der Natur ein." Jedes Geschöpf besitzt seinen eigenen Wert, den der Mensch zu achten hat. Der Mensch ist in das Gesamtgefüge der Schöpfung eingebettet.

Eine Art soziologische und kulturwissenschaftliche Systemanalyse und Systemkritik bietet das dritte Kapitel: Zwar werden die Chancen der Technik auch positiv gewürdigt, als Grundübel, das hinter der ökologischen Krise stecke, macht der Papst jedoch das globalisierte „technokratische Paradigma" aus, das Wissenschaft, Wirtschaft und Politik beherrsche.

Auf der Basis der Grundeinsicht, dass alles mit allem zusammenhängt, entwickelt der Papst im vierten Kapitel einen eigenen Lösungsansatz, den er als „ganzheitliche Ökologie" bezeichnet. Diese „ganzheitliche Ökologie" umfasst die Umwelt -, Wirtschafts -, Kulturökologie, die Ökologie des Alltagslebens und die „Humanökologie". In all diesen Fällen müssten Zusammenhänge und Wechselwirkungen berücksichtigt, eine ganzheitliche Perspektive entwickelt und Rücksichtnahme auf die schwächsten Glieder praktiziert werden.

Franziskus fügt einen eigenen Abschnitt zur „generationsübergreifenden Gerechtigkeit" hinzu: „Ohne eine Solidarität zwischen den Generationen kann von nachhaltiger Entwicklung keine Rede mehr sein." Die Erde gehöre allen Menschen, auch den erst noch kommenden Generationen. Deshalb wirft er die Frage auf, welche Welt wir hinterlassen wollen. In diesem Zusammenhang wird mit großem Nachdruck betont, dass der derzeitige Lebensstil der reichen Nationen nicht universalisierbar ist: „Der Rhythmus des Konsums, der Verschwendung und der Veränderung der Umwelt hat die Kapazität des Planeten derart überschritten, dass der gegenwärtige Lebensstil nur in Katastrophen enden kann, wie es bereits in verschiedenen Regionen geschieht."

Eine wesentliche Forderung von Franziskus ist die Dekarbonisierung der Energieversorgung: „Wir wissen, dass die Technologie, die auf der sehr umweltschädlichen Verbrennung von fossilem Kraftstoff –Kohle, Erdöl und Gas – beruht, unverzüglich ersetzt werden muss."

Die Reduzierung von Treibhausgas verlangt Ehrlichkeit, Mut und Verantwortlichkeit vor allem der Länder, die am mächtigsten sind und am stärksten die Umwelt verschmutzen." Den Grund für das bisherige Scheitern sieht der Papst in den nationalen Eigeninteressen: „Die internationalen Verhandlungen können keine namhaften Fortschritte machen aufgrund der Positionen der Länder, die es vorziehen, ihre nationalen Interessen über das globale Gemeinwohl zu setzen."

> *„Die Reduzierung von Treibhausgas verlangt Ehrlichkeit, Mut und Verantwortlichkeit vor allem der Länder, die am mächtigsten sind und am stärksten die Umwelt verschmutzen. "*
>
> Reinhard Kardinal Marx

Im sechsten Kapitel finden sich wichtige Hinweise zu einer ökologischen Erziehung, die den herrschenden Konsumismus überwinden könne. Der Papst setzt auf die Verantwortung des Einzelnen und auf ökologische Tugenden, denn: „Die Existenz von Gesetzen und Regeln reicht auf lange Sicht nicht aus, um die schlechten Verhaltensweisen einzuschränken, selbst wenn eine wirksame Kontrolle vorhanden ist." Hier wird auch noch einmal in einer Art kirchlicher Selbstverpflichtung die besondere Verantwortung der Religionsgemeinschaften hervorgehoben. Die Enzyklika endet mit sehr tiefgreifenden und berührenden Ausführungen zu einer ökologischen Spiritualität, die zu „Genügsamkeit und Demut" führen müsse. Am Ende findet sich der Aufruf: „Gehen wir singend voran! Mögen unsere Kämpfe und unsere Sorgen um diesen Planeten uns nicht die Freude und die Hoffnung nehmen."

Der Papst bleibt voller Hoffnung. Er schildert die riesigen globalen Probleme und Herausforderungen im Umwelt- und Sozialbereich. Aber er glaubt daran, dass die Menschen sich in Freiheit für das Gute entscheiden, die Herausforderungen bewältigen und die Welt zum Besseren verändern können.

UNIV.-PROF.
DR. KARL AIGINGER
Querdenkerplattform Wien-Europa,
lehrt an der Wirtschaftsuniversität Wien

Europa verzichtet auf Dreifachgewinn aus ökosozialer Strategie

Eine Lebensidee ist bei Josef Riegler gereift: Wir brauchen ein neues Wirtschaftsmodell, das nicht nur marginal anders ist als das jetzige. Er nannte es Ökosoziale Marktwirtschaft und forderte mich vor dreißig Jahren auf, eine wissenschaftliche Grundlage dafür zu schreiben. Dies tat ich mit Kollegen (keine Kollegin, sorry) aus Technik, Politikwissenschaft, Landwirtschaft und Verkehr (Aiginger 1990).

Die Strategie, die hier erarbeitet wurde, war so „gefährlich", dass die Vereinigung österreichischer Industrieller die Finanzierung des ÖVP-Wahlkampfes vom weitgehenden Verzicht auf dieses Konzept abhängig machte. Die „Grünen"-Chefin klagte, dass sich jetzt Ökonomen auch noch in das Umweltthema einmischten. Ein älterer Freund drohte mir, dass ich, wenn ich so weiterspinne, beruflich nie „etwas werden" würde.

Aufbau und Ziel

Der nächste Abschnitt skizziert die zentrale Idee. Dann folgt die Weiterentwicklung des Konzeptes zum Begriff der Nachhaltigkeit, zu den von den Vereinten Nationen in 17 Ziele gegossenen „Sustainable Development Goals"[1] (UN-Agenda 2030, UNO, 2015) und zum Paris-Vertrag 2015 (UNFCC, 2015). Der Klimavertrag von Paris (COP 21) ist genial konzipiert, wurde von 190 Ländern unterschrieben und ist 2016 in Kraft getreten. Die Ankündigung des Ausstiegs durch Donald Trump hat bisher keine Nachahmer gefunden.

Dann analysieren wir das unvorstellbare Versagen desjenigen, der eigentlich politische Ziele durchsetzen sollte. Die Ungeschicklichkeit des Staates wird nur durch die Angst vor seiner theoretischen Allmacht übertroffen. Vertreter von Partikularinteressen setzen sich immer wieder gegen langfristige gesellschaftliche Interessen durch. Nebelgranaten werden geworfen, wann immer neue Technologien oder Verhaltensweisen die Bekämpfung des Klimawandels erleichtern würden. Wir skizzieren eine Strategie, wie der Kurswechsel zur Nachhaltigkeit doch gelingen könnte. Die Literatur betont, dass die Vorreiter Vorteile und die Nachzügler höhere Kosten haben. Wir schließen mit der Vision, dass Europa den Lead in einer „verantwortungsbewussten" Globalisierung übernimmt, einem Modell, das Armut und Ungleichheit reduziert, die Erderwärmung begrenzt und Wahlfreiheiten stärkt.

Des Pudels Kern: Idee und Strategielinien

Die zentrale Idee der Ökosozialen Marktwirtschaft ist, dass wir auf Wohlfahrt und Wahlfreiheiten nicht verzichten müssen, wenn wir sozial und ökologisch nachhaltig leben wollen. Es ist wichtig, extreme Egoismen und Kurzsichtigkeit auszuschalten und wirtschaftlich schwächere Gruppen mitzunehmen.

Die drei Ziele steigende Einkommen, sozialer Ausgleich und ökologische Exzellenz müssen in einer Strategie verbunden werden, so dass sie sich gegenseitig synergetisch ergänzen; „Silo-Ansätze" sind auszu-

---

1   Die 17 „SDG"-Ziele wurden von der 70. Generalversammlung der UN im Jahr 2015 beschlossen, sie werden oft unter dem Titel „UN Agenda 2030" (genauer 2030 Agenda for Sustainable Development) zitiert, vgl. auch OECD (2017).

schließen. Die Ökosoziale Marktwirtschaft nutzt die folgenden Strategielinien:

- einen Methodenmix: marktwirtschaftliche Prozesse plus Abgaben und Regulierungen
- die Abbildung versteckter Kosten – für die Zukunft und für „Andere" – in den Preisen
- Eigeninitiative und unternehmerisches Denken; hohe Steuern werden gesenkt
- Top-down- und Bottom-up-Ansätze werden kombiniert, die Zivilgesellschaft einbezogen.

Nachhaltigkeit und Paris-Vertrag

Über „Degrowth" und Neoliberalismus zum Paris-Vertrag

Das Konzept der Ökosozialen Marktwirtschaft wurde in den letzten 30 Jahren weiterentwickelt, teilweise über den Umweg radikaler Kapitalismus- oder Wachstumskritik. Es wurde unter dem Einfluss von Privatisierung und Marktliberalisierung in Frage gestellt. Die überwältigende Evidenz der Forschung, dass der Klimawandel Realität ist und durch menschliches Verhalten verursacht ist, holt das Konzept zurück in den Fokus der Politik.

Die Verdrängung des Bruttoinlandsproduktes als vorrangiges Ziel, die Verfügbarkeit der „Beyond GDP-Ziele" der OECD und der UN-Nachhaltigkeitsziele[2] nehmen den Gedanken auf, dass wirtschaftliche, soziale und ökologische Ziele gleichzeitig angesteuert werden müssen und nicht isoliert in „Silo-Ansätzen" verfolgt werden können (vgl. Aiginger, 2016). Dies gilt für reiche Industrieländer, aber auch für Emerging Countries und auch für Afrika, das sich gerade nach langer Schwächephase selbstbewusst zu einem Wachstumskern entwickelt.[3]

---

2   Basierend auf Stiglitz/Sen/Fitoussi (2009) und UN-Agenda.
3   Vgl. African Union Commission (2015).

Paris-Vertrag

195 Länder haben sich im Paris-Vertrag verpflichtet, die Klimaerwärmung unter zwei Grad Celsius zu halten („besser deutlich darunter"; UNFCC 2018). Experten übersetzen diese Vorgabe in die Leitlinie, dass die Kohlendioxid-Emissionen bis 2050 um 80 % reduziert werden müssen. Angesichts einer zu erwartenden Verdoppelung der Wirtschaftsleistung in Europa bedeutet das eine Reduktion der spezifischen Belastung (je Produktionseinheit) in der EU auf 10 % der Emissionen von heute. In der zweiten Hälfte des Jahrhunderts darf es keine Nettoemissionen mehr geben. Alle Treibhausgase müssen von Senken (Wälder, Meere) absorbiert werden.

Die Konsequenz ist, dass Wohnbau und Verkehr spätestens 2050 emissionsfrei sein müssen. Die restlichen 20 % (bzw. 10 % verglichen mit der Wirtschaftsleistung 2050) werden für Industrieproduktion und Notfälle, in denen karbonfreie Lösungen nicht verfügbar sind, benötigt.

Nullemissionen in Verkehr und Bauten

Die Dekarbonisierung von Verkehr und Wohnen bis 2050 ist anspruchsvoll, aber die Lösungen existieren in den Labors bzw. zeichnen sich ab (Schleicher et al., 2018). Wie schnell die Entwicklung in der Batteriequalität und bei Passivhäusern in den letzten fünf Jahren weitergegangen ist – unter extrem ungünstigen staatlichen Rahmenbedingungen –, ist in einem kleinen Vorzeigesegment sichtbar. Allerdings wird alles getan, um dieses Segment klein zu halten. In den Vorstandsetagen von Industrie und Bauwirtschaft werden Zukunftstechnologien schon in Auftrag gegeben, doch ist es für bestehende Unternehmen profitabler, die alte Technologie so lange wie möglich zu nutzen, um ihren Einsatz hinauszuzögern.

> *„Für bestehende Unternehmen ist es profitabler, die alte Technologie so lange wie möglich zu nutzen."*
>
> Karl Aiginger

Die großen Autofirmen und Baukonzerne haben ein Interesse und die Möglichkeit, die neuen Technologien herunterzuspielen, weil sonst

Politik und Konsumenten reagieren. Bei der Umstellung sind kleinere Firmen schneller und gewinnen Marktanteile. Die Neueinsteiger (z. B. Tesla) selbst haben oft das Interesse, im Hochpreissegment „abzusahnen", weil die Forschungskosten noch nicht verdient sind und eine Investition mit großer Stückzahl die Finanzierungsmöglichkeiten übersteigt. Marketing und Lobbying der Großkonzerne versuchen, verpflichtende Regulierungen zu vermeiden. Bestehende Organisationen (Autofahrerclubs, Händler) forcieren die Technologie, die sie bereits kennen. Die staatlichen Regulierer selbst sind in „Geiselhaft". Kontrollen finden unter unrealistischen Bedingungen statt. Produzenten setzen eine Software ein, die im Labor gute Ergebnisse zeigt. Regulatoren wechseln zwischen zu prüfenden Unternehmen und der Regulierungsbehörde. Fehler im System werden nur aufgedeckt, wenn ein „Outsider" ökonomische Interessen hat, wie etwa die USA, angesichts der erfolgreichen europäischen Autoindustrie und der eigenen Schwächen.

Weit weg vom Kurs: Umsetzungsdefizite

Das heutige Reformtempo ist absolut ungenügend. In den letzten Jahren ist es gerade gelungen, den weiteren Anstieg der Treibhausgase einzubremsen bzw. in einzelnen Jahren und bei einigen Indikatoren minimal zu reduzieren. Der Anstieg der weltweiten Emissionen wurde 2016 auf 0,4 % „eingebremst", angesichts des Wachstums der Weltwirtschaft ergibt das einen „spezifischen Rückgang um 2,5 %. Zur Einhaltung der Paris-Ziele wäre ein Rückgang von über 6 % pro Jahr erforderlich (PWC, 2017).

Die Unterschriften von 195 Ländern mit so großen Unterschieden in Emissionen, Wirtschafts- und Politiksystemen konnten durch Festlegung des Zieles bei gleichzeitiger Überlassung der Umsetzung an die Signatarstaaten erreicht werden. Erwartungsgemäß reichen die zunächst vorgelegten Pläne nur für eine deutlich geringere Reduktion der Treibhausgase, aber die Pläne werden zentral bewertet und Nachbesserungen verlangt. Wenn die Überprüfung durch Experten funktioniert und die Nachbesserungen tatsächlich erfolgen, ist der beste Mechanismus gewählt worden. China als größter absoluter Klimasünder hat sowohl wegen des Ausmaßes seiner Probleme (Millionen Todesfälle pro

Jahr, Smog, Energieausfälle), aber auch um selbst Technologieführer zu werden, eine ehrgeizige Umsetzungsstrategie gewählt. Der pro Kopf größte Klimasünder, die USA, haben den Ausstieg aus dem Abkommen angekündigt. Doch dieser ist erstens schwierig durchzuführen und zweitens wird er durch Aktivitäten von Kalifornien bis New York und vielen Städten wirkungslos. Die „Western Climate Initiative" konzipiert ein gemeinsames Emissionshandelsystems. Die Notwendigkeit radikaler Maßnahmen wird durch Dürre und hohe Katastrophenschäden unterlegt.

Europa hat sich zunächst in seiner „20-20-20-Vorgabe" wenig ambitionierte Ziele gesetzt, bei denen der Anstieg der Energieeffizienz und der Rückgang der Emissionen angesichts der vorgegebenen Zeitperiode und der Wahl des Ausgangsszenarios Fortschritte von weniger als 1 % pro Jahr bedeuten. Die Versuche, die Ziele anspruchsvoller zu gestalten (etwa auf 40 % bis 2030), werden von Medien und Lobbyisten, aber auch der Europäischen Kommission als anspruchsvoll dargestellt, sind aber ebenfalls niedriger als der Anstieg in der Arbeitsproduktivität, sodass der Kurs – von Medien und Öffentlichkeit unbemerkt – weiter falsch liegt.

Die europäische Industriepolitik hatte vorrübergehend das Ziel der Nachhaltigkeit an die erste Stelle gestellt (mit „sustainability at its core"), dann unter dem Industriekommissar Antonio Tajani wieder zurückgenommen. Auch Deutschland drängt immer wieder darauf, Nachhaltigkeit sowie Konkurrenzfähigkeit mit einem „und" verbunden nebeneinander zu stellen. Damit wird jede strategische Ausrichtung und eine Umlenkung des technischen Fortschrittes von einer Steigerung der Arbeitsproduktivität zu einem Anstieg von Ressourcen- und Energieproduktivität verhindert. Unter dem Deckmantel einer „Klimawende" (dem Code-Wort für den Atomausstieg) verhindert Deutschland eine europäische Industriepolitik, die dem Paris-Vertrag entspricht. Dass Konkurrenzfähigkeit und die Nachhaltigkeit keine Widersprüche sind, ist seit 30 Jahren bekannt (Porter-Hypothese, Stern-Review, WWWforEurope)[4].

Österreich hat mit dem Ziel, Strom ausschließlich aus erneuerbaren Quellen zu beziehen, einen partiell ehrgeizigen Ansatz. Generell verzichtet es aber seit 2000 auf seine Vorreiterrolle. Das wird unter „no goldplating" mit einem attraktiven Slogan überdeckt, der vor allem von einem Koalitionspartner forciert wird, der den Klimawandel ebenso wie Donald Trump und Rechtsnationalisten leugnet. „No goldplating" hat die Konsequenz, dass eines der Länder mit dem höchsten Pro-Kopf-Einkommen in Europa und mit einem hohen Anteil an Patenten bei Elektroautos auf Technologieführerschaft verzichtet, und dies ist auch wirtschaftlich nachteilig. Die Energieeffizienz steigt unterdurchschnittlich, Emissionen sinken absolut sehr wenig.

Das unvorstellbare Versagen des „Big Brothers"

Es gibt einerseits die Angst vor einem übermächtigen, alles kontrollierenden Staat und andererseits die Illusion von Linkspopulisten, dass dieser alles besser macht. Die Realität ist, dass die „Öffentlichen Hände" – in ihrer Kombination von Gesamtstaat, Ländern, Gemeinden und halbstaatlichen Institutionen – unglaublich ungeschickt sind. Dies zeigen das Steuersystem und die Regulierung.

Fehlsteuerungen durch das Steuersystem

„Obwohl der Staat Beschäftigung erhöhen und Arbeitslosigkeit senken will, belastet er den Faktor Arbeit."

Karl Aiginger

Belastung des Faktors Arbeit
Obwohl der Staat Beschäftigung erhöhen und Arbeitslosigkeit senken will, belastet er den Faktor Arbeit über

---

4   Die Verwendung des alten kostenorientierten Konzeptes der Wettbewerbsfähigkeit wird gerade in Deutschland hochstilisiert, während die moderne Forschung Wettbewerbskraft als Fähigkeit interpretiert, gesellschaftliche Ziele zu erreichen (Aiginger, 2013).

Steuern und Sozialabgaben; im Europa-Durchschnitt mit der Hälfte aller Steuern.

Verzicht auf Chancengerechtigkeit

Obwohl gleiche Startbedingungen ein ökonomisches und soziales Ziel sind, werden Leistungseinkommen besteuert, Erbschaften bleiben in immer mehr Ländern steuerfrei. Finanztransaktionen, die im Sekundentakt und von Algorithmen vorgenommen werden, bleiben steuerfrei; wo es Steuern für Finanztransaktionen gibt, belasten sie die Realwirtschaft und Investitionen.

Preisgünstige Emissionen und Ressourcenverbrauch

Obwohl Emissionen oft nicht einmal entsprechend der ungenügenden EU-Ziele gesenkt werden, sind sie steuerfrei; auf den Zusammenbruch des Emissionshandels wurde spät reagiert, die Preise sind noch immer deutlich zu niedrig.

Ineffizienz der Regulierung

Dauersubventionen für fossile Energie

Die Fehlsteuerung durch den hyperaktiven Big Brother setzt sich auf der Ausgabenseite fort. Die Subventionen für fossile Energien sind höher als jene für erneuerbare, in Europa schätzt man die Förderungen, Großkundenrabatte bzw. Steuerbefreiungen für Kohle, Öl und Gas auf 100 Mrd. €, in Österreich auf 4 Mrd. € (Kletzan/Slamanig/Köppl, 2016; European Parliament, 2017). Die Forschungsausgaben für emissionssparende Technologien stagnieren und fallen gegenüber jenen in China dramatisch, sodass die Technologieführung an China bzw. Kalifornien verloren geht.

Kontrollversagen mit System

Die öffentliche Hand verzichtet auf Vorbildfunktion bei Elektro- oder Wasserstoffautos oder auf einen gemeinsamen Fuhrpark. Wenn es doch ein Elektroauto ist, dann wird ein Tesla mit 700 PS gekauft. Es werden keine Ausschreibungen für kompakte 100-PS-Fahrzeuge gemacht, und es gibt keine gesetzliche Verpflichtung, Elektrotankstellen in Ministerien, auf Firmenparkplätzen, in öffentlichen Garagen und bei Supermärkten zu errichten. Jeder Haushalt wird mehrmals am Tag mit Zeitungen, Briefpost, Paketen und Zustellungen ohne Anforderung beliefert. Auf Verbrennungsmotoren im Stadtgebiet wird dabei nicht verzichtet. Fahrbeschränkungen in der Innenstadt werden immer wieder verschoben.

Reparaturen statt Prävention

Das öffentliche Gesundheitssystem verzichtet auf einen Schwerpunkt in Vorsorge und Gesundheitsförderung, Spitäler und Reparaturmedizin benötigen einen hohen Energie- und Ressourceneinsatz. Das Schulsystem vermittelt vergangenheitsorientierte, spezialisierte Lerninhalte (Aiginger, 2018C), Nachhaltigkeitsziele und Befähigungen zum Wandel werden nicht gelehrt. Teleworking und Videokonferenzen könnten den Berufsverkehr senken.

Erfahrungen aus fünf Steuerreformen

Ich habe in Österreich von den 1980er-Jahren bis 2016 fünf Steuerreformen beratend begleitet. Am Anfang gab es jedes Mal das Versprechen, die Nettobelastung geringer Löhne zu senken und Emissionen und Ressourcen zu besteuern ("Ökosoziale Reform"). Dann kam auf Arbeitnehmerseite der Widerstand gegen eine Senkung der Sozialabgaben[5], die die einzige Form gewesen wäre, die niedrigen Einkommen zu entlasten und die Arbeitsanreize zu stärken. Außerdem wurde befürchtet, höhere Energiesteuern würden die niedrigen Einkommen belasten. Die Arbeitgeberseite kam mit der Argumentation zu Hilfe, Ökosteuern würden die Produktion in die Nachbarstaaten verlagern

---

5 Der Widerstand ist in der Befürchtung begründet, dass mit einer Reduktion der Sozialabgaben auch die Sozialleistungen sinken würden, was aber angesichts der Gegen-Finanzierung durch Emissionssteuern nicht zwingend ist. Er wird verstärkt durch die hohe Repräsentanz der ArbeitnehmerInnen in den vielfältigen Gremien der Sozialversicherungsträger.

und den Standort gefährden[6]. Ihr primärer Wunsch wäre, die Spitzen-
steuersätze zu senken.

Die guten Absichten am Beginn der Reform wurden unter dem Druck
der „Doppelmühle" fallengelassen, weil die Regierungen keine glaubhafte Strategie angeboten haben. In dieser würden niedrigere Sozialabgaben nicht durch einen sozialen „Kahlschlag" finanziert, sondern
durch Emissionssteuern. Die Belastung der Firmen würde durch For-
schungsförderung und Effizienz des Bildungssystems mehr als ausgeglichen. Das wäre für Arbeitnehmer und Unternehmer ein Vorteil, der
die Umstellungskosten überkompensiert.

Als kein glaubwürdiger Deal angeboten wurde, haben Regierung und
Sozialpartner sich auf eine Fortsetzung der Klientelpolitik beschränkt.
Statt einer Strukturreform gab es kleine Korrekturen bei der Lohn-
steuer und eine Senkung des Spitzensteuersatzes. Beides wurde durch
die Progression schnell wieder wettgemacht, sodass die Belastung des
Faktors Arbeit weiter stieg und die Beschäftigungschancen sanken.
Die Staatsquote stieg von 40 % auf 50 %, die Schulden von 30 % der
Wirtschaftsleistung auf 80 %, Emissionen und Arbeitslosenquote ver-
doppelten sich.

Auf europäischer Ebene sind die Mechanismen anders, das Ergebnis
das gleiche. Die EU-Kommission kümmert sich wenig um Steuerfra-
gen, weil sie hier keine „alleinige" Zuständigkeit hat. Aber indirekt greift sie laufend in das Wirt-
schaftsgeschehen ein, durch einen jährlichen Wachstumsbericht, das Europäische Semester und länderspezifische Empfehlungen. Die Wie-

> *„Die EU-Kommission küm-
> mert sich wenig um Steuer-
> fragen, weil sie hier keine
> ‚alleinige' Zuständigkeit
> hat."*
>
> Karl Aiginger

---

6   Auch hier gibt es die Befürchtung der Kostensteigerung durch
     Emissionssteuern. Diese wäre durch die Entlastung der Löhne schon
     minimiert und könnte durch eine Erhöhung der Forschungsförde-
     rung (aus der höheren Wirtschaftsleistung und geringeren Kosten für
     Umweltschäden) in einen Wettbewerbsvorteil umgewandelt werden.

derbelebung des Emissionshandelssystems, höhere Steuertransparenz und die Bekämpfung der Steuerflucht sind nur europäisch zu lösen. Die Vereinheitlichung der Bemessungsgrundlage sollte auf der europäischen Ebene vereinbart werden, die Finanztransaktionssteuer könnte im „System der verstärkten Zusammenarbeit" begonnen werden. Doch die Kommission selbst spielt den „unbeteiligten Zuschauer" und verzichtet auf Leadership.[7]

Die Vielzahl der Nebelgranaten

Wann immer Regierungen oder Konsumenten in die richtige Richtung denken, wird eine Argumentation eingeworfen (von einem „Meinungsträger", Lobbyisten oder einfach „am Stammtisch"), die in einem Teilaspekt nicht ganz falsch ist, aber die bessere langfristige Lösung verhindern soll. Da diese keine alternative Strategie verfolgen, sondern nur eine Neuorientierung mit plausiblen Argumenten verhindern sollen, gerade wenn sie sich abzeichnet, bezeichne ich sie als Nebelgranaten.

Granate 1: „Erfindung der Chinesen". Wer weiß, sei die Erderwärmung so schlimm. Es hat immer Schwankungen gegeben, und heuer war es Ende Februar so kalt. Und wenn es eine leichte Erwärmung geben sollte, hat sie wahrscheinlich nicht der Mensch verursacht.
Fakt: Die Wissenschaft ist heute – mit einer Wahrscheinlichkeit, die höher liegt als bei allen anderen langfristigen Vorgängen – sicher, dass (i) die Klimaerwärmung stattfindet, (ii) von menschlicher Aktivität stark beeinflusst wird, (iii) bis 2100 bei 4 Grad liegen wird, und (iv) in Österreich eher überdurchschnittlich.[8]

---

7   Bezeichnend ist auch, dass in Strategiedebatten ein Reflexionspapier zur Einhaltung der Klimaziele 2017 „vergessen" wurde. Die durch das Weißbuch und die 5 Juncker'schen Szenarien ausgelöste Debatte wurde wegen Uneinigkeit und bevorstehender Europawahlen verschoben (Aiginger, 2017E). Die EU hat den Vertrag von Paris unterzeichnet, hat aber keine Strategie, wie sie die Zielversprechen fördert und die Umsetzung zumindest durch „blaming and shaming", besser noch durch Anreize und Regulierung, forciert.
8   IPCC (2016).

Granate 2: „Belastung der Schwachen". Klimapolitik sei unsozial, sie geht zu Lasten der niedrigen Einkommen. Wenn Leute gerade der Armut entkommen sind, wird ihre Mobilität begrenzt, gerade „Familienautos" werden teurer.

Fakt: Steuern und Verbote belasten den Handlungsspielraum niedriger Einkommensbezieher überproportional. Aber das kann man erstens berücksichtigen (Steuerstruktur/Subventionen/Pendlerpauschale, Öffikarte), zweitens leiden gerade niedrige Einkommensgruppen und Familien überdurchschnittlich unter Umweltschäden (Lärm, Emissionen, Feinstaub), sodass nicht zu handeln die unsozialste Maßnahme ist.

Granate 3: „Unreife Technologie". Elektroautos fahren nur kurze Strecken, es gibt wenige Lademöglichkeiten. Wasserstoffautos explodieren.

Fakt: Autos mit Reichweite von 300 km sind am Markt. Wenn es bei jeder Firma, in jeder großen Wohnbauanlage und in Supermärkten eine Lademöglichkeit gibt, ist Tanken kein Problem; Schnelltankstellen auf Autobahnen benötigen nicht länger als eine Kaffeepause, die jede moderne Software nach 200 km einmahnt. Beim Einfamilienhaus kann man mit Normalstrom in der Nacht tanken, viele Häuser haben eine Einfahrt und einen Hof, in dem es eine Steckdose gibt.

Granate 4: „Nicht bezahlbar". Elektroautos sind teuer, unsicher und nicht leistbar.

Fakt: Das Elektroauto ist schon heute über die Lebenszeit durch geringere Antriebs- und Reparaturkosten nicht mehr teurer als Diesel- und Benzinautos. Mit den steuerlichen Begünstigungen ist es z. B. in Österreich 2018 deutlich billiger als Autos mit Verbrennungsmotoren. Wer das nicht glaubt, soll den Klagen der Autoindustrie Gehör schenken, dass tausende Arbeitsplätze in Europa gefährdet sind, weil das Elektroauto weniger Reparaturen und Service

> *„Elektroautos sind schon heute über die Lebenszeit gerechnet billiger als Diesel- oder Benzinautos."*
>
> Karl Aiginger

benötigt. Das Umweltbundesamt hat seit Monaten unwidersprochen eine Berechnung auf seiner Homepage[9], dass auch aus einzelwirtschaftlicher Sicht und ohne Förderung das Elektroauto 2018 schon billiger ist, inklusive Förderungen sogar deutlich[10].

Granate 5: „Kein Umweltvorteil". Autos mit alternativem Antrieb sind nicht besser für die Umwelt, wenn man Produktion, Gewinnung seltener Metalle, Entsorgung der Batterien berücksichtigt.

Fakt: Das Umweltbundesamt errechnet schon heute eine positive Gesamtbilanz. Dabei wird maximale Umwelteffizienz in der Produktion, bei Batterieentwicklung und Entsorgung noch nicht stark forciert. Mit höherer Stückzahl sind deutliche Verbesserungen durchsetzbar. Ältere Batterien können z. B. in Haushalten zur Speicherung der Alternativenergie für kalte Tage genutzt werden und doppelten Nutzen bringen.

Granate 6: „Neue Verbrennungstechnologie". Die jüngste Generation von Dieselautos und Dieselbussen ist viel besser und es können alle heutigen Grenzen eingehalten werden, Luftbelastung und damit verbundene Krankheiten und verkürzte Lebenserwartung sind kein Problem mehr.

Fakt: Euro Norm 5 plus neue Filtertechnologien reduzieren den Feinstaub und in geringerem Ausmaß auch CO_2. An die Werte von Elektroautos kommen sie nicht heran. Noch wichtiger ist, dass die Werte wieder vor allem im Labor gemessen werden, gegen den Praxis-Test laufen bereits in Europa und in Österreich die Lobbying-Maschinen. Außerdem sollten die Feinstaubgrenzen laufend gesenkt werden, weil Lungenprobleme in der alternden Gesellschaft immer bedeutender werden, CO_2-Grenzen, weil Nullbelastung 2050 das Ziel ist. Wien ersetzt gerade (mit der Grünpartei in der Stadtregierung) Elektrobusse durch Dieselbusse, weil diese so viel besser seien als vor zehn Jahren. Die Nebelgranate benutzt das Argument, dass Dieselbusse auch 2030

---

9   http://www.umweltbundesamt.at/kostenvergleich_antrieb
10   Wenn man die Umweltkosten noch einrechnet, die Krankheiten durch Feinstaub und die verkürzte Lebenserwartung durch Smog, dann ist die „gesellschaftliche Bilanz" noch günstiger. Die Bilanz neigt sich jedes Jahr noch stärker zugunsten des Elektroantriebs.

noch in Betrieb sein werden, wenn es in den meisten Großstädten das Verbot der Nutzung von Autos mit Verbrennungsmotoren gibt.

Granate 7: „Melkkuh Autofahrer". Immer werden die Autofahrer belastet (die Autofahrerinnen übrigens auch), für LKW und Busse gibt es noch lange keine Alternativen zum Verbrennungsmotor. Und den Verkehr allein zu belasten ist ungerecht, andere Sektoren tragen auch zum Klimawandel bei.

Fakt: Der Autoverkehr steht im Mittelpunkt, weil er in den Ballungszentren zum Smog und damit zu den Gesundheitsproblemen entscheidend beiträgt. Auch bei Bussen und LKW gibt es immer mehr alternative Modelle. Die staatliche Regulierung könnte das forcieren durch gestaffelte Maut, innerstädtische Fahrverbote für Dieselbusse, Belastung bis Verbot des Langstreckenverkehrs mit hoch emittierenden Bussen (die Reisen von Wien nach Berlin und Rom billiger anbieten als die Bahn). Der Verkehr ist jener Sektor, bei dem die Emissionen am wenigsten sinken, allerdings verlangt das Klimaziel Strategien für alle Sektoren.

Granate 8: „Kalte Enteignung". Fahrverbote – auch nach Tagen und Zonen – enteignen Besitzer von Diesel- und Benzinautos.

Fakt: Jede neue Regulierung, und vor allem jedes überfallsartige Verbot, entwertet Güter oder Rechte. Wenn vorher allerdings eine Subventionierung stattgefunden hat, so ist eine Regelung, die Kostengerechtigkeit bringt, mehr als zulässig. Dass private PKW und LKW die Umwelt belasten, ist seit Jahrzehnten bekannt. Dass sie nicht verteuert wurden und die Steuerbelastung sogar gesunken ist, ist Teil des Versagens des „Großen Bruders", zu dem die Autoverbände entscheidend beigetragen haben. Wenn jetzt Firmen und Verbände behaupten, Klimaziele seien mit Verbesserungen der alten Technologie lösbar, so liegt fahrlässiges, wenn nicht strafbares Verhalten vor, weil die Verbesserungen nicht genügen, um unterschriebene Klimaziele zu erreichen. Die Fehlinformation bewirkt heute den Kauf eines Autos, das morgen nicht mehr verwendet werden darf. Und sie ermöglichen es, „morgen" wieder von Enteignung zu sprechen – nunmehr bei den 2018 gekauften Autos.

1. Wie es doch möglich wird: Strategieansatz

Zentrale Instrumente und strategische Umsetzung

Am Beginn muss die Überzeugung stehen, dass der Klimawandel Realität ist, er aber durch entschlossene, radikale Maßnahmen eingebremst werden kann. Und es muss berücksichtigt werden, dass Verhaltensweisen sich nicht leicht ändern und dass Partikularinteressen aus Gewinninteresse immer für alte Technologien lobbyieren. Zentrale Instrumente der Eindämmung des Klimawandels sind dann (i) ein Abgabensystem, das in Richtung künftiger Prioritäten „steuert" und der sofortige Verzicht (ii) auf die Subventionierung von fossilen Brennstoffen, (iii) eine Technologiepolitik, die Nachhaltigkeit und Ressourcenschonung als Schwerpunkt setzt, (iv) öffentliche Ausschreibungen, die kohlenstoffsparende

> *„Die Instrumente müssen in eine Strategie eingebaut werden, die die wichtigsten gesellschaftlichen Ziele gleichzeitig ansteuert."*
>
> Karl Aiginger

Technologien bevorzugen oder sogar initiieren und (v) ein Bildungssystem, das sich am Ziel der Nachhaltigkeit orientiert.

Die Instrumente müssen in eine Strategie eingebaut werden, die die wichtigsten gesellschaftlichen Ziele gleichzeitig ansteuert. Eine Silo-Strategie, die den Klimawandel alleine forciert, aber soziale Ungleichheit und Leistung nicht berücksichtigt, ist nicht durchsetzbar und teuer.[11]

Dreifachgewinne durch Abgabenreform

Das WIFO hat in Zusammenarbeit mit 34 europäischen Partnern (Aiginger, 2016) unter Nutzung eines Modells von Kurt Kratena und Gerhard Streicher gezeigt, dass eine europäische Abgabenreform, die den Faktor Arbeit entlastet, Emissionen, Spekulationen und Erbschaften belastet und Innovationen fördert (i) die Arbeitslosigkeit um ein halbes Prozent reduziert, (ii) die Wirtschaftsdynamik hebt und (iii) Emissionen um ein Fünftel senkt.

Senkung der Abgabenquote durch geringe Schäden

Die Furcht, dass eine ambitionierte Umweltpolitik zu einer Steuererhöhung und zu mehr Regulierungen führen muss, ist falsch. Die Gesamtbelastung unserer Wirtschaften mit einem Anteil der öffentlichen Ausgaben von rund 50 % der Wirtschaftsleistung kann durch eine vorausschauende und gut kommunizierte Klimapolitik sinken, weil weniger Geld für Klimaschäden und Reparaturprojekte ausgegeben wird. Wenn ein Problem auftritt, muss es mehr Verbote und Einschränkungen geben, als wenn BürgerInnen und Firmen vorweg innovative Lösungen suchen. Das teuerste System ist ein hyperaktiver „Big Brother", der in die falsche Richtung lenkt.[12]

---

11   Eine Steuerumschichtung oder ökosoziale Steuerreform kann gleichzeitig Arbeitsplätze schaffen, Emissionen reduzieren und Firmen stärken. Sie erfordert keine Steuererhöhung. Im Gegenteil kann die Abgabenquote niedriger sein als heute, weil wir nicht zuerst Schaden anrichten, den wir hinterher reparieren müssen. Es sind weniger Katastrophenhilfe, Dämme, Umsiedlungen, Bewässerungen und künstliche Beschneiungen notwendig, wenn Wetterkapriolen und Versiegen des Grundwassers ausbleiben. Natürlich braucht es auch Verbote und Regeln, aber bei weitem nicht so enge, wie sie bei fortschreitendem Klimawandel nötig werden. Es müssen keine Megastädte in Afrika und Asien deswegen entstehen, weil Gebiete unbewohnbar wurden. Und weil keine Bevölkerungskonzentration in Metropolregionen entstehen, Arbeitsplätze in ländlichen Regionen fehlen, Teleworking nicht genutzt wird und Geschäfte absiedeln.

Alternative Technologien sind verfügbar, Lebenszykluskosten oft schon niedriger

Wohnungen, Betriebsbauten und Mobilität müssen bis spätestens 2050 dekarbonisiert sein. Angesichts der Lebensdauer von Gebäuden und Fuhrparks, bedeutet das emissionsfreie Neuinvestitionen jedenfalls bis 2030. Die Technologien sind weitgehend verfügbar und auch nicht mehr teurer, wenn man nicht den Anschaffungspreis, sondern die Lebenszykluskosten berücksichtigt. Neue Bürobauten können rasch Nettoproduzenten von erneuerbarer Energie werden, aber Anreize müssen gesetzt werden. Der hyperaktive Staat, der 50 % der Ressourcen verbraucht oder zumindest lenkt, muss im eigenen Bereich Vorbild werden und ehrgeizigere Ziele als heute setzen.

Kein Land ist derzeit auf dem Kurs, den es im Paris-Vertrag unterschrieben hat. Und auch die Europäische Politik ist ambitionslos, ohne dass die Öffentlichkeit dies erkennt. Pläne, die Emissionen in 30 Jahren um 40 % zu senken, sind bei weitem zu wenig, um die Paris-Ziele zu erreichen. Und sie bedeuten, dass die Ressourcenproduktivität weiter geringer steigt als die Arbeitsproduktivität.

Disziplinierte Diskussionskultur

Eine rationale Diskussion muss mit der Frage nach dem Ziel beginnen. Wollen wir die Erderwärmung begrenzen oder nicht? Und wenn ja, stimmt die Notwendigkeit, die CO_2-Emissionen auf 20 % (ein Fünftel des heutigen Standes) zu verringern?

Das derzeitige Politikversagen wird durch die Nebelgranaten mitverursacht. Sie müssen entlarvt und zurückgeworfen werden. Es wäre wichtig, jeden Werfer zu fragen, wie er die Erderwärmung beschränken will, wie er das Schmelzen der Gletscher und ökologisch bedingte Flüchtlingsströme verhindern will, wenn nicht durch Entkarbonisierung.

Wer diese Fragen bejaht, der/die soll erklären, wie das geht. Schnell wird es klar, dass es mit Autos mit Verbrennungsmotor nicht geht, auch nicht mit Wohnen und Büros ohne Generalsanierung und dezentraler Energieproduktion. Und das bedeutet das Ende des Verbrennungsmotors und des Begriffs des leistbaren Wohnens mit Heizung und Kühlung durch fossile Energie.

Durch Nachrüsten von Dieselautos oder Euroklasse 6 können die Treibhausgase und die gesundheitsrelevanten Schadstoffe nicht um 80 % reduziert werden. Besonders wenn die Zahl der Autos, ihr Gewicht und Hubraum steigen. Und wenn – verglichen mit den Versprechungen und Normen – wieder geschummelt und weggeschaut wird wie von den Regulatoren heute. Der Verbrennungsmotor und der Kauf von zwei großen Autos pro Haushalt sind kein Zukunftsmodell.

Wenn man die Paris-Ziele und die Reduktion der Klimagase um 80/90 % ernst nimmt, dann darf es in fünf Jahren keine Autos, und in zehn Jahren keine Busse und LKW mit Verbrennungsmotoren geben. Es hilft nur der Totalausstieg aus alten Technologien im Verkehr und im Wohnbau. Und er muss sozial, wirtschaftlich und politisch begleitet werden.

Politische Akzeptanz

Der Verzicht auf Verbrennungstechnologie ist allerdings weder in der Politik noch in Diskussionen in kleinen Kreisen (sagen wir Zivilgesellschaft oder Bekanntenkreis oder an den Universitäten) mehrheitsfähig. Ursache dafür ist, dass immer von der Ist-Situation ausgegangen wird und radikale Veränderungen als unmöglich oder schwierig eingeschätzt werden („Status-quo-Dominanz"). Veränderungen verursachen Kosten, allerdings sind die Kosten der Passivität noch höher. Andere Autos müssen gekauft werden. Mieten kann den Kauf ersetzen. Aber auch Smart Citys sind notwendig, ebenso wie Abfallvermeidung und Recycling.

Top-down-Programme oder ein Staat, der sich bei Einnahmen und Ausgaben nach den gesellschaftlichen Zielen orientiert, sind notwendig. Aber auch Bottom-up-Prozesse und Verhaltensänderungen. Mieten ist oft ökonomisch und ökologisch günstiger. Nahrungsmittelverkauf und -verzehr kann mit weniger Abfällen verbunden sein, Einrichtungsgegenstände und Kinderspielzeug können mehrfach genutzt werden. Haushalte müssen nicht im Laufe eines Tages von mehreren Dienstleistern getrennt beliefert werden, Transporte in der Stadt nicht mit leistungsstarken Verbrennungsmotoren erfolgen.

2. Der Vorreiter gewinnt, der Nachzügler zahlt

Seit Michael Porters Arbeiten zur Wettbewerbsfähigkeit von Ländern (Porter, 1990; Porter/Van Linde, 1995) wissen wir, dass ein anspruchsvolles Umfeld die Wettbewerbsfähigkeit eines Standortes verbessert. Konsumenten mit dem Wunsch nach Qualität, Firmen, die zukünftige Bedürfnisse früh einplanen, ein Staat, der gesellschaftliche Ziele aktiv forciert kommuniziert, stärken die langfristige Konkurrenzfähigkeit, weil Produktivität, Qualität und Kundennutzen stärker steigen als die Kosten. Dies wird deutlich, wenn man Wettbewerbsfähigkeit als die Fähigkeit definiert, „Ziele zu erfüllen" (Aiginger, 2006, 2015), oder wenn Firmen den Kauf ihrer Aktien damit empfehlen, dass sie – im Gegensatz zur Konkurrenz – fähig sind, Zukunftsprobleme zu lösen.

First Mover Advantage

Nicholas Stern (2007) zeigt, dass die Kosten des Klimawandels kleiner sind als die Schäden, die er ungebremst auslösen würde. Der Stern-Report betont, dass der Vorreiter mit einer Kostensenkung rechnen kann, die Nachzügler aber einige Prozente ihrer Wirtschaftsleistung verlieren. Ursache dafür ist, dass der Entwickler einer neuen Technologie zwar die Anfangskosten tragen muss, aber die Technologie nach seinen Bedürfnissen und Möglichkeiten gestalten kann. Der frühe Beginn führt dann rasch zu einer Kostendegression und ermöglicht die Anmeldung von Patenten. Wenn andere Länder nachziehen, haben sie höhere Kosten (verglichen mit dem Innovator) und eine weniger auf die eigene Produktion und Nachfrage abgestimmte Technologie. Auch nach Kauf der Patente und neuen Investitionen konkurrieren die Nachzügler auf einem „reifen" Markt mit geringen Spannen. Der Innovator hat die Monopolrenten im höchsten Preissegment abgeschöpft und kann neue Innovationen planen.

Die Vorteile der Vorreiter sind auch empirisch sichtbar. Die Länder mit den anspruchsvollsten Umweltstandards – in Europa die skandinavischen Länder und in den USA Kalifornien – haben auch erfolgreiche Firmen und zahlen hohe Einkommen. Technologiepolitik und staatliche Ambitionen spielen dabei eine Rolle, ebenso wie reife Konsumenten, ein gutes Bildungssystem und Spitzenuniversitäten.

3. Vision: Europa als bestes Nachhaltigkeitsmodell

Lebensqualität und Nachhaltigkeit können nur erreicht werden, wenn soziale, ökologische und einkommensbezogene Ziele gemeinsam angestrebt werden und nicht isoliert. Silo-Strategien sind teuer und ineffizient, weil immer wieder ein Ziel zulasten anderer in den Vordergrund rückt und die isoliert konzipierten Maßnahmen andere Ziele beeinträchtigen können. Die Ökosoziale Marktwirtschaft war das erste Konzept, das die drei Ziele Einkommen, sozialer Ausgleich und ökologische Nachhaltigkeit in einer Strategie zusammengeführt hat. Heute ist die Nachhaltigkeitsagenda der UN (mit den 17 „Sustainable Development Goals") der Kompass für Entwicklungs- aber auch Industrieländer.

Die EU ist trotz fehlender Reformen ein Erfolgsmodell. Sie hat mit sechs Ländern begonnen, heute hat sie 28 Mitglieder und viele Nachbarn bewerben sich um Mitgliedschaft oder Freihandelsverträge. Der Einigungsprozess begann mit einer Union für Kohle und Stahl, heute ist die EU eine Wirtschaftsunion mit einer gemeinsamen Währung für die Mehrzahl der Mitglieder.

> *„Die EU ist trotz fehlender Reformen ein Erfolgsmodell."*
>
> Karl Aiginger

Dennoch treten Spannungen zwischen Nord und Süd und zwischen West und Ost auf. Die wirtschaftliche Dynamik ist gering, Arbeitslosigkeit und Ungleichheit sind hoch. Strategieüberlegungen bleiben ohne Konsequenzen, und es gibt Exitbestrebungen von Ländern und Regionen. Der Erweiterungsprozess wird erfreulicherweise gerade am Westbalkan wiederbelebt und steht vor einem kaum erhofften Erfolg. Populistische Gruppen beschwören allerdings eine nie dagewesene „goldene Vergangenheit", und Russland, die Türkei und der Iran wollen auch klammheimlich oder offen frühere Territorien zurückgewinnen. Sie unterstützen Nationalisten innerhalb und außerhalb der EU, um einen größeren Spielraum zu haben. Linke und rechte populistische Parteien von Ungarn bis Frankreich hofieren Putin.

Die USA haben die Position einer berechenbaren Schutzmacht abgegeben. Amerikanische Ökonomen haben schon immer das europäische Projekt als unerwünschte Konkurrenz betrachtet und als vorprogrammierten Fehlschlag bezeichnet. Die EU ist mittlerweile die größte Wirtschaftszone, und die Lebenserwartung in ihr ist deutlich höher als in den USA. China ist am Weg zur führenden Wirtschaftsmacht. Mangelndes Interesse Europas an der Nachbarschaft besonders in Afrika und die Missachtung des arabischen Frühlings haben China den Raum geöffnet. Es nutzt nun seine großen Finanzreserven für Käufe und Investitionen in der europäischen Nachbarschaft. Konzepte für einen Europäischen Marschallplan insbesondere mit Afrika (Radermacher et al., 2016) sind angedacht, ebenso wie Partnerschaften auf Augenhöhe und Armutsbekämpfung mit nachhaltigen Technologien. Diese könnten nicht nur Klimaschäden, sondern auch Migrationswellen besser eingrenzen, als militärische Maßnahmen und neue Mauern.

In dieser Situation braucht Europa Reformen, die darauf aufbauen, wo Europa in der globalisierten Welt stehen sollte. Wir schlagen unter Nutzung der ökosozialen Strategie die folgende Vision vor:

„Europa 2050 sollte versuchen, die Region mit der höchsten und steigenden Lebensqualität zu sein, mit der größten Vielfalt von Wahlmöglichkeiten und bester Work-Life-Balance."

Das erfordert ambitionierte ökologische und soziale Standards. Das Bildungssystem soll gleiche Startchancen bieten und den Bürgern und Bürgerinnen die Fähigkeit vermitteln, Chancen zu nutzen. Europa kann Technologieführer in der Energieeffizienz, bei erneuerbaren Technologien und Dekarbonisierung werden und im Sozialsystem Befähigung zum Wandel vor unrealistischer Protektion setzen. Die außereuropäischen Nachbarn sollen als Partner eingeladen werden, Migration soll nachfragebestimmt und zirkulär sein; das eröffnet die Chance, gegenseitig zu lernen und dann das Modell in einer verantwortlichen Globalisierungsstrategie weltweit anzubieten. Offene Grenzen, Heterogenität und Partnerschaften steigern die Lebensqualität.

Viele dieser Ideen sind im Konzept der Ökosozialen Marktwirtschaft enthalten. Die Dramatik des Klimawandels, die Verdoppelung der Bevölkerung in Afrika, die Grenzen des Planeten verlangen allerdings rasches und radikales Handeln. Die neue Weltordnung mit der Unberechenbarkeit der USA, dem Führungsanspruch Chinas und dem Wiederaufkeimen von Nationalismen verlangt Nachschärfungen. Die Möglichkeit Europas, sich als bestes, nachhaltiges Modell zu präsentieren, ist aber gegeben. Da der Vorreiter die Vorteile hat und der Nachzügler die Kosten, gibt es keinen Grund, aus wirtschaftlichen Gründen zu bremsen und den „Nebelgranaten" Gehör zu schenken.

„Die Dramatik des Klimawandels, die Verdoppelung der Bevölkerung in Afrika, die Grenzen des Planeten verlangen rasches und radikales Handeln. "

Karl Aiginger

Damit kann Europa auch bei sinkenden Anteilen an Weltbevölkerung und Wirtschaftsleistung zum Qualitätsführer und Konfliktlöser in der vernetzten und globalisierten Welt werden und die Schatten des Populismus und Nationalismus verjagen. Das 21. Jahrhundert kann das Jahrhundert Europas und der ökosozialen Gedanken werden.

Wir sind Josef Riegler dankbar, hier Anstöße gegeben zu haben. Ein Traum wird einmal wahr: das wünsche ich Josef Riegler als Geburtstagsgeschenk – im Interesse unserer Kinder und Kindeskinder.

Literaturhinweise

*   African Union Commission, Agenda 2063, 2015.
*   Aiginger, K. (2018A), „Eine neue Sozialpolitik zur Bekämpfung des Populismus", Mezzogiorno, Beitrag zum „Jahrbuch für politische Beratung 2017/2018, forthcoming.
*   Aiginger, K. (2018B) Harnessing competitiveness for social and ecological goals, in Allemand, F., Chiocchetti, P. (eds.), Competititve Solidarity, Ruthledge, forthcoming.
*   Aiginger, K. (2017A), „This Can Still Be Europe's Century", International Journal of Business and Economic Affairs, 2(3), pp. 173-182.
*   Aiginger, K. (2017B), „Die Globalisierung verantwortungsbewusst und europäisch gestalten", Querdenkerplattform: Wien-Europa, Policy Brief, 2.

- Aiginger, K. (2017C), „Mehr nationale Souveränität durch eine neue Europa-politik", Querdenkerplattform: Wien - Europa, Working Paper, 1.
- Aiginger, K. (2017D), „Political Rebound Effects as Stumbling Blocks for So-cio-Ecological Transition", American Journal of Business, Economics and Management.
- Aiginger, K. (2017E), „Juncker's missing scenario: Empower the member sta-tes", Euractiv, 15. März.
- Aiginger, K., New Dynamics for Europe: Reaping the Benefits of Socio-eco-logical Transition, WWWforEurope Executive Summary, Vienna, Brussels, 2016.
- Aiginger, K., „Industrial policy for a sustainable growth path", in Bailey, D., Cowling, K., Tomlinson, P. (eds.), New Perspectives on Industrial Policy, Oxford University Press, 2015, pp. 365–394.
- Aiginger, K., „Competitiveness: From a Dangerous Obsession to a Welfare Creating Ability with Positive Externalities", Journal of Industry, Competi-tion and Trade, 6(2), 2006, pp. 161-177.
- Aiginger, K., „Umweltpolitik bei Wirtschaftswachstum", in Aiginger, K. (Hrsg.) Forschungsbericht 62/90, Politische Akademie ÖVP, 1990.
- Aiginger, K., Handler, H., „Towards a European Partnership Policy with the South and the East. Fostering Dynamics, Fighting Root Causes of Migra-tion", Querdenkerplattform: Wien-Europa, Working Paper 3, 2017.
- Buti, M., Pichelmann, K., „European Integration & Populism – Addressing Dahrendorf's Quandary", LUISS School of European Political Economy Po-licy Brief, 2017.
- Demerzis, M., Sapir, A., Wolff, G., „Europe in a new world order", Breugel Policy Brief, (2), 2017.
- European Commission, An Integrated Industrial Policy for the Globalisation Era Putting Competitiveness and Sustainability at Centre Stage, Brussels, COM(2010), 614.
- European Commission, A Stronger European Industry for Growth and Economic Recovery, Industrial Policy Communication Update, Brussels, COM(2012) 582 final.
- European Parliament, Fossil Fuel Subsidies, In-Depth Analysis for the ENVI Committee, 2017.
- Gill, I., Raiser, M., Golden Growth: Restoring the Lustre of the European Economic Model, The World Bank, 2012 http://www.worldbank.org/en/region/eca/publication/golden-growth.
- International Energy Agency, World Energy Outlook 2012, OECD/IEA 2012.
- IPCC, Special Report on Climate Change and Land, 2016.
- IFO-Institut: Klimaziel 2020 verfehlt: Zeit für eine Neuausrichtung der Kli-mapolitik, IFO Schnelldienst 1, 2/2018.
- Kletzan-Slamanig, D., Köppl, A., Umweltschädliche Subventionen in den Be-reichen Energie und Verkehr, WIFO-Monatsberichte, 2016, 89(8), S. 605-615.
- Leoni, T., „Welfare state adjustment to new social risks in the post-crisis scenario. A review with focus on the social investment perspective", WWWforEurope Working Paper, (89), 2015.

- OECD, Education at a Glance, Paris, 2017.
- PwC, Is Paris possible?, The Low Carbon Economy Index 2017, UK, 2017.
- Porter, M.E., The Competitive AdVantage of Nations, Free Press, New York, 1990.
- Porter, M.E., Van der Linde, C., „Toward a New Conception of the Environment-Competitiveness Relationship", Journal of Economic Perspectives, 1995, 9(4), pp. 97-118.
- Radermacher, F. J., Riegler, J., Weiger, H., Ökosoziale Marktwirtschaft: Historie, Programmatik und Alleinstellungsmerkmale eines zukunftsfähigen globalen Wirtschaftssystems, Ökom-Verlag, 2011.
- Riegler, J., Ökosoziale Marktwirtschaft. Denken und Handeln in Kreisläufen. Ökosoziales Forum Steiermark. Graz, Stocker, 2. Auflage 1997.
- Rodrik, D., „There is no need to fret about deglobalisation", Financial Times, October 4, 2016.
- Sachs, J., „Europe as a soft power", Financial Times, 19 August, 2008.
- Schleicher, St., Köppl, A., Sommer, M., Welche Zukunft für Energie und Klima? Wegener Center, 2018.
- Stern, N., Stern Review: The Economics of Climate Change, HM Treasury, 2007.
- Stiglitz, J., Sen, A., Fitoussi, J.-P., Report by the Commission on the Measurement of Economic Performance and Social Progress, Paris, 2009.
- UNFCC, The Paris Agreement, United Nations Climate Change, 2015 https://unfccc.int/process-and-meetings/the-paris-agreement/the-paris-agreement.
- UN, United Nations Climate Change Conference, COP 21, Paris, 2015.
- UN, Sustainable Development Knowledge Platform, 2018 https://sustainabledevelopment.un.org/.
- Teng, F., Gu, A., Yang, X., & Wang, X. (2015), Pathways to Deep Decarbonization in China, http://deepdecarbonization.org/wp-content/uploads/2015/09/DDPP_CHN.pdf.

Prof. Dr. Dr. Dr. h. c.
Franz Josef Radermacher
*Leiter des Forschungsinstitutes für
anwendungsorientierte Wissensverar-
beitung, Universität Ulm, Deutschland*

Ökosozial statt marktradikal

Vorbemerkung

Ist für zehn Milliarden Menschen in 2060 eine balancierte, auskömmliche, friedliche und zukunftsorientierte Welt denkbar? Und was sind die Alternativen? Möglich, wohl sogar wahrscheinlicher, als eine Welt in Balance sind eine weltweite Zweiklassengesellschaft oder ein ökologischer Kollaps [4, 26]. Dies hängt mit den Möglichkeiten der Aushebelung der Demokratie über die Globalisierung zusammen, mit den absehbar gefährlichen Möglichkeiten technischer Intelligenz und technischer Systeme zur Substituierung auch anspruchsvoller Tätigkeit einerseits und Totalkontrolle über den Menschen (Brot und Spiele) andererseits, mit einer eventuellen Klimakatastrophe, aber auch dem sogenannten Trilemma der Globalisierung.

Sind aus zivilisatorischer Sicht abzulehnende Zukünfte zu vermeiden, also etwa Verhältnisse wie nach dem 30-jährigen Krieg oder heute in Indien für die unteren Kasten oder in Brasilien oder Südafrika für eine Großzahl der Menschen, brauchen wir die gleichzeitige Verwirklichung von Markt und Nachhaltigkeit, eine Globalisierung der Demokratie und des Finanzausgleichs, ausreichende ökologisch-soziale Regulierungsconstraints für den Markt – und um das alles zu erreichen, wahrscheinlich große Krisen in der richtigen Dosierung und in der richtigen Reihenfolge. Das ist alles in allem keine gute Ausgangssituation.

Herausforderungen in schwieriger Zeit

Die Welt sieht sich spätestens seit der Weltkonferenz von Rio 1992 vor der Herausforderung, eine nachhaltige Entwicklung bewusst zu gestalten. Das bedeutet insbesondere eine große Designaufgabe für die Gestaltung der dominierenden gesellschaftlichen Subsysteme der modernen Zeit, nämlich die Gestaltung eines nachhaltigkeitskonformen Wachstums bei gleichzeitiger Herbeiführung eines (welt-)sozialen Ausgleichs und den Schutz der ökologischen Systeme, inklusive einer Lösung des Klimaproblems. Tatsächlich ist dies wohl allenfalls dann erreichbar, wenn die Wechselwirkung zwischen den Staaten sich in Richtung einer Weltinnenpolitik bewegt, eine Forderung, die auf C. F. von Weizsäcker [42] zurückgeht. In diesem Rahmen können Forderungen eines Weltethos und des interkulturellen Humanismus lebenspraktisch realisiert werden. Ferner wird durch adäquate Regelsetzung auch bewirkt, dass es sich ökonomisch nicht lohnt, systematisch gegen vereinbarte Regeln und legitime Interessen anderer zu operieren. Die Chancen zur Erreichung dieses Ziels vom Charakter einer Balance sind aber alles andere als gut. Das hängt u. a. mit der ökonomischen Globalisierung zusammen, in deren Folge sich das weltökonomische System in einem Prozess zunehmender Entfesselung und Entgrenzung befindet, und dies im Kontext des Megatrends „explosive Beschleunigung", und das unter teilweise inadäquaten weltweiten Rahmenbedingungen.

Das korrespondiert zu dem eingetretenen Verlust des Primats der Politik, weil die politischen Kernstrukturen nach wie vor national oder, in einem gewissen Umfang, kontinental, aber nicht global sind. Die beschriebenen Entwicklungen beinhalten zwar gewisse Chancen für Entwicklung, laufen aber gleichzeitig wegen fehlender internationaler Standards und inadäquater Regulierung und der daraus resultierenden Fehlorientierung des Weltmarktes dem Ziel einer nachhaltigen Entwicklung entgegen (für Ökonomen: die Preise sagen nicht die Wahrheit. Externe ökologische und soziale Kosten sind nicht internalisiert. Ganz im Gegenteil, ökologische und soziale Kosten werden systematisch externalisiert). Die tatsächlichen globalen Entwicklungen erfolgen deshalb teilweise zu Lasten des sozialen Ausgleichs, der Balance zwischen den Kulturen und der globalen ökologischen Stabilität. Da die Flüchtlingsproblematik zunimmt und in fast allen reichen Ländern die soziale Schere aufgeht, formiert sich zudem ein Widerstand gegen die weitere Globalisierung, dies auch deshalb, weil dort die demokratischen Anliegen keinen Platz finden (Trilemma der Globalisierung). Die Bürger reagieren teilweise mit hoher Wut und wählen auch sehr unkonventionelle Kandidaten und Parteien. Parallel wird eine ReNationalisierung angestrebt. Der neue Präsident der USA verkörpert diesen Trend.

Die Umwelt- und Ressourcenfrage

Aufgrund der gegebenen Hinweise erweisen sich im Kontext der Globalisierung der Zugriff auf Ressourcen und das Recht auf Erzeugung von Umweltbelastungen als große Themen. Ohne Ressourcenzugriff kein Wohlstand! Und Kollaps bei übermäßigem Zugriff. Wer kann, wer darf auf Ressourcen in welchem Umfang zugreifen? Das kann eine Frage von Krieg und Frieden werden.

Das rasche Wachstum der Weltbevölkerung verschärft die Situation signifikant und in sehr kurzen Zeiträumen. Die Menschheit bewegt sich in Richtung auf zehn Milliarden Menschen. Hinzu kommt das

„Das rasche Wachstum der Weltbevölkerung verschärft die Situation signifikant und in sehr kurzen Zeiträumen."

Franz Josef Radermacher

Hineinwachsen von Hunderten Millionen weiterer Menschen in ressourcenintensive Lebensstile. Es könnte deshalb in den nächsten Jahrzehnten trotz massiver Steigerung der Nahrungsmittelproduktion eng werden hinsichtlich der Ernährung der Weltbevölkerung. Hier drohen erhebliche Problemlagen und Konflikte. Im Bereich der CO_2-Emissionen bewegen wir uns wahrscheinlich heute schon auf eine Klimakatastrophe zu. Am Horizont drohen verschiedene Klima-Tipping-Points. Zugleich werden die Lebensbedingungen in vielen Teilen der Welt immer schwieriger. Der Ressourcendruck verschärft sich dabei von mehreren Seiten und die (welt-)politische Situation ist nicht günstig, um mit diesem Thema adäquat umzugehen. Hinzu kommt, dass große Teile der Eliten – weltweit – eine Bewältigung dieser Herausforderungen bisher nicht als ihre zentrale Aufgabe ansehen. Immer noch ist der Fokus primär national, allenfalls kontinental. Die Re-Nationalisierungstendenzen kommen hinzu.

Der Mensch und die digitale Maschine – was kommt auf uns zu?

Als wären die beschriebenen Probleme nicht groß genug, kommt ein weiterer Faktor großer Wirkungskraft hinzu – die digitale Transformation. Der Weg in eine weltweite Informations- und Wissensgesellschaft ist der Treiber der aktuellen Globalisierungsprozesse und verändert die Welt schneller und grundsätzlicher als jeder andere Innovationsprozess zuvor. Zu den positiven Effekten dieser Entwicklung, die lange Zeit im Vordergrund standen und über eine gigantische Resonanz bei den Käufern „befeuert" wurden, gesellen sich mittlerweile irritierende Elemente. Immer intelligentere Maschinen, und zukünftig immer „menschlichere" Roboter, können zwar immer nützlichere Dienstleistungen ermöglichen, zu Ende gedacht, können sie aber auch unsere Arbeitsplätze gefährden, unser Privatleben ausspionieren, uns mit zugeschnittenen Konsumangeboten „verfolgen" und in der Wechselwirkung mit sozialen Netzen die Kapazität unseres Bewusstseins fast vollständig okkupieren.
Und während über die ersten Jahrzehnte der beschriebenen Entwicklung der Mensch die abstrakte Maschine nach seinen Bedürfnissen und gemäß seinem Rhythmus einsetzte und kontrollierte, nähern wir uns mittlerweile dem Punkt, an dem wir uns der digitalen Maschine unterwerfen bzw. gesellschaftlich in eine solche Unterwerfung hinein-

getrieben werden. Immer öfter sind wir z. B. nur dann noch beschäftigbar bzw. nur noch dann sozial integriert, wenn wir uns über mobile Geräte und omnipotente Netzstrukturen in fast schon mechanisierte berufliche Abläufe einfügen und im gesellschaftlichen Leben hochtransparent unsere Aktivitäten online mit anderen koordinieren. Der gläserne Mensch, final durch Apps diszipliniert, entsteht vor unseren Augen – und wir schauen zu und lassen es geschehen. Der Mensch in seinen sozialen Netzwerken wird dabei digital manipulierbar – er lebt teilweise nur noch in speziellen Ingroups mit eigener Wahrheit. Dies macht Politik schwierig. Der sogenannte Plattformkapitalismus hebelt unsere sozialen Systeme und die Besteuerungssysteme aus und verschiebt die Kosten auf die Allgemeinheit. Massive Verluste von Arbeit für Hochqualifizierte können unser System völlig aus den Angeln heben.

Die Rolle von Innovationen: Was bringt die Zukunft?

Ausgangspunkt der nachfolgenden Überlegungen ist die historische Entwicklung in Bezug auf Wirtschaftssysteme und Wohlstand. Das in Europa erfundene „Betriebssystem der modernen Welt" entwickelt sich zur globalen Wohlstandsmaschine. Technische Innovationen sind dabei der Schlüssel für immer mehr Wohlstand. Märkte sind dabei im Sinne von Joseph Alois Schumpeter der stärkste Mechanismus zur Hervorbringung von Innovationen. Wo liegen heute die Perspektiven für die Zukunft sowie damit verbundene Chancen und Risiken? Ein Thema ist die Zwangsläufigkeit bzw. Pfadabhängigkeit vieler Abläufe. Das Buch „Der göttliche Ingenieur" von Jacques Neirynck [15], das den sogenannten Bumerang-Effekt thematisiert, ist eine wichtige Referenz, ebenso Arbeiten von Robert Jungk zum Thema. Man kann dies auch anders positionieren. Wie hängt das alles mit Märkten zusammen und wie müsste ein Marktsystem aussehen, das unter den heutigen Bedingungen eine Chance auf Nachhaltigkeit eröffnet? Ist die Soziale Marktwirtschaft noch zeitgemäß oder vielleicht überholt? Wie wäre sie gegebenenfalls weiterzuentwickeln?

Marktwirtschaft: Wettbewerb unter Regeln

Der historische Erfolg zeigt, dass der Markt ein zentrales und unübertroffenes Element zur Hervorbringung von Wohlstand ist. Ohne ein weltweites Marktsystem ist eine Zukunft in Wohlstand für die ganze Welt nicht vorstellbar.

Im Laufe der Geschichte hat sich der Markt von der Tauschwirtschaft hin zu einem durchstrukturierten System höchster Leistungsfähigkeit zur Hervorbringung von Gütern und Dienstleistungen und zur Ermöglichung und Durchsetzung von Innovationen entwickelt [37]. Die Bedeutung des Geldes als Tausch- und Zahlungsmittel, Wertaufbewahrungsvehikel und Wertmaßstab nahm immer weiter zu. Reine Tauschgeschäfte existieren sogar heute noch in der Form von Bartergeschäften. In der modernen Welt ist aber das Finanzsystem von zunehmend zentraler Bedeutung. Es hat (wie Vertrauen) eine katalytische Wirkung und erweitert massiv den Umfang der Produktion von Gütern und Dienstleistungen sowie ihren weltweiten Austausch. Durch das heutige Geld- und Finanzsystem werden die Transaktionskosten des wirtschaftlichen Handelns massiv reduziert. Es erlaubt den Wertetransfer von heute in

> *„Wegen seiner immensen Bedeutung ist die Regulierung des Finanzsystems als Teil einer Marktwirtschaft von allerhöchster Wichtigkeit."*
>
> Franz Josef Radermacher

die Zukunft, es leistet sogenannte Fristentransformationen zwischen kurz- und langfristiger Finanzierung und erlaubt breite Risikostreuung und -absicherung. Wegen seiner immensen Bedeutung ist die Regulierung des Finanzsystems als Teil einer Marktwirtschaft von allerhöchster Wichtigkeit. Es wird durch die Staaten überwacht und wesentlich beeinflusst. Es gibt eine sehr weitgehende supranationale Regulierung dieses Bereichs.

Abhängig von der spezifischen Regulierung sind enorm vielfältige Marktausprägungen möglich. Märkte sind in Form eines Manchester-Kapitalismus, einer Sozialen Marktwirtschaft oder eines „Casino-Kapitalismus" möglich, ebenso als Merkantilismus oder als Staatskapitalismus, wie er heute in China besteht. Natürlich kann auch eine stärkere Gemeinwohlorientierung und/oder eine stärkere Rolle sogenannter sozialer Unternehmen [17, 46] realisiert werden.

Markt bedeutet Wettbewerb unter Regeln. Hier besteht eine Analogie zum Sport: Der Wettbewerb bringt jeweils die Leistung, d. h. die Effizienz, hervor – ein gutes Input-Output-Verhältnis, niedrige Kosten, schnelle Prozessierung oder große Volumina. Es sind jedoch die Regeln (in Österreich: die Spielanordnung), die den jeweiligen Markt mit seinen spezifischen Merkmalen (und damit die Effektivität) ausmachen, genauso wie die jeweilige Manifestation einer Sportart.

Was ist wichtig für einen funktionierenden Markt?

Die marktschaffenden Regeln bilden ein erstes marktstrukturierendes Restriktionensystem. Sie sind von wesentlicher Bedeutung dafür, dass ein Markt seine Leistung hervorbringen kann. Zu den marktstrukturierenden Regeln zählen insbesondere (in je spezifischer Ausprägung) die sogenannten vier großen Freiheiten, die auf Individuen wie Unternehmen ausgerichtet sind und vernünftigerweise um Elemente der Gemeinwohlorientierung anzureichern sind [11].

1. Freiheit des Eigentums
2. Vertragsfreiheit
3. Freiheit zur Innovation
4. Freiheit zur Kreditaufnahme bzw. zur Kreditgewährung

Das Hervorbringen von Innovationen ist der in langfristiger Perspektive wohl wichtigste Beitrag von Märkten, denn durch sie konnte und kann der Wohlstand in Breite erhöht werden. Staaten fördern mittlerweile in Konkurrenz zueinander die Innovation und die entsprechenden Wissenschaften. Sie geben technische Standards vor, etwa die Abgasnormen bei Automobilen, und beeinflussen so wesentlich die technische Entwicklung und die umweltrelevanten Parameter von Automobilen. Sie treten als Einkäufer mit sehr großem Einkaufsvolumen und damit Nachfragemacht auf. Über die Finanzierung der Militäretats treiben sie Innovation in vielen High-Tech-Segmenten voran. Die Durchsetzung von Interessen in Märkten erfolgt nach bestimmten Gesetzmäßigkeiten: Diejenigen, die über die größte ökonomische Stärke und die größten Finanzvolumina verfügen, haben die besten Möglichkeiten, die eigenen Interessen durchzusetzen. Dies ist ein völlig anderes Prinzip als das Prinzip der Demokratie. Hier hat jeder Wähler eine Stimme, unabhängig von seinen ökonomischen Möglichkeiten. Es ist eine Illusion, zu glauben, dass Märkte die Demokratie hervorbringen. Genauso können in einem Marktumfeld autokratische Strukturen oder Plutokratien, d. h. eine totale „Verschmelzung" von politischer und wirtschaftlicher Macht, entstehen. Die USA bewegen sich schon seit langem in diese Richtung [39]. Unter partizipativ-demokratischer Governance tendieren Gesellschaften zu einer sozialen Marktwirtschaft [7], zu einer gemeinwohlorientierten Ausrichtung von Eigentum und damit zu einer Ordnungspolitik und Governance, die den Interessen der großen Mehrheit der Menschen gerecht wird. Es kommt zu einer Balance zwischen dem an allen Menschen in gleicher Weise orientierten Prinzip der Demokratie und dem an ökonomischer Leistungsfähigkeit orientierten Prinzip des Marktes. In der Notwendigkeit zum Kompromiss zwischen diesen beiden Polen liegt die Basis für gute Lösungen in Form sozialer Demokratien und sozialer Marktwirtschaften [42]. Heute ist international die Situation eine andere. Die Unternehmen zwingen den Staaten vielfach die Regeln auf: im Finanzsektor wie im Plattformkapitalismus. Insbesondere fehlt ein wirksamer Kartellschutz. Das heißt, Regierungen schützen „ihre" Firmen und erlauben ihnen immer mehr Größe. Wir leben insofern immer stärker in einer Welt großer Monopole und Oligopole, die sich den Konsumenten unterwerfen und diesen zu dauernden Zahlungen konditioniert haben, wobei über die allgemeinen Geschäftsbedingungen immer unglaublichere Verhaltenseinschränkungen zu Lasten der Bürger durchgesetzt werden.

Wachstum:
Veränderung der Wirtschaftsleistung

Wachstum (sei es positiv, null oder negativ) bezeichnet die (jährliche) Veränderung einer in Geld (bei Inflationsausgleich) ausgedrückten gemeinsamen Kennzahl für die Gesamtwirtschaftsleistung.

Aus der Theorie der Märkte folgt nicht – wie oft behauptet wird –, dass (positives) Wachstum unbedingt erforderlich ist, damit der Markt funktioniert. Es ist jedoch so, dass das „politische Geschäft" bzw. die Kompromissfindung unter Menschen mit unterschiedlichen Zielvorstellungen unter (positiven) Wachstumsbedingungen wesentlich einfacher möglich ist als im gegenteiligen Fall. Dabei ist es von entscheidender Bedeutung, zu verstehen, dass es keine rational überzeugende, algorithmische Form der Ableitung von Gruppenpräferenzen aus den individuellen Präferenzen der Beteiligten gibt, sieht man von der Bestimmung eines Diktators (Satz von Arrow/ Satz vom Diktator [40]) ab. Hinzu kommt: Bei der heutigen Ausgestaltung der Märkte ist eine hohe Beschäftigung wahrscheinlich eher mit

> *„Aus der Theorie der Märkte folgt nicht, dass Wachstum unbedingt erforderlich ist, damit der Markt funktioniert."*
>
> Franz Josef Radermacher

positivem als ohne Wachstum zu erreichen, obwohl es auch bzgl. dieser Aussage Fragezeichen gibt und das in unheilvoller Form um sich greifende Phänomen nichtauskömmlicher Beschäftigungsverhältnisse (sogenannte „Working Poor") mit zu betrachten ist. Das kann sich bei weiterer explosionsartiger Verbesserung technischer Intelligenz im Umfeld von Big Data, dem Internet der Dinge und technischer Durchbrüche, wie dem IBM-System WATSON, noch dramatisch verschärfen. Verteilungsfragen sind in der Regel im Falle eines „wachsenden Kuchens" einfacher zu adressieren, wenn auch die landläufige Behauptung, dass bei Wachstum alle gleichermaßen profitieren, kritisch und differenziert zu betrachten und letztlich falsch ist [18]. In individueller Perspektive kommt dem eigenen Einkommen eine viel größere Bedeutung zu als dem BIP bzw. dem volkswirtschaftlichen Gesamteinkommen [8]. Dabei kann rein rechnerisch auch der Fall auftreten, dass bei sinkender Bevölkerungszahl das BIP pro Kopf wächst, obwohl das Gesamt-BIP sinkt. Trotz moderater Wachstumsraten war es in den vergangenen Jahren in Deutschland so, dass nur die Einkommen des reichsten Dezils wahrnehmbar stiegen. Die mittleren Einkommen blieben weitgehend unverändert, während die niedrigsten Einkommen sogar sanken [7]. In den USA ist diese Entwicklung noch viel dramatischer [39].

Wachstum und Nachhaltigkeit

Wachstum betrifft begrifflich, wie dargestellt, die Veränderung der geeignet quantifizierten (monetären) Wirtschaftsleistung unter dem marktstrukturierenden ersten Restriktionensystem. Es besteht zunächst kein unmittelbarer sachlicher Zusammenhang zur Nachhaltigkeit. Die aktuelle Herausforderung besteht darin, die Nachhaltigkeit in das bestehende System zu integrieren, wobei offensichtlich ist, dass das jetzige System trotz aller Debatten und Aktivitäten zum Thema nicht nachhaltig ist. Wichtige Parameter, z. B. der weltweite CO_2-Ausstoß oder die Anzahl der Menschen, die akut vom Hunger bedroht sind, deuten ganz im Gegenteil auf eine immer weitergehende Verschlechterung des Status quo in Bezug auf Nachhaltigkeit hin. Nicht besser ist die Lage hinsichtlich der Ressourcen- und Energiefrage, der Entwicklung der Weltbevölkerungsgröße, der ‚Plünderung' der Realökonomie und der Staaten über ein unzureichend reguliertes Weltfinanzsystem und die resultierende Schuldenkrise [18]. An diesen Stellen müssen jetzt entscheidende Weichenstellungen erfolgen, sonst „endet" die Menschheit in einer „brasilianisierten" Welt oder einem ökologischen Kollaps. Die notwendige Inkorporierung der Nachhaltigkeit in das bestehende Kennzahlensystem sollte jedoch aus Sicht dieses Textes sowohl aus systematischen Gründen wie aus Verständnisgründen und Gründen der politischen Kommunizierbarkeit besser nicht über eine radikale Veränderung oder gar Abschaffung des bestehenden BIP-

Begriffs erfolgen, sondern durch die Einbettung allen Wirtschaftens in ein zweites System von Restriktionen geschehen, das die Einhaltung ökologischer und sozialer Parameter, und damit Nachhaltigkeit, gewährleistet. Nachhaltigkeit bedeutet dann die Beachtung der dafür notwendigen Zurückhaltung durch den weltökonomischen Prozess, was wiederum am besten dadurch geschieht, dass diese Restriktionen über Machtanwendung und Politik durchgesetzt werden. Das bedeutet, dass „Plünderung" durch Marktteilnehmer via Externalisierung ökologischer und sozialer Anliegen, wie das heute der Fall ist, unterbunden wird. Dazu werden diese Anliegen konsequent in den Markt internalisiert. Dies wird in der Folge beschrieben und begründet. Zuvor noch ein Hinweis: Die Sustainability Goals der Vereinten Nationen, also die Nachhaltigkeitsziele der Welt (Agenda 2030), fordern in Ziel 8 ausdrücklich ein BIP-Wachstum von mindestens 8 % pro Jahr für die wirtschaftlich zurückliegenden Länder, um die Nachhaltigkeitsziele insgesamt erreichen zu können. Die Meinung der Weltgemeinschaft lautet für diese Staaten erhebliches Wachstum, und zwar materialintensives BIP-Wachstum.

Nachhaltigkeit als Constraint-System

Idealtypisch lässt sich Nachhaltigkeit in Form eines Constraintsystems (z. B. für die in einem Jahr zulässigen CO_2-Emissionen weltweit oder der Höhe einer für jeden Menschen weltweit bereitzustellenden „Minimal Daily Allowance") beschreiben [9, 19]. Man benötigt in diesem Sinne zur Operationalisierung der Nachhaltigkeit ein zweites Nachhaltigkeitsorientiertes Restriktionensystem für die Bereiche Ökonomie, Gesellschaft (sozialkulturell) und Ökologie. (Hinweis: Nachhaltigkeitsorientierte Restriktionen- bzw. Indikatorensysteme können disjunkt mit Indikatorensystemen zur Messung der Wirtschaftsleistung über ein „BIP"-artiges Konstrukt sein). In der wissenschaftlichen Literatur und genauso auch in Publikationen der unternehmerischen und der politischen Praxis findet man zahlreiche Ansätze zur Entwicklung derartiger Restriktionen- bzw. Indikatorensysteme. Exemplarisch genannt seien das MIPS-Konzept [36], der ökologische Fußabdruck [44] und das Konzept der „Planetengrenzen" [33]. In einer von großen Unternehmen gemeinsam erstellten Studie wurde durch Heranziehung des ökologischen Fußabdrucks einerseits und des Human Development Index (HDI) andererseits die „nicht nachhaltige Entwicklung der Welt" auf Staatenebene dargestellt [45].

Zu klären sind dabei immer Fragen der Konsistenz zwischen den verschiedenen Indikatoren sowie der globalen Extendierbarkeit und Nachprüfbarkeit der Indikatorensysteme. In einer nicht-nachhaltig organisierten Welt kann es in langfristiger Perspektive kein nachhaltiges Deutschland geben, auch wenn dieses Land in vielen Nachhaltigkeitsfragen als weltweiter Vorreiter angesehen wird. Dies gilt jedoch allenfalls in relativer Betrachtung mit Blick auf die hohe Wirtschaftsleistung. Würden alle Menschen so leben wie die Menschen in Deutschland, so würden die Ökosysteme sofort kollabieren. Hinsichtlich der jährlichen CO_2-Emissionen pro Kopf liegt Deutschland weit oberhalb von Frankreich (10 statt 6 Tonnen) und erst recht von Indien (1,5 Tonnen), was nicht zuletzt Folge des hohen Anteils an Kernenergie im Nachbarland und des vergleichsweise niedrigen Lebensstandards in Indien ist.

Wie setzt man Nachhaltigkeitsrestriktionen durch?

Es gibt unterschiedliche Formen der Arbeitsteilung in der Durchsetzung von Nachhaltigkeit. Zur Erreichung der erforderlichen Restriktionen stehen den unterschiedlichen Akteuren verschiedene Instrumente zur Verfügung. So kann die Politik mit Hilfe ordnungsrechtlicher Instrumente (produkt- oder prozessbezogene

> *„Würden alle Menschen so leben wie die Menschen in Deutschland, würden die Ökosysteme sofort kollabieren."*
>
> Franz Josef Radermacher

Gesetze), marktwirtschaftlicher Instrumente (z. B. Abgaben, Subventionen, Zertifikate) und flankierender Instrumente wie Sanktionen ihren Beitrag zur Einhaltung der gesetzten Grenzen leisten. Ein großes Thema bilden in diesem Kontext sogenannte Ökosteuern, wie sie z. B. durch die Green-Budget-Europe-Bewegung propagiert werden.

Auf der Unternehmensebene kommt den Selbstverpflichtungen eine wichtige Rolle zu. Orientierungspunkte bieten dabei die Standards des Global Compact, der Global-Reporting-Initiative oder auch die ISO-Norm 26000. Auch ethische Verankerungen von Verhalten über Religionen einerseits oder kulturellen Vereinbarungen andererseits (bis hin zur Idee des „ehrlichen Kaufmanns", möglichst durchgesetzt bis auf die Ebene des operativen Managements), können eine große positive Kraft entfalten. Insbesondere die großen (Marken-)Unternehmen stehen in Folge der gesellschaftlichen Beobachtung durch kritische NGOs und Konsumenten (sogenannte Moralisierung der Märkte [38]) unter Druck und in der Pflicht, sich des Themas der Nachhaltigkeit anzunehmen und transparent über ihre Aktivitäten zu berichten. Wegen der ökonomischen Wirksamkeit des Drucks bewegen sie sich in Richtung von mehr Nachhaltigkeit. Nachhaltigkeit wird auf diesem „Umweg" zu einem Geschäftserfordernis. Besonders interessant ist in diesem Kontext eine Orientierung der Unternehmen in Richtung Klimaneutralität durch Beteiligung an CO_2-Kompensationsprojekten in Nicht-Industrieländern. Denn solche Projekte fördern auch in größerem Umfang die Umsetzung der SDGs (sogenannte Co-Benefits). Minister Müller (Bundesministerium für wirtschaftliche Zusammenarbeit und Entwicklung) hat in diesem Kontext nicht nur die CO_2-Neutralität seines Hauses bis 2020 angekündigt und die CO_2-Neutralität des gesamten öffentlichen Sektors in Deutschland gefordert, sondern er startet noch im Jahr 2018 vor der Weltklimakonferenz in Katowice (Polen) ein Bündnis „Entwicklung und Klima", um dieses Anliegen massiv zu befördern [25].

Nachhaltigkeit ist grundsätzlich unter Umsetzung der beschriebenen Ansätze operationalisierbar, gegebenenfalls um den Preis eines erheblichen Wohlstandsverlustes. Ob uns der Weg in Richtung Nachhaltigkeit als Weltgesellschaft gelingen wird, ist eine ganz andere Frage. Hinzu kommt, dass der Operationalisierungsprozess aus vielfachen Gründen alles andere als trivial ist. Dies zeigt sich deutlich beim Versuch der

Deckelung der weltweiten CO_2-Emissionen und bei der Elimination der extremsten Formen von Armut und Hunger. Wichtige Beispiele sind im Ökologischen harte Grenzen für Klimagasemissionen, im Sozialen weltweite Sozialsystemstrukturen, die international cofinanziert werden müssen. Finanzierung kann aus Gebühren auf Nutzung der Global Commons erfolgen. Erforderlich ist für die großen Fragen so etwas wie der Weg in Richtung Weltdemokratie [1]. Ein entsprechendes Restriktionensystem wurde vom Autor unter der Überschrift der vier großen Verantwortungen, als Gegenseite zu den oben genannten vier großen Freiheiten [11], entwickelt [23].

Ökosoziale Marktwirtschaft

Mit dem Begriff der nachhaltigen Marktwirtschaft [14, 34, 35, 41] , der eine Kombinierbarkeit der beiden großen Konzepte der Nachhaltigkeit und des Marktes zum Gegenstand hat, ist die Frage verbunden, ob die gleichzeitige Umsetzung beider Leitkonzepte prinzipiell realisierbar ist oder ob weiteres massives Wachstum in einer „Brasilianisierung" oder in einem (ökologischen) Kollaps enden wird [4, 18, 26]. Die heutige Welt ist weit davon entfernt, nachhaltig zu sein. Unter den Vertretern von Politik, Unternehmen und Zivilgesellschaft findet man viele Personen, die zunehmend Zweifel daran haben, ob die Gleichzeitigkeit beider Konzepte überhaupt möglich ist. Noch mehr Zweifel besteht darüber, ob es zudem (positives) Wachstum (in der heutigen Definition) geben kann. Wären die geäußerten Zweifel tatsächlich gerechtfertigt, so würde dies wahrscheinlich eine Katastrophe für die menschliche Zivilisation bedeuten. Denn die beiden seit der UN-Konferenz von Rio in 1992 beschlossenen und parallel zu verfolgenden Ziele des globalen Schutzes der Umwelt einerseits und der wirtschaftlich-aufholenden Entwicklung vor allem der nicht-industrialisierten Staaten der Welt andererseits müssten in dieser Form und Gleichzeitigkeit aufgegeben werden. Man müsste sich dann entscheiden für das Ziel, ein hohes Wohlstandsniveau für alle anzustreben, was aber die unwiderrufliche Zerstörung der Umwelt zur Folge hätte, oder für ein weitaus niedrigeres Wohlstandsniveau, das aber mit Nachhaltigkeit kompatibel wäre. Das Ziel müsste dann darin bestehen, ein niedrigeres Wohlstandsniveau als politisch hinnehmbar oder als aus anderen Gründen doch akzeptabel zu positionieren [13].

Ein erfolgversprechender Ansatz, mit dem eine Kombination beider Konzepte gelingen kann, ist das etwa 35 Jahre alte Konzept einer Ökosozialen Marktwirtschaft [18, 19]. Es ist eine konsequente Fortentwicklung der Sozialen Marktwirtschaft um Umwelt- und Klimaschutz. Um im Sinne der Nachhaltigkeit wirksam werden zu können, ist eine weltweite Implementierung ohne ‚Schlupflöcher' erforderlich. Richtig umgesetzt, ist innerhalb eines solchen Kontextes bei der heutigen Ausgangssituation auch ein mit Nachhaltigkeit kompatibles (positives) Wachstum möglich.

Josef Riegler und die Ökosoziale Marktwirtschaft

Aufgrund des Gesagten ist eine weltweite Ökosoziale Marktwirtschaft der vielversprechendste Ordnungsrahmen für eine nachhaltige Entwicklung auf dieser Welt. Der entscheidende politische Impuls zu diesem Thema, die Verankerung dieses Paradigmas als wichtigsten Hebel in den politischen Bereich hinein, kommt aus Österreich. Josef Riegler hat mit seinen Einsichten die Welt verändert und dies in vielfältigen gesellschaftlichen und politischen Funktionen umgesetzt, u. a. als Agrarminister, als Vizekanzler und als Verantwortlicher für

> *„Eine weltweite Ökosoziale Marktwirtschaft ist der vielversprechendste Ordnungsrahmen für eine nachhaltige Entwicklung auf dieser Welt."*
>
> Franz Josef Radermacher

wesentliche Themenbereiche in den Verhandlungsprozessen zur Integration Österreichs in die Europäische Union. Die Überlegungen von Josef Riegler haben ihren Ausgangspunkt bereits 1973 kurz nach der Publikation „Die Grenzen des Wachstums". Sie sind und waren stark geprägt von der Situation im landwirtschaftlichen Sektor, die ihn bis heute beschäftigt – so wie auch Franz Fischler, der das Thema viele Jahre lang als EU-Agrarkommissar aus europäischer Sicht verantwortet hat, im Ökosozialen Form Europa mehrere Jahre als Präsident die Nachfolge von Josef Riegler inne hatte und heute als Präsident des Europäischen Forums Alpbach wirkt. Für den paradigmatischen Zusammenhang zwischen der Entwicklung der Ökosozialen Marktwirtschaft und dem landwirtschaftlichen Bereich sei u. a. auch auf [6, 27, 31] verwiesen.

In all seinen Funktionen hat Josef Riegler die Idee der Ökosozialen Marktwirtschaft beständig weiterentwickelt und tief in der Politik verankert. Und auch nach dem Ende seiner Tätigkeiten in der Politik hat er konsequent an diesem Thema weitergearbeitet, so im Kontext des Ökosozialen Forums Europa, dessen Ehrenpräsident er heute ist. Er hat die Thematik immer wieder wesentlich befruchtet. Dies gilt auch für die Mit-Initiierung der Global-Marshall-Plan-Initiative für eine weltweite Ökosoziale Marktwirtschaft, die sich als wichtiger Transformationsmechanismus entwickelt hat und unmittelbar an den früheren US-Vizepräsidenten Al Gore [5] anknüpft. Dieses Lebenswerk ist in dem sehr aufschlussreichen Buch „Den Blick nach vorn" [28] dargestellt, das die Stationen seines 20-jährigen Wirkens zum Thema beschreibt. Auch der Text „Global denken, lokal handeln – Herausforderungen für die Politik" beinhaltet eine sehr überzeugende Präsentation seines Denkens [29].

Dabei wurde es durch verschiedene österreichische Initiativen und die Unterstützung aus verschiedenen europäischen Ländern, insbesondere aus Deutschland und Finnland, mit tatkräftiger Mitwirkung von Josef Riegler auch möglich, die Ökosoziale Marktwirtschaft zu einem Thema in der Europäischen Demokratischen Union (einer Vereinigung christdemokratischer und Zentrumsparteien) zu machen.

Nach dem Ausscheiden aus der Bundesregierung Ende 1991 gründete Riegler gemeinsam mit Ernst Scheiber 1992 das Ökosoziale Forum Österreich als „Denkwerkstatt" sowie Aktions-Plattform zur Verbreitung und Vertiefung der Ökosozialen Marktwirtschaft. Partnerschaften außerhalb Österreichs folgten: Sepp Rottenaicher, Umweltbeauftragter der Diözese Passau, hatte gemeinsam mit Hans Popp, oberster Agrarstratege der Schweiz, und Hermann Kroll-Schlüter, Staatssekretär in Dresden, das Ökosoziale Forum Niederalteich (Bayern) an der dortigen Landvolkshochschule etabliert.

Dieses Ökosoziale Forum Niederalteich entwickelte sich zu einer bedeutenden Denkwerkstatt für die Ausarbeitung des „Europäischen Modells der Landwirtschaft" mit den Schwerpunkten multifunktional, nachhaltig, flächendeckend, konsumentenorientiert, umwelt-, natur- und tierschutzgemäß. Die konkrete Realisierung dieses europäischen Modells wurde von Franz Fischler als EU-Agrarkommissar von 1995 bis 2004 erfolgreich vorangetrieben. Franz Fischler ist heute, wie Josef Riegler, Ehrenpräsident des Ökosozialen Forums Europa.

Die Bücher „Aufstand oder Aufbruch?" [30] (1998), „Die Bauern nicht dem Weltmarkt opfern!" [23] (1999), „Land in Gefahr" [31] (2005) sowie „Ernährung sichern – weltweit: Ökosoziale Gestaltungsperspektiven" [6] (2007) sind Zeugnisse für die konzeptive Arbeit im Ökosozialen Forum Niederalteich.

Auch in Ungarn, Kroatien und Slowenien wurden Ökosoziale Foren gegründet. Dazu kamen Initiativen in Polen, den Niederlanden und Luxemburg. Gemeinsam mit Ernst Scheiber, dem dynamischen Geschäftsführer und wichtigsten Mitstreiter, konnte Riegler 2001 das Ökosoziale Forum Europa in Brüssel vorstellen. Als Krönung all dieser Bemühungen sieht Josef Riegler schließlich das von Franz Josef Radermacher, Josef Riegler, Frithjof Finkbeiner und anderen gestartete Projekt „Global Marshall Plan für eine weltweite Ökosoziale Marktwirtschaft" im Jahr 2003 [16].

Es sei auch erwähnt, dass im Grundlagenvertrag zwischen Deutschland und der DDR die Ökologische und Soziale Marktwirtschaft mehrfach explizit erwähnt wird. Auch im EU-Vertrag von Lissabon, der am 01.12.2009 in Kraft getreten ist, tauchen diese Begriffe wieder auf.

Allerdings bleiben die erwähnten Positionierungen vor allem Worte. Die materiellen Zwänge einer immer offeneren, globalisierten Weltwirtschaft in Verbindung mit dem Siegeszug des Marktfundamentalismus nach dem Fall der Mauer, auch was das Denken großer Teile der EU-Kommission anbelangte, haben die konkreten Entwicklungen nach 1989 in eine andere Richtung gelenkt. Die Idee der Nachhaltigkeit, das zentrale Ergebnis der Weltkonferenz von Rio 1992, hat ein ähnliches Schicksal erlitten wie das Konzept der Ökosozialen Marktwirtschaft. Viele Worte, aber wenig globale Regulierung und Querfinanzierung mit dem Ziel der Durchsetzung tatsächlich nachhaltiger Verhältnisse. Stattdessen der Verweis auf den freien Markt, der das alles schon irgendwie leisten wird. Die historisch parallele Entwicklung von Ökosozialer Marktwirtschaft und Nachhaltigkeit ist übrigens nicht überraschend. Aufgrund der nachfolgend diskutierten Fundamentalidentität (Ökosoziale Marktwirtschaft = Marktwirtschaft + Nachhaltigkeit) sind beide Konzepte weitgehend identisch [11, 19], insofern gilt dies auch für ihr Schicksal in der Umsetzung.

Fundamentalidentität

Im Weiteren wird gezeigt, dass die Ökosoziale Marktwirtschaft Markt und Nachhaltigkeit in einem Rahmen vereinigt. Es lässt sich genauer zeigen, dass dies auch die einzige mögliche Lösung für dieses Ziel ist (Fundamentalidentität). Der Zusammenhang hat dabei fast schon einen tautologischen Charakter. Wie kann man dies einsehen?

Eine Ökosoziale Marktwirtschaft (genauer: eine ökologisch und sozial adäquat regulierte Marktwirtschaft) ist per Definition eine Marktwirtschaft, die neben einem Restriktionensystem, durch das sie ihre spezifische ökonomische Ausprägung im Bereich der Hervorbringung von Gütern und Dienstleistungen erhält, unbedingt und prioritär einem Restriktionensystem 2 der oben beschriebenen Art genügt, das Nachhaltigkeit nicht nur sicherstellt, sondern erzwingt. Der heutige Wohlstand, erweitert um Wohlstandszuwächse in der sich entwickelnden Welt, kann dann aufrechterhalten werden, wenn es gelingt, trotz der zusätzlich durch das Ziel der Nachhaltigkeit erzwungenen Beschränkungen, die durch das Restriktionensystem 2 entstehen, das heutige (monetarisierte) Niveau der Produktion an Gütern und Dienstleistungen in der entwickelten Welt zumindest aufrechtzuerhalten und dieses in den Nicht-Industrieländern über die nächsten Jahrzehnte substanziell zu erhöhen. Der Schlüssel hierzu sind geeignete massive Innovationen der erforderlichen Art, die aber nur unter geeigneten,

d. h. mit Nachhaltigkeit kompatiblen Restriktionen an das ökonomische System (also dann, wenn die Preise die Wahrheit sagen), hervorgebracht werden. Dabei geht es insbesondere um ein leistungsfähiges, neues Energiesystem: preiswert, überall verfügbar, umweltfreundlich und klimaneutral. Das ist heute nicht der Fall. Das heißt, wir bringen seit langem nicht die geeigneten Innovationen hervor, die einerseits nötig und andererseits möglich wären, um eine nachhaltige Entwicklung zu ermöglichen, weil nämlich die Anreizstrukturen in globalen Märkten in die falsche Richtung weisen („Plünderung lohnt sich sehr"). Einem BIP-artigen Begriff kommt dabei weiterhin eine wichtige Rolle bei der Beurteilung der Entwicklung zu. Wie oben beschrieben, sind mindestens 8 % BIP-Wachstum pro Jahr für die ärmsten Staaten eine Forderung der Agenda 2030 der Weltgemeinschaft (Nachhaltigkeitsziel 8).

Eine nachhaltige Entwicklung ist aus heutiger Sicht noch möglich und letztlich erforderlich, wenn eine zukunftsfähige Welt in friedlicher Kooperation mit etwa 10 Mrd. Menschen ab 2060 gelingen soll [18, 22]. Die Ressourceneffizienz muss sich dabei durch technisch-organisatorischen Fortschritt und eine dazu passende Regulierung massiv verbessern; dies entspricht einer Entkoppelung von Wachstum und Ressourcenverbrauch, ein zentrales Anliegen des Club of Rome seit 35 Jahren und aktuell ein neuer Schwerpunkt seiner Arbeit, vor allem getrieben durch den Co-Präsidenten Ernst Ulrich von Weizsäcker [43] unter der Überschrift „Total Decoupling". Der Charakter des Wohlstands muss dazu deutlich von einer Ressourcenorientierung zu einer Dienstleistungsorientierung wechseln. Unvermeidbare Suffizienzerfordernisse werden sich dabei über die Durchsetzung der Nachhaltigkeitsrestriktionen materialisieren. Dieses Ziel von mehr Suffizienz wird übrigens auch erreicht, wenn Menschen, Organisationen oder Unternehmen Zertifikate aus CO_2-Kompensationsprojekten in Nicht-Industrieländern stilllegen. Aus Sicht des Autors einer der besten Ansätze zur Förderung von Klimaschutz und Entwicklung [25].

Eine Zielerreichung wird jedoch zunehmend schwieriger. Jedes Jahr verschlechtern sich die Erfolgsaussichten und erhöht sich das Risiko eines unvermeidlichen Wohlstandsverlusts auf dem Weg zu Nachhaltigkeit, je länger man einen entsprechenden forcierten Umbau der Gesellschaft verzögert. Eine für die Mehrheit der Menschen akzeptable Verteilung des (weltweiten) Wohlstands ist dabei eine zentrale Leitplanke für die soziale Seite der Nachhaltigkeit. Dieser Aspekt ist mittlerweile von zahlreichen Kommissionen national und international aufgegriffen worden. Die Definitionen in diesem Bereich führen zurzeit in den westlichen Demokratien zu massiven Verwerfungen. Die mittels des Restriktionensystems 1 implementierte Art des Wettbewerbs

> *„Eine für die Mehrheit der Menschen akzeptable Verteilung des Wohlstands ist eine zentrale Leitplanke für die soziale Seite der Nachhaltigkeit."*
>
> Franz Josef Radermacher

ist ein entscheidender Treiber für die Generierung von Wohlstand. In welchem Umfang sich eine Gesellschaft diesem Treiber ‚unterwerfen' kann oder möchte, ist wiederum eine Frage der Regelung innerhalb des Restriktionensystems 2. Hier geht es u. a. um den Trade Off von Lebensqualität (inklusive einem gewissen Umfang an Langsamkeit) und dem (individuell) verfügbaren Umfang an Gütern und Dienstleistungen für Konsumzwecke. Wird mehr Stress für mehr Wachstum bevorzugt oder mehr Entspannung bei einem geringeren Niveau an Gütern und Dienstleistungen? Über das Restriktionensystem muss auch der sogenannte Bumerangeffekt [15] verhindert werden – z. B. mehr Ressourcenverbrauch infolge verbesserter Ressourcenproduktivität und daraus resultierender fallender Preise – den man sehr gut anhand des vermeintlichen „papierlosen Büros" verstehen kann, das sich zum Ort des größten Papierverbrauchs in der Geschichte der Menschheit entwickelt hat.

Die angestellten Überlegungen münden letztlich in der sogenannten Fundamentalidentität, die in der Literatur [9, 19] begründet ist.

Fundamentalidentität

Marktwirtschaft + Nachhaltigkeit = Ökosoziale Marktwirtschaft

Grünes und inklusives Wachstum für weltweiten Wohlstand und Nachhaltigkeit ist noch möglich.

Die Weltgemeinschaft, insbesondere alle großen internationalen Organisationen wie die OECD, sind nach der Weltfinanzkrise von der Idee freier Märkte in die Gedankenwelt „grüner und inklusiver Märkte" gewechselt. Weil nur so Nachhaltigkeit erreicht werden kann. Grün und inklusiv entspricht dabei dem ökosozialen Marktmodell. Reflektiert wird auf diese Weise die Fundamentalidentität. Ein großes Problem ist dabei, dass die ökonomische Marktordnung, etwa bei der WTO, bisher nicht verändert wurde. Wir operieren insofern jetzt weltweit zwar im richtigen Gedankenmodell, aber nach wie vor unter falschen Marktregeln. Deshalb hat sich auch in Bezug auf Nachhaltigkeit nur wenig Positives entwickelt. Die entscheidende Herausforderung an die Staatengemeinschaft bleibt daher bestehen, nämlich das grüne und inklusive Paradigma nun endlich auch einmal in den Regeln des (Welt-)Marktes zu verankern. Würde das gelingen, würden wir zu einem grünen und inklusiven Wachstum kommen.

Die bisherigen Erörterungen machen deutlich, dass „grünes" und zusätzlich „inklusives" Wachstum immer möglich ist, allerdings negativ sein kann. Dass die Wachstumsraten auf Dauer selbst im positiven Fall kontinuierlich fallen werden, ist in einer endlichen Welt anzunehmen, schließt aber konstanten absoluten Zuwachs und bei irgendwann vielleicht sinkender Weltbevölkerung sogar eine weitere relative Zunahme pro Jahr nicht aus.

Die Vermeidung des Bumerangeffekts ist dabei ein zentrales Thema [15]. Genutzt wird das asymmetrische Wachstumspotenzial bei sich entwickelnden Ländern im Verhältnis zu entwickelten Ländern (Leapfrogging). Im Wesentlichen resultiert dies aus dem systemischen Rollout der bisher bekannten Lösungen über den ganzen Globus über Investitionen, Ausbildung etc., ein Prozess, der zurzeit weltweit gut zu beobachten ist. Er ist prinzipiell zu unterscheiden von Innovationen. Diese zielen auf grundsätzlich neue Lösungen, also das Hervorbringen von neuem Wissen und Können. Nur durch Innovationen kann der Wohlstand der Menschheit auf Dauer für alle weiter gesteigert werden. Mit einem Marshall Plan mit Afrika [2, 3, 24] liegen Vorschläge vor, wie solche Innovationsprozesse in Nordafrika, etwa unter Nutzung der enormen Potenziale der Sahara für die Erschließung erneuerbarer Energie, aussehen könnten.

Über etwa 50 Jahre führt im Balance-Fall einer weltweiten Ökosozialen Marktwirtschaft die Kombination mittlerer Wachstumsraten von gut 1,5 % in den Industrieländern und 6 % in den Nichtindustrieländern zu einer durchschnittlichen weltweiten Wachstumsrate von etwa 4 %, in einer Welt von schließlich etwa 10 Mrd. Menschen. Die Größenordnung 4 % entspricht weitgehend der Situation in den letzten 20 Jahren. Der wesentliche Bevölkerungszuwachs erfolgt in den Nichtindustrieländern. Die resultierende soziale Balance ist mit Nachhaltigkeit kompatibel und entspricht zum Schluss etwa derjenigen in der EU heute.

In Zeiten der Globalisierung sind Demokratie und Freiheitsrechte, Wohlstand und soziale Balance nur bei Abgabe von nationalen Souveränitätsrechten möglich. In der Literatur wird das sogenannte „Trilemma der Globalisierung" diskutiert. Es besagt, dass von den drei gesellschaftlichen Strukturelementen Demokratie, Globalisierung und nationale Souveränität nicht alle drei gleichzeitig möglich sind. Heute sind Globalisierung und nationale Souveränität verwirklicht zu Lasten der Demokratie. In dieser Lage einen Weg zu mehr Demokratie zu finden, heißt über Weltinnenpolitik nachzudenken. Das ist nicht einfach, aber zumindest eine Perspektive – für eine funktionierende Demokratie in Zeiten der Globalisierung wahrscheinlich die einzige. Leider ist festzustellen, dass dieser hier vertretene Weg die Zustimmung im politischen Bereich verliert. Der Marktfundamentalismus hat massiv überzogen, vor allem zu Lasten der sozialen Balance. Der „Aufstand der Verlierer" läuft jetzt in Richtung ReNationalisierung. Das wird den Wohlstand für alle nicht zurückbringen, eher global den Weg in Richtung Brasilianisierung forcieren. Aber so sind die Verhältnisse nun einmal.

Zusammenfassung

Nachhaltigkeit und Wohlstand für 10 Milliarden Menschen sind zu erreichen durch ein grünes und inklusives Wachstum im Sinne der Rio+20-Konferenz und den Postmillenniumsprozess auf UN-Ebene. Voraussetzung ist allerdings eine adäquate Global Governance, damit Preise in Märkten die Wahrheit sagen und erforderliche Querfinanzierungen und die Besteuerung der Nutzung von Weltgemeingütern durchgesetzt werden können. In der Global-Governance-Frage liegen heute die eigentlichen Engpässe für die Erreichung von Nachhaltigkeit, also in der unzureichenden internationalen politischen Koordination. Zugegebenermaßen ist nach der Finanzkrise einiges in diese Richtung gelungen, vor allem in Bezug auf die Einhegung von Finanzoasen [20, 21]. Aber immer noch zu wenig. Und die erreichten Fortschritte werden aktuell schon wieder in Frage gestellt, nämlich z. B. in der Brexit-Debatte. Es fehlen insgesamt der Wille und die Fähigkeit zu supranational fairen Lösungen à la EU. Diese sind aber die Schlüsselfrage. Ist die Weltgemeinschaft an dieser Stelle nicht erfolgreich, werden Brasilianisierung oder Ökokollaps unsere Zukunft bestimmen, nicht eine weltweite Ökosoziale Marktwirtschaft. Auch das wäre nicht das Ende der Welt, aber ein Desaster und ein extremer – zudem vermeidbarer – Verlust an zivilisatorischer Qualität. Potenziale ringen hier mit starken Gegenkräften. Die Auseinandersetzung muss geführt werden.

> *„In der Global-Governance-Frage liegen heute die eigentlichen Engpässe für die Erreichung von Nachhaltigkeit."*
>
> Franz Josef Radermacher

Danksagung

Ich danke Frau Prof. Dr. Estelle Herlyn für die vielfältige Unterstützung bei der Erarbeitung dieses Textes.

Literatur

1. Bummel, A.: Internationale Demokratie entwickeln – Für eine Parlamentarische Versammlung bei den Vereinten Nationen – Ein Strategiepapier des Komitees für eine demokratische UNO, Horizonte-Verlag Stuttgart, Mai 2005
2. Bundesministerium für wirtschaftliche Zusammenarbeit und Entwicklung: Afrika und Europa – Neue Partnerschaft für Entwicklung, Frieden und Zukunft: Eckpunkte für einen Marshallplan mit Afrika. http://www.bmz.de/marshallplan_pdf sowie unter http://www.marshallplan-mit-afrika.de (Stand: 26. Januar 2017)
3. Club of Rome und Senat der Wirtschaft: Migration, Nachhaltigkeit und ein Marshall Plan mit Afrika. Denkschrift für die Bundesregierung (Koordination: Prof. Radermacher, FAW/n), 2016 http://www.faw-neu-ulm.de, http://www.senat-deutschland.de/, http://www.senatsinstitut.de/, http://www.clubofrome.de/ und http://www.clubofrome.org/ (Stand: 26. Januar 2017)
4. Diamond, J.: Kollaps. Warum Gesellschaften überleben oder untergehen. S. Fischer-Verlag, Frankfurt am Main, 2005
5. Gore, A.: Wege zum Gleichgewicht: Ein Marshallplan für die Erde, Fischer Taschenbuch-Verlag; Auflage: 3, 25. Oktober 2007
6. Gottwald, F.-T., Fischer F.: Ernährung sichern – weltweit: Ökosoziale Gestaltungsperspektiven, Bericht an die Global-Marshall-Plan-Initiativen, Murmann-Verlag, 2007
7. Heitmeyer, W.: Die rohe Bürgerlichkeit, in: DIE ZEIT Nr. 39, 2011
8. Held, D.: Soziale Demokratie im globalen Zeitalter. Suhrkamp Verlag, 2007
9. Herlyn, Estelle L.A.: Einkommensverteilungsbasierte Präferenz- und Koalitionsanalysen auf der Basis selbstähnlicher Equity-Lorenzkurven - Ein Beitrag zu Quantifizierung sozialer Nachhaltigkeit. Dissertationsverfahren zur Erlangung des akademischen Grades Dr. rer.pol. an der wirtschaftswissenschaftlichen Fakultät RWTH Aachen, 2012
10. Herlyn, E., Radermacher, F. J.: Ökosoziale Marktwirtschaft: Wirtschaften unter Constraints der Nachhaltigkeit, in: Jahrbuch Nachhaltige Ökonomie (H. Rogall, ed.), Metropolis-Verlag, Marburg, 2012
11. Herlyn, E., Huber, A. Jacobs, G. Johnston, P., Khosla, K. Madishetty, N., Möller, U., Radermacher, F. J.: Global Sustainable Development. Ecosocial Market economy as a key. Balance the world. FAW/n Ulm Report, Global Marshall Plan, 2013
12. Kay, J.: The truth about markets. Why some nations are rich but most remain poor, London, 2004
13. Miegel, M.: Wohlstand ohne Wachstum, Berlin 2010
14. Mössner, U.: Das Ende der Gier – Nachhaltige Marktwirtschaft statt Turbokapitalismus, 2011
15. Neirynck, J.: Der göttliche Ingenieur. expert-Verlag, Renningen, 1994

16. Radermacher, F. J.: Global Marshall Plan/Ein Planetary Contract. Für eine weltweite Ökosoziale Marktwirtschaft. Ökosoziales Forum Europa (ed.), Wien, September 2004

17. Radermacher, F. J., Spiegel, P., Obermüller, M.: Global Impact – Der neue Weg zur globalen Verantwortung, Carl Hanser-Verlag, 2009

18. Radermacher, F. J., Beyers, B.: Welt mit Zukunft – Überleben im 21. Jahrhundert, Murmann Verlag, Hamburg 2007; überarbeitete Neuauflage „Welt mit Zukunft – die ökosoziale Perspektive", Hamburg 2011

19. Radermacher, F. J.; Riegler, J.; Weiger, H.: Ökosoziale Marktwirtschaft - Historie, Programm und Perspektive eines zukunftsfähigen globalen Wirtschaftssystems, München 2011

20. Radermacher, F. J.: Die Subprime-Krise 2007/2008: Finanztechnische Modellierungsfragen und Grenzen der Modellierbarkeit, Interner FAW/n Bericht, November 2008, aktualisiert März 2009

21. Radermacher, F. J.: Weltfinanzmarktkrise: Hintergründe Wirkungsmechanismen, Perspektiven, interner FAW/n Bericht, März 2009

22. Radermacher, F. J.: Kann die 2°C-Obergrenze noch eingehalten werden? – Ansätze für einen neuen Klimavertrag, FAW/n-Bericht, 2014

23. Radermacher, F. J.: A Better Governance for a Better Future, Journal of Futures Studies, March 2016, 20(3): 79–92

24. Radermacher, F. J.: Freiwillige Klimaneutralität des Privatsektors – Schlüssel zur Erreichung des 2°-C-Ziels. Kurzfassung des Buches „Der Milliarden Joker" zur COP 23 in Bonn, 2017

25. Radermacher, F. J.: Der Milliarden-Joker. Freiwillige Klimaneutralität und das 2°-C-Ziel. Murmann Verlag, erscheint in 2018

26. Randers, J: 2052: A Global Forecast for the Next Forty Years, Chelsea Green Publishing, 2012

27. Riegler, J.: Die Bauern nicht dem Weltmarkt opfern!: Lebensqualität durch ein europäisches Agrarmodell, Stocker Verlag, 1999

28. Riegler, J.: Den Blick nach vorn – Ökosozial leben und wirtschaften, Hrsg.: Club Niederösterreich, Wien 2009

29. Riegler, J.: Global denken, lokal handeln – Herausforderungen für die Politik. In: Weltkommune (K. Zapotoczky, C. Pracher und H. Strunz, eds.), Trauner-Verlag, 2013

30. Riegler, J., Popp, H. W., Kroll-Schlüter, H.: Aufstand oder Aufbruch? Stocker-Verlag, 1998

31. Riegler, J., Popp, H. W., Kroll-Schlüter, H.: Land in Gefahr? Zukunftsstrategien für den ländlichen Raum, Stocker-Verlag, 2005

32. Riegler, J., Scheiber, E., Ceipek, K. (Hrsg.): Zukunft als Auftrag. Die Welt gehört unseren Kindern. Verlag DTW Zukunfts PR, 2013

33. Rockström, J.: Planetary Boundaries, in: Nature 461, S. 472-475, 2009

34. Rogall, H.: Nachhaltige Ökonomie – Ökonomische Theorie und Praxis einer Nachhaltigen Entwicklung; Marburg 2009

35. Rogall, H.: Grundlagen einer nachhaltigen Wirtschaftslehre – Volkswirtschaftslehre für Studierende des 21. Jahrhunderts, Marburg 2011

36. Schmidt-Bleek, F.: Das MIPS-Konzept. Weniger Naturverbrauch – mehr Lebensqualität durch Faktor 10, München 1998

37. Schumpeter, J. A.: Theorie der wirtschaftlichen Entwicklung, Berlin 1912

38. Stehr, N., Adolf, M.: Sozio-ökonomischer Wandel: Der Konsum der Verbraucher, in: Meffert, H., Kenning, P., Kirchgeorg, M: Sustainable Marketing Management, Springerverlag, 2014

39. Stiglitz, J.: Der Preis der Ungleichheit – Wie die Spaltung der Gesellschaft unsere Zukunft bedroht, Siedler-Verlag, 2012

40. Szpiro, G.: Die verflixte Mathematik der Demokratie, Springer Verlag, 2011

41. Vieweg, W.: Mehr Dimensionen – Wir müssen die Soziale zur Nachhaltigen Marktwirtschaft entwickeln, in: Online-Wirtschaftmagazin ChangeX, 2008

42. von Weizsäcker, C. F., Picht, G.: Bedingungen des Friedens. Göttingen, 1964

43. Weizsäcker, E. U.; Hargroves, K.; Smith, M.: Faktor Fünf: Die Formel für nachhaltiges Wachstum, München, 2010

44. Wackernagel, M.; Beyers, B.: Der Ecological Footprint. Die Welt neu vermessen, Hamburg 2010

45. World Business Council for Sustainable Development: Vision 2050 - Die neue Agenda für Unternehmen, 2010

46. Yunus, M.: Building Social Business – The New Kind of Capitalism that Serves Humanity's Most Pressing Needs, New York 2011

ELISABETH KÖSTINGER
*Bundesministerin für Nachhaltigkeit
und Tourismus*

Höchste Zeit für Öko-soziale Marktwirtschaft

Als Nachhaltigkeitsministerin trete ich dafür ein, Österreich zukunftsorientiert weiterzuentwickeln. Wir müssen unser Land so gestalten, dass wir es mit gutem Gewissen an unsere Kinder und die nächsten Generationen übergeben können. In Zeiten der Globalisierung bedeutet das zugleich, auch als Weltgemeinschaft Verantwortung zu übernehmen.

Der Klimawandel und seine Folgen zählen zu den größten Herausforderungen unserer Zeit. Wetterkapriolen, Dürre, Wasserknappheit und ähnliche Phänomene machen deutlich, dass wir sorgsamer mit den natürlichen Ressourcen umgehen müssen. Rohstoffe wie Erdöl oder Erdgas gehen zur Neige und können oft nur noch unter großen technischen Schwierigkeiten gefördert werden, mit hohen Risiken für unsere Umwelt. Gesellschaft, Wirtschaft und Politik müssen an einem Strang ziehen und das Prinzip der Nachhaltigkeit gemeinsam hochhalten. Ich bin überzeugt: Es ist höchste Zeit für die Ökosoziale Marktwirtschaft.

Nachhaltigkeit an oberster Stelle

Bis zum Jahr 2050 wird die Weltbevölkerung auf nahezu neun Milliarden Menschen anwachsen. Ernährungssicherheit, Umweltschutz, Wirtschaftswachstum – all das sind Zukunftsthemen, für die es eine gemeinsame Strategie braucht. Schon seit 30 Jahren bietet die von Josef Riegler begründete Ökosoziale Marktwirtschaft zukunftsorientierte Lösungsansätze. Sie steht für nachhaltiges, verantwortungsvolles Wirtschaften. Auf Basis dieses Modells müssen wir Maßnahmen entwickeln, die wirtschaftliches Wachstum ermöglichen und zugleich die Lebensqualität der Menschen langfristig absichern. Dies bedeutet nicht nur, die europäische und weltweite Wirtschaft von einer erdölbasierten auf eine vorwiegend biobasierte Wirtschaft umzustellen und verstärkt auf erneuerbare Ressourcen zu setzen. Das Prinzip der Nachhaltigkeit sollte in sämtlichen Bereichen an oberster Stelle stehen.

Doch was bedeutet die Ökosoziale Marktwirtschaft für unsere Landwirtschaft? Handeln und Denken in Naturkreisläufen ist ein ureigenes Charakteristikum der bäuerlichen Familien und prägt die österreichische Kultur, insbesondere in ländlichen Gebieten. Seit Generationen pflegen diese Familienbetriebe Österreichs einzigartiges Landschaftsbild und versorgen uns mit sicheren, hochwertigen Lebensmitteln. Damit dies auch in Zukunft so bleibt, brauchen wir ein gemeinsames Europäisches Agrarmodell: Die GAP ist ein Garant für Wettbewerbsgleichheit und Sicherheit in Europa.

Entscheidend für den Erfolg der GAP wird sein, dass wir dem Prinzip der Nachhaltigkeit treu bleiben: Regional produzierte Qualitätsprodukte müssen der Standard in der Nahrungsmittelerzeugung sein. Ein Qualitätssiegel mit klaren Kennzeichnungsregelungen sollte die Entscheidung beim Einkauf erleichtern. Es muss Anforderungen an eine umwelt- und naturverträgliche Produktionsweise geben, wie auch an eine artgerechte Tierhaltung, Standards für Futtermittel und eine lückenlose Herkunftsbezeichnung von der Erzeugung bis zur Vermarktung im Regal.

Natur- und umweltverträglich wirtschaften

Ich werde mich weiterhin mit aller Kraft dafür einsetzen, Österreichs natürliche und flächengebundene Landwirtschaft langfristig abzusichern – auch im Berggebiet und in benachteiligten Gebieten. Im europäischen Vergleich ist unsere heimische Landwirtschaft besonders kleinstrukturiert und stark auf Qualität spezialisiert. Um am europäischen Markt bestehen zu können, brauchen unsere Bäuerinnen und Bauern einen verlässlichen Rückhalt durch Ausgleichszahlungen und attraktive Nischenmärkte für ihre Qualitätsprodukte.

Auf globaler Ebene kann die Welthandelsorganisation (WTO) maßgeblich dazu beitragen, Handel, Umwelt und Nachhaltigkeit in Einklang zu bringen. Ich trete für eine Offensiv-Strategie ein, die das Europäische Agrar-Modell international absichert und unsere hochwertigen Produktionssysteme ausreichend schützt. Wir müssen die Regeln noch klarer definieren – für einen fairen Handel unter Wahrung ökologischer, sozialer und anderer Mindeststandards sowie für einen wirksamen Sanktions- und Retorsionsmechanismus.

Mit unserem Regierungsprogramm haben wir uns klar zu einer wettbewerbsfähigen, multifunktionalen und flächendeckenden österreichischen Land- und Forstwirtschaft bekannt,

> *„Wenn wir den Gedanken der Nachhaltigkeit heute hochhalten, werden wir die Herausforderungen von morgen mit Auszeichnung meistern.“*
>
> Elisabeth Köstinger

ebenso wie zu den internationalen Klimaschutzverträgen und den Nachhaltigkeitszielen der Vereinten Nationen. Wenn wir den Gedanken der Nachhaltigkeit heute hochhalten, werden wir die Herausforderungen von morgen mit Auszeichnung meistern. Josef Riegler hat mit seiner Lebensleistung den Grundstein gelegt. Seine Ideen und Konzepte haben nichts an Aktualität verloren – im Gegenteil: die Ökosoziale Marktwirtschaft weist den Weg in die Zukunft.

Dr. Stefan Pernkopf
*LH-Stellvertreter in Niederösterreich
und Präsident des Ökosozialen Forums*

Vordenken und machen!

Mehr als ein Vierteljahrhundert Ökosoziale Marktwirtschaft hat uns gelehrt, Wirtschafts-, Umwelt- und Sozialpolitik als Dreieck zu begreifen. Nicht immer werden alle drei Seiten gleich betont, nicht überall ist das Dreieck fein austariert. Und für wohl niemanden ist der Schwerpunkt des Dreiecks am rechten Ort gesetzt. Aber die hohe Kunst, es jedem recht zu machen, ist keine politische, sondern schlechtestenfalls eine populistische. Die Ökosoziale Marktwirtschaft ist längst mehr als ein politwissenschaftliches Gedankenspiel, sondern täglich gelebte Realität.

Die ökosoziale Idee hat mich erstmals in meinen Schultagen getroffen und seitdem nicht mehr losgelassen. Ein wichtiger Politiker würde an unsere Schule, das Francisco Josephinum Wieselburg, kommen und einen Vortrag halten, so hieß es. Für uns junge Burschen waren solche Vorträge meistens zuallererst eine willkommene Ablenkung vom Schulalltag. Doch dieser Vortrag war anders, dieser Vortragende war anders. Vizekanzler Josef Riegler erzählte über die Ökosoziale Marktwirtschaft, glaubhaft, lebhaft, ernsthaft.

Hat die Soziale Marktwirtschaft von Ludwig Erhard und Julius Raab die Freiheit des Kapitalismus mit sozialer Sicherheit verknüpft und Markt mit Moral versöhnt, so hat die Ökosoziale Marktwirtschaft von Josef Riegler implementiert, dass langfristiges Wirtschaften ohne Rücksicht auf die Umwelt Raubbau an der Zukunft bedeutet, die erfolgreichste Umweltpolitik aber gleichzeitig jene ist, die weniger auf Verbote, sondern auf Anreize setzt. Als ökosozial muss gelten, was Arbeit schafft, die Wirtschaft stützt und die Umwelt schützt.

Rund zwei Jahrzehnte später, im Jahr 2011, durfte ich in Nachfolge von Josef Riegler und Franz Fischler das Präsidentenamt im Ökosozialen Forum übernehmen. Mit beiden eint mich, neben der gemeinsamen Parteiheimat, vor allem die Begeisterung für die großartige Idee der Ökosozialen Marktwirtschaft. Von den beiden unterscheidet mich, dass ich in meinem „Brotberuf" als Regierungsmitglied im größten österreichischen Bundesland auch tagtäglich in der politischen Umsetzung Verantwortung trage. Aus dem Ökosozialen Forum als Think-Tank ist damit auch ein Do-Tank geworden, oder deutsch ausgedrückt: es geht gleichermaßen um Vordenken und Machen.

> *„Die ökosoziale Idee ist viel mehr als ein geniales Konzept, sondern auch Handlungsmaxime und Leitfaden für die Umsetzung in die Realität."*
>
> Stefan Pernkopf

Die ökosoziale Idee ist damit viel mehr als ein geniales Konzept, sondern auch Handlungsmaxime und Leitfaden für die Umsetzung in die Realität.

Als Grundsatz gilt dabei: Wir haben den Auftrag, unsere Umwelt mindestens so gut an unsere nachfolgenden Generationen zu übergeben, wie wir sie übernommen haben. Die Ökosoziale Marktwirtschaft zeigt vor, dass sich ökologische Erfolge am ehesten einstellen, wenn sie sich auch ökonomisch abbilden lassen. Eine offensive Umweltpolitik also, die sich viel weniger nur mit dem Verhindern von Schlechtem, sondern vielmehr mit dem Ermöglichen von Besserem beschäftigt. Das versuchen wir dort vorzuzeigen, wo uns Gelegenheit dazu gegeben wird. Und ich denke, die Erfolge geben uns und der ökosozialen Idee recht:

Seit 2015 erzeugt Niederösterreich 100 Prozent des Strombedarfs aus erneuerbarer Energie. Dieses ehrgeizige Ziel habe ich bei meiner An-

gelobung in der niederösterreichischen Landesregierung 2009 verkündet. Durch einen klaren Ausbauplan, unkomplizierte und vor allem planungssichere Rahmenbedingungen, und große Anstrengungen von Unternehmen, Gemeinden und Privaten haben wir dieses Ziel schließlich 2015 erreicht. Aus Wind, Wasser, Sonnenkraft und Biomasse wird so viel Strom aus erneuerbaren Quellen erzeugt, wie in Niederösterreich verbraucht wird. Damit sind wir Vorreiter: Der EU-Schnitt liegt bei rund einem Viertel, Österreich bei immerhin etwas mehr als drei Viertel. Nachhaltigkeits-Ministerin Elisabeth Köstinger, die ja selbst im Ökosozialen Forum als Europa-Präsidentin aktiv war, will das 100-Prozent-Ziel nun bis 2030 erreichen. Das hilft nicht nur dem Klima, sondern auch der Wirtschaft, schafft Wertschöpfung und Arbeitsplätze. Als Beleg dafür: Insgesamt sprechen wir in Niederösterreich bereits von 40.000 sogenannten Green Jobs, vom Windrad-Techniker bis zum Solaranlagen-Installateur. Dabei findet auch ein Transformationsprozess statt: Gerade die klassischen Installateursbetriebe sind mehr und mehr mit Solar- und Photovoltaik-Anlagen beschäftigt und generieren einen beträchtlichen Teil ihres Umsatzes aus der erneuerbaren Energie. Damit entstehen die Arbeitsplätze vor allem auch dezentral bei klassischen mittelständischen Unternehmen in allen Regionen und Landesteilen.
Zweiter Beleg, dass sich Ökologie auch ökonomisch rechnet: Die Ökostromumlage wird jedem Stromverbraucher automatisch auf die Stromrechnung aufgeschlagen. Diese Bundes-Finanzmittel werden für die Förderung der Ökostrom-Anlagen verwendet bzw. für die Stützung der Stromtarife solcher Kraftwerke, Windräder etc. Zum bundesweiten Gesamtaufkommen haben die Niederösterreicher 18 Prozent beigetragen, die Wiener 13,5 Prozent. Umgekehrt sind daraus aber wieder 35 Prozent des Gesamtaufkommens nach Niederösterreich zurückgeflossen, während nur 2,5 Prozent in die Bundeshauptstadt retour gingen. Somit wird Niederösterreich zum „Netto-Empfänger" und Wien zum „Netto-Zahler". In absoluten Zahlen hat sich die Energiewende für Niederösterreich damit auch unter diesem Aspekt mit 1,25 Milliarden Euro „ausgezahlt". Dritter Beleg: Jedes zusätzliche Prozent Ökostrom hält 15 Millionen Euro im Land, das sonst für Energielieferungen in andere Länder abgeflossen wäre. Entweder in Länder, die Atomstrom produzieren, oder gar für Öl-

Lieferungen zu Ölscheichs und in andere instabile Länder. 2009 lag der Anteil erneuerbarer Energie im Strombereich in Niederösterreich noch bei 84 Prozent, 16 Prozent später ergibt das einen Unterschied von 440 Millionen Euro, die in Niederösterreich bleiben und hier Wertschöpfung und Arbeitsplätze generieren. Der nächste Schritt steht schon bevor: Ab 2019 dürfen in Niederösterreich Neubauten nicht mehr mit Ölkesseln ausgestattet werden. Unsere Anstrengungen sind im höchsten Maße ökosozial: Sie helfen dem Klima, sie rentieren sich für die Wirtschaft und sie schaffen Arbeitsplätze im ländlichen Raum.

Was im Bereich der erneuerbaren Energie gilt, kann man genauso gut auch auf die Landwirtschaft, die „Urdisziplin" der ökosozialen Idee, umlegen. Unsere bäuerlichen Betriebe sind fast ausschließlich Familienbetriebe und im europäischen Vergleich als Klein- und Kleinstbetriebe zu bezeichnen. Sie produzieren nicht nur Lebensmittel für ganz Österreich und darüber hinaus (jeder zehnte Export-Euro wird mit landwirtschaftlichen Produkten verdient), sondern halten sich dabei an strengste Auflagen, Vorgaben und Vorschriften. Sie sind damit Umwelt- und Tierschützer ersten Ranges und trotzdem wirtschaftliche Betriebe, die vor allem deswegen den Beruf des Bauern bzw. der Bäuerin zu ihrer Berufung gemacht haben, weil sie Lebensmittel produzieren wollen. Doch ohne sie auch keine gepflegte Kulturlandschaft, wegen der der Tourismus erst florieren kann. Und ohne sie auch wesentlich weniger Investitionen im ländlichen Raum. Denn die bäuerlichen Betriebe sind gewaltige Wirtschaftsmotoren, sie investieren in Maschinen und Gerätschaften, in Haus, Hof und Ställe, in Ab-Hof-Läden und Heurigenlokale. Dazu kommen noch vielfältige Investitionen der Lebensmittelverarbeitung. Alles Investitionen, die erstens den bäuerlichen Betrieben helfen, zweitens der Umwelt und der Lebensqualität zugutekommen und drittens natürlich den Standort insgesamt stärken, Arbeitsplätze und Wertschöpfung auch abseits der Landwirtschaft erzeugen.

Die Beispiele zeigen: Die Ökosoziale Marktwirtschaft ist in vielen Bereichen längst angekommen und Realität geworden. Sie funktioniert. Wir müssen uns nur trauen sie umzusetzen, Handlungsbedarf und Anwendungsmöglichkeiten gibt es genug. Wie eingangs schon erwähnt: genug ist es nie. Politik bedeutet, genauso wie das Leben insgesamt, ständige

Bewegung. So muss sich auch die Ökosoziale Marktwirtschaft ständig weiterentwickeln. Waren es zu Beginn Themen wie die klassische Umweltverschmutzung, der Kampf gegen die Atomkraft oder die Ökologisierung der Landwirtschaft, so sind heute neue Themen wie die Bioökonomie, also der Ersatz von ölbasierten Produkten durch erneuerbare, heimische Rohstoffe in möglichst allen Facetten und Ausprägungen, ein wichtiger Handlungsansatz, der ökosozialer nicht sein könnte.

Die Ökosoziale Marktwirtschaft hat uns also gelehrt, Wirtschafts-, Umwelt- und Sozialpolitik als Dreieck zu begreifen. Bei der Frage, wie wir dieses Dreieck austarieren und gleichseitig konstruieren können, müssen wir den Mittelpunkt definieren. Im Mittelpunkt der ökosozialen Politik hat für uns immer der Mensch zu stehen. Eine ökosoziale Politik, die stets fragt: Was braucht es, um den einzelnen Menschen, als Individuum genauso wie als Gruppe, bessere Lebensbedingungen und Chancen zu bieten? Die aber nie dem Eigensinn das Wort redet, sondern stets die Balance sucht: nach wie vor und mehr denn je zwischen Umwelt-, Wirtschafts- und Sozialpolitik. Aber ganz massiv auch ein Gleichgewicht zwischen Generationen und Gesellschaften fordert. Eine ökosoziale Gesellschaftspolitik schließlich, die das Heute mit dem Morgen verknüpft. Die aus dem Gestern schöpft, in das Morgen blickt und im Jetzt handelt. Und die versteht, dass jede Entwicklung zum Besseren hin nur dann funktionieren kann, wenn aus der Perspektive jener gehandelt wird, denen die Entwicklungen zugutekommen sollen: den Menschen. So gelingen Umsetzung und Weiterentwicklung.

Es gibt nichts Gutes, außer man tut es, sagte Erich Kästner ganz richtig. Wir setzen heute um, was mein Freund Joschi Riegler vor mehr als 30 Jahren genial postuliert hat. Vordenken und machen: wir sind auf dem richtigen Weg.

> *„Die Ökosoziale Marktwirtschaft hat uns gelehrt, Wirtschafts-, Umwelt- und Sozialpolitik als Dreieck zu begreifen."*
>
> Stefan Pernkopf

DR. NORBERT SCHNEDL
Vorsitzender der
Gewerkschaft Öffentlicher Dienst
Vizepräsident des
Österreichischen Gewerkschaftsbundes
Bundesvorsitzender der
Christgewerkschafter

Vorrang Mensch!

Uns geht es gut wie nie zuvor in der Geschichte der Menschheit. Dennoch sind, angesichts der rasanten technologischen Veränderungen, die einen systematisch anderen Blick auf die Wirklichkeit ermöglichen, viele Menschen verunsichert. Dass es der falsche Weg wäre, davor die Augen zu verschließen und zu versuchen, jede Änderung zu verhindern, muss dabei jedem klar sein. Unser Auftrag ist, die Veränderungen so zu gestalten, dass sie tatsächlich allen Menschen zugutekommen. Ein Ansatz, den unser Jubilar, Vizekanzler a. D. Josef Riegler, geradezu visionär mit der Ökosozialen Marktwirtschaft umzusetzen versuchte – und nach wie vor versucht. Dieses Ziel zu verfolgen, ist aktueller und notwendiger denn je.

Ältere Semester haben in Erinnerung, dass es in den ersten Jahrzehnten nach dem Zweiten Weltkrieg auch riesige Probleme und Sorgen gegeben hat, aber die waren – zumindest im Rückspiegel betrachtet – überschaubar, begrenzt und konnten fast immer in gemeinsamer Anstrengung innerhalb Österreichs gelöst werden.

Damals war aber auch kein drohender Klimawandel bekannt, die Demokratie und damit das politische System erschienen ab den 1950er-Jahren überaus stabil, die Wirtschaft wuchs beständig und Hand in Hand damit kletterten auch Durchschnittseinkommen und Lebensstandard nach oben.

Ganz offensichtlich markieren die Jahrzehnte um den Wechsel vom zweiten ins dritte Jahrtausend eine Zeitenwende, wie sie die Menschheit noch nie erlebt hat. Durch die Digitalisierung fast aller Lebensbereiche ändert sich das gesamte Leben grundlegend. Die weltweite digitale Vernetzung und die enorme zur Verfügung stehende Datenmenge ermöglichen eine völlig neue Machtverteilung. Regulatorische Bemühungen der Politik auf nationaler Ebene erscheinen beinahe wirkungslos. Dennoch muss Politik genau in diesen Bereichen ansetzen, um von dieser Entwicklung einen Wohlstandsgewinn für alle zu erzielen. Umbrüche gab es auch schon in früheren Jahrhunderten, allerdings noch nie zuvor in diesem atemberaubenden Tempo.

Probleme in weit entfernten Regionen der Erde, deren Auswirkungen Österreich und Europa oft erst nach vielen Jahren erreicht haben oder ganz verborgen geblieben sind, kommen nun blitzschnell auch bei uns an. Die enorm gewachsene Mobilität von Menschen und auch von Gütern hat die Welt eng zusammenrücken lassen. Das hat viele Vorteile, allerdings hat die Globalisierung auch die zu lösenden Probleme globalisiert. Davon fühlen sich viele überfordert.

Die Migrationsproblematik, so wie wir sie heute erleben, ist ein Ausfluss der weltweiten Vernetzung. Informationen sind einfach verfügbar. Die über Smartphones zu erhaltenden Informationen sind aktuell und leicht erhältlich. Ob die Informationen stimmen, ist eine Frage der Deutungshoheit. Schlepper halten ihre eigenen Informationskanäle offen. Die Migrantinnen und Migranten machen sich aus Ländern, in denen sie für sich und ihre Familien keine Zukunftschancen sehen, auf den Weg in europäische Länder. Dazu kommen Flüchtlinge aus Kriegsgebieten oder politisch Verfolgte, die ebenfalls Europa als Ziel anvisieren. Wie können wir diesen Migrationsdruck vermindern?

Ludwig Erhard hat mit der Formulierung einer Sozialen Marktwirtschaft den Grundstein gelegt. Seine Botschaft in der Nachkriegszeit lautete auf einen einfachen Nenner gebracht: „Wohlstand für alle!" Damals hat die ökologische Komponente noch keine wirkliche Rolle gespielt. Die Grundvoraussetzung für eine Soziale Marktwirtschaft war eine funktionierende Verwaltung, die die Umverteilung aufgrund der politischen Vorgaben gerecht gestalten musste. Für die Unternehmen war eine funktionierende Rechtsstaatlichkeit Basis für Fairness im Wettbewerb und so die Grundlage für Innovation. Josef Riegler und seine Mitstreiter haben mit der Ökosozialen Marktwirtschaft die Soziale Marktwirtschaft um ein wesentliches Element erweitert und somit die Notwendigkeiten des ausgehenden 20. Jahrhunderts und des 21. Jahrhunderts erfasst.

Zurück zur Frage: Die entwickelten Demokratien müssen in einer gemeinsamen Kraftanstrengung jene Staaten, in denen die Menschen keine Chance für ein perspektivenreiches Leben sehen, unterstützen, damit funktionierende öffentliche Verwaltungen, Rechtsstaatlichkeit und Sicherheit für alle Chancengleichheit bringen. Solange diese positiven Perspektiven nicht geschaffen sind, wird die Migrationsproblematik kein Ende nehmen.

> *„Wir müssen mit den staatlichen Funktionalitäten ein – ganz im Sinne von Aristoteles – gelungen-geglücktes Leben für alle ermöglichen.“*
>
> Norbert Schnedl

Eine funktionierende staatliche Verwaltung, so wie wir sie in Österreich kennen, ist in den meisten Ländern keine Selbstverständlichkeit. Das heißt aber auch für uns, dass ständig an den Rahmenbedingungen gearbeitet werden muss, damit das so bleibt. In eine funktionierende öffentliche Verwaltung, in ein rechtsstaatliches Justizsystem, in eine Exekutive, die für Sicherheit sorgt, muss auch investiert werden. Wir müssen mit diesen staatlichen Funktionalitäten ein – ganz im Sinne von Aristoteles – gelungen-geglücktes Leben für alle ermöglichen.

Dazu gehört die Organisation und Finanzierung der sozialen Sicherungssysteme. Eine gemeinwohlorientierte Staatsorganisation muss die Rahmenbedingungen dieser wichtigen Verteilungsfragen in den Bereichen Gesundheit, Pensionen und soziale Absicherung gewährleisten. Das System der Selbstverwaltung trägt dazu bei, dass diese Verteilungsfragen demokratisch im Sinne der Gesamtgesellschaft gelöst werden.

Grundsätzlich gilt für jedes auf die Gesellschaft ausgerichtete System, dass es den Menschen dienen muss und nicht umgekehrt. Die Finanzkrise 2008 hat uns gezeigt, dass, wenn ein System – in diesem Fall die Finanzindustrie und Finanzwirtschaft – zum Selbstzweck verkommt, die Funktionalität für die Gesellschaft verloren geht. Die Finanzkrise hat viele Banken an den Rand des Ruins getrieben. Die Rettung solcher Banken hat die Staatsschulden dramatisch hochschnellen lassen. Das stellt nach wie vor eine enorme Belastung für die Steuerzahlerinnen und Steuerzahler dar.

Zu den berechtigten Ängsten zählt auch, dass es nicht einfach sein wird, die in diesem Jahrhundert von derzeit etwa sieben Milliarden Menschen auf zehn Milliarden Erdenbürger anwachsende Weltbevölkerung zu ernähren. Zugleich sehen viele Menschen Genmanipulationen und industrielle Agrarwirtschaft überaus skeptisch. Massentierhaltung ist ebenfalls eine Methode, die zunehmend und zu Recht abgelehnt wird.

Besondere Besorgnis löst auch der mittlerweile überall spürbare Klimawandel aus, dessen konkrete Auswirkungen auch in unseren Breiten kaum mehr zu übersehen sind.

Viele der zuvor angeschnittenen Problemfelder hängen eng zusammen. Wenn der Klimawandel dazu führt, dass riesige Flächen in bewohnten Küstengebieten überflutet werden, bleibt den Betroffenen gar keine andere Wahl, als die Flucht zu ergreifen. Das Gleiche gilt für derzeit noch fruchtbare Regionen, die durch den Klimawandel vergleichsweise rasch zu Wüsten verdorren. Auch die in solchen Regionen lebenden Menschen müssen sich wohl oder übel auf die Suche nach einem neuen Lebensraum begeben.

Dass Kriege und ethnische Verfolgung in vielen Fällen eine Flucht von großen Menschenmassen erzwingen, liegt auch auf der Hand. Sichere Länder mit einem verlässlichen und gut ausgebauten Sozialsystem und guten wirtschaftlichen Chancen für Zuwanderer weisen hohe Anziehungskraft auf Menschen in wirtschaftlich schwierigen Regionen auf. Je größer das soziale Gefälle wird, desto stärker wird die Magnetwirkung von Ländern wie Deutschland, Schweden, der Schweiz, Kanada, Australien oder Österreich. Einerseits zeigt die Anziehungskraft von entwickelten Demokratien, welch enorme gesellschaftliche Leistung in demokratisch organisierten Wohlfahrtsstaaten steckt. Andererseits ist der Migrationsdruck kaum zu bewältigen und führt teilweise zu politischen Umbrüchen.

All das scheint auf den ersten Blick bedrohlich. Ein Lösungsmodell, das gleichermaßen für den regionalen Bereich wie auch kontinental und weltweit anwendbar ist, ist die „Ökosoziale Marktwirtschaft". Aber wie müssen die Bedingungen sein, damit das System der „Ökosozialen Marktwirtschaft" erfolgreich umgesetzt werden kann?

Grundvoraussetzung für die erfolgreiche Umsetzung der „Ökosozialen Marktwirtschaft" ist eine Gesellschaft, die nach Gerechtigkeit strebt. Eine Gesellschaft, die Rahmenbedingungen geschaffen hat, die Gleichheit vor dem Gesetz sicherstellt. Eine Gesellschaft, in der der Zugang zu Verwaltungsleistungen für alle gleich ist. Eine Gesellschaft, die versucht Willkür auszuschalten und in der Rechtstaatlichkeit einen hohen Stellenwert hat. Eine Gesellschaft, die Korruption bekämpft und Chancengleichheit sowie Perspektiven für alle sicherstellt. Eine Gesellschaft, die großen Wert auf Bildung und Ausbildung legt und die solidarisch mit den Schwachen ist.

Der Mensch muss bei allen Aktivitäten im Mittelpunkt stehen. Alle Sparten der Gesellschaft, Wirtschaft, Finanzwirtschaft, Landwirtschaft, Industrie, juristische Personen und alle staatlichen Institutionen haben den Menschen zu dienen und nicht umgekehrt.

Die Menschen dürfen nicht zum bloßen Produktionsmittel degradiert werden. Eine funktionierende und menschengerechte Gesellschaft braucht viele Ebenen. Familienleben, Kultur und Gemeinschaft müssen einen angemessenen Platz haben, ohne materiell bewertet zu werden. Auch der Sozialbereich muss einen hohen Stellenwert haben.

Das Konzept der Ökosozialen Marktwirtschaft ist derzeit das einzige überzeugende System, das jedem einzelnen Land und der ganzen Welt einen neuen politischen Ordnungsrahmen geben kann. Dabei ist die manchmal von Skeptikern verbreitete Ansicht, der gesunde Wettbewerb der Wirtschaft würde dabei behindert, völlig falsch. Wer das behauptet, hat die Grundprinzipien der Ökosozialen Marktwirtschaft nicht verstanden oder will sie nicht verstehen.

In der Ökosozialen Marktwirtschaft steckt eine ausgewogene Balance zwischen sozialer Verantwortung, wirtschaftlichem Erfolg und ökologischer Vernunft, ihre Umsetzung stellt ganz im Sinne von Ludwig Erhard „Wohlstand für alle" sicher. Wobei der Begriff Wohlstand breit zu sehen ist und die ökologische und soziale Ebene mitumfasst.

Viele Industrieunternehmen haben ein vorrangiges Ziel: kostengünstig produzieren, auch wenn man sich dabei aus Konkurrenzgründen in einen ökologisch und ethisch fragwürdigen Bereich begibt. Bei vielen Unternehmen wird weltweit auf Ökologie und Soziales keine Rücksicht genommen, weil das entscheidende Kostenvorteile verschafft. Dass diese Vorgangsweise fast immer auf Kosten der arbeitenden Menschen und der Umwelt geht, wird bedenkenlos in Kauf genommen.

Dem müssen wir Verbraucherverantwortung entgegenhalten. Wer Produkte aus fragwürdiger Produktion kauft, kauft gleichzeitig niedrige soziale und ökologische Standards. Die Entscheidung erfolgt mit dem Einkaufswagen. Aufgabe der Gesellschaft muss es auch sein, entsprechende Informationen für die Konsumentinnen und Konsumenten zur Verfügung zu stellen, damit sich die Menschen beim Konsum orientieren können.

Wichtig für die Umsetzung einer Ökosozialen Marktwirtschaft sind auch die Prinzipien der Solidarität und der Subsidiarität. Ohne die seit Jahrtausenden praktizierte Solidarität wäre die Menschheit sehr wahrscheinlich nicht überlebensfähig gewesen. Ebenso wichtig ist die praktizierte Subsidiarität. Entscheidungen sollen nach Möglichkeit von den betroffenen Menschen in engster Umgebung und damit in deren Sinn getroffen werden. Zentralismus und die Bündelung von Aufgaben soll es nur dort geben, wo zentral gesteuerte Systeme eindeutige Vorteile aufweisen. Es kann nicht sinnvoll sein, wenn für regionale Aufgaben in ländlichen Regionen Finnlands die gleichen zentral entwickelten Vorschriften gelten wie in einer sizilianischen Stadt oder auf einer Insel im Atlantik.

Wirtschaft, Ökologie und sozialer Friede bilden ein magisches Dreieck der Ökosozialen Marktwirtschaft. Entscheidend ist dabei die richtige Balance zwischen diesen Eckpunkten. Diese Balance muss immer wieder neu erarbeitet werden. Das ist eine wesentliche Aufgabe für die politische Ebene und die Sozialpartner.

Wichtig ist, dass auf allen politischen Ebenen das Konzept der „Ökosozialen Marktwirtschaft" bei allen politischen Entscheidungen mitgedacht wird. Sozusagen ein Qualitätssiegel für politische und wirtschaftliche Entscheidungen jeder Art.

Das für die Zukunft der Menschheit wahrscheinlich entscheidende Thema ist der Klimawandel. Ein Schlüssel für den Kampf gegen den Klimawandel wäre ein ökosozialer Umbau des Steuersystems. Die menschliche Arbeit muss steuerlich entlastet werden, während der Verbrauch klimaschädlicher Rohstoffe verstärkt besteuert werden sollte.

Auch internationale Steuergerechtigkeit muss geschaffen werden. Es kann auch nicht sinnvoll sein, wenn multinationale Konzerne, die in Ländern wie Österreich oder Deutschland viel Geld verdienen, wesentlich weniger Steuern zahlen als ortsgebundene Kleinunternehmer und Unselbständige.

> *„Letztendlich muss es auch für multinationale Konzerne attraktiv werden, ökologisch und sozial verantwortlich zu handeln."*
>
> Norbert Schnedl

Letztendlich muss es auch für multinationale Konzerne attraktiv werden, ökologisch und sozial verantwortlich zu handeln. Diesbezüglich gibt es bereits vorbildliche Konzerne, und es werden immer mehr.

Der Schlüssel liegt in Europa. Das Europäische Sozialmodell ist weiterzuentwickeln. Die Attraktivität Europas spiegelt den richtigen Weg in all diesen Fragen wider. Vorrang für den Menschen muss daher die oberste Leitlinie bleiben.

Unser Jubilar Josef Riegler hat sein Leben in den Dienst der Umsetzung einer „Ökosozialen Marktwirtschaft" gestellt. Oft hat er bei Veranstaltungen von uns Christgewerkschafterinnen und Christgewerkschaftern – auch auf internationaler Ebene – das Konzept erklärt, vorgestellt und beworben. Wenn ein bedeutender ehemaliger Politiker aus Österreich den Begriff „elder statesman" für sich in Anspruch nehmen kann, dann ist es Josef Riegler. Ad multos annos!

Ökosozial

„*Wir müssen erkennen,
dass ein wirklich ökologischer Ansatz
sich immer in einen sozialen Ansatz
verwandelt,
der die Gerechtigkeit in die Umwelt-
diskussion aufnehmen muss,
um die Klage der Armen ebenso zu hören
wie die Klage der Erde.*"

Papst Franziskus
Enzyklika „Laudato si"

Mag. Siegfried Nagl
Bürgermeister der Stadt Graz

Zukunft! Stadt! Ökosozial!

Ralph Waldo Emerson, US-amerikanischer Philosoph des 19. Jahrhunderts und einer der prägenden „Naturdenker" bis in unsere Gegenwart, wird das Zitat „Sprachen sind die Archive der Geschichte" zugeschrieben. Und in der Tat schafft erst die Sprache fortdauernde Wirklichkeit. Andersrum formuliert: Personen des öffentlichen Lebens bleiben nicht zuletzt erst dann nachhaltig unvergessen, wenn sie mit einem Begriff aufs Engste verbunden sind. Josef Riegler und die Ökosoziale Marktwirtschaft sind längst zu einer solchen unauflöslichen Paarung geworden. Und das Wort „nachhaltig" steht im vorletzten Satz natürlich nicht zufällig: Denn dieses Modell, diese „Wortmarke", ist als Begriff, wie auch dem Inhalt nach, zutiefst nachhaltig.

Ökosozial

Drei Bemerkungen zu Josef Riegler vorweg:

Erstens: Ein Narrativ aus den Niederungen der österreichischen Politikberichterstattung spricht oft vom Visionär Josef Riegler, der seiner Zeit voraus war, eine Interpretation, die einer genaueren Analyse nicht

121

standhält. Schon vor mehr als 30 Jahren, am 21. Jänner 1987, als Riegler bei seiner Antrittsrede als Landwirtschaftsminister das Konzept der Ökosozialen Marktwirtschaft als „sein" Programm präsentierte, war dies vor allem „gegenwartstauglich", mehr noch „gegenwartsnotwendig". Dass es lange Zeit nicht, oder zumindest nicht ausreichend umgesetzt wurde, ist eine andere Geschichte. Wenn schon Visionär, dann „Gegenwartsvisionär"!

Zweitens: Die Idee, ökologische, soziale, ökonomische und ethische Verantwortung mit- und zueinander ausgleichend in Beziehung zu bringen, später kam die kulturelle Identität als vierte Säule dazu, war nie als Kompromissverfahren, sondern immer als Optimierungsprozess gemeint. Während Ersteres in Österreich fast genetisch programmiert scheint, gilt Letzteres nicht selten als verdächtig. Gerade weil hierzulande diese drei Politikfelder oft leidenschaftlich zu Widersachern stilisiert werden, ist Josef Riegler uneingeschränkt dafür zu danken, dass er uns – meist unmerkbar – daran erinnert, dass „Konkurrenz" etymologisch genau genommen „miteinander laufen" bedeutet.

Drittens: Der metademokratische Diskurs der letzten Jahrzehnte verlief weitgehend entlang der Linie „Der freiheitliche, säkularisierte Staat lebt von Voraussetzungen, die er selbst nicht garantieren kann" (Ernst Wolfram Böckenförde) einerseits und „checks and balances" (John Locke) bzw. „Contrat social" (Jean-Jacques Rousseau) andererseits. Einfacher gefragt: Gibt es Werte, die nicht zur Disposition stehen? Josef Rieglers tragfähige Fundamente sind sein christliches Weltbild mit dessen inhärentem Begriff der ungeteilten Menschenwürde. Sein bäuerlich geprägtes Bewusstsein ist die Grundlage für sein Wissen um die Zyklen des Lebens, die Grenzen des Wachstums und die für beides notwendige Verwurzelung.

Stadt

Wer die Ökosoziale Marktwirtschaft nur als Modell für die agrarische Welt oder vielleicht darüber hinaus noch für den ländlichen Raum sieht, hat ihren Geist nicht verstanden. „The battle of sustainable development will be lost or won in cities", hat es 2015 der damalige stellvertretende UN-Generalsekretär Jan Eliasson formuliert. 2050 werden rund 70 Prozent der Weltbevölkerung in Städten leben. In diesen wird das meiste

Geld erwirtschaftet, aber auch die meiste Energie verbraucht. Wenn es uns nicht gelingt, wirksam dagegen zu steuern, wird in den Städten von morgen die Schere zwischen Arm und Reich noch weiter auseinandergehen, und das nicht nur in den rasch wachsenden Metropolen des Ostens und des Südens, wenn auch dort mit einer ungleich größeren Dramatik. Urbanisierung ist im 21. Jahrhundert die global wirkmächtigste politische Entwicklung. Sie zu gestalten, die wichtigste Herausforderung unserer Gesellschaft. Die Ökosoziale Marktwirtschaft ist hier ein exzellentes Modell. Jede ihrer vier Säulen thematisiert ein Bündel von Fragen:

„In den Städten wird das meiste Geld erwirtschaftet, aber auch die meiste Energie verbraucht. "

Siegfried Nagl

Ökonomie: Wie viel zählt Leistung in einer Stadt? Wie überwinden wir etwaige „Bedienungsmentalitäten"? Wie verhindern wir „Brain-Drain"? usw.

Soziales: Wie werden unsere Sozialsysteme angesichts wachsender Ansprüche treffsicherer? Wie finden wir einen gerecht empfundenen Ausgleich zwischen den Notwendigkeiten der Alimentierten und der Zumutbarkeit für die Alimentierenden? Und wollen wir diese Diskussion überhaupt führen? Wenn ja, wo haben wir ein taugliches Instrument im Sinne eines „sozialen Fußabdrucks"?

Ökologie: Wie können wir die Ansprüche auf Mobilität, Konsum und Energie befriedigen, ohne das große Freiheits-Versprechen der Moderne zu verraten?

Kulturelle Identität: Was sind die jeweils spezifischen „Identitätsmarker" einer Stadt, und wer kümmert sich um diese? Und umgekehrt: Wie gehen wir mit den gesellschaftlichen „Brandbeschleunigern" um, die ihr subjektives Gefühl von Verunsicherung zu einem allgemeinzunehmenden Problem transformieren? Wie sichern wir den Kreativen den Vorrang gegenüber den Resignativen?

Zukunft

Das oft zitierte Bonmot „Prognosen sind schwierig, besonders wenn sie die Zukunft betreffen", wirft auch in seiner Herkunft einige Fragen auf: Karl Valentin, Mark Twain, Niels Bohr und Winston Churchill sind nur vier seiner mutmaßlichen Urheber, und das hat Symbolkraft. Es mag eine Binsenweisheit sein, aber sie ist richtig: Die Zukunft ist offen. Zugleich ist zu ergänzen „und unausweichlich!" Wer sich an ihrer Gestaltung nicht beteiligt, wird sie von anderen gestaltet bekommen.

Ein Schlüssel für die Organisation hoch diversifizierter Gemeinschaften wird künftig in der Ausgestaltung öffentlicher Räume – auch im Sinne der vier Säulen der Ökosozialen Marktwirtschaft – sein. Ray Oldenburgs Konzept der „Third Places", das nach dem Brüchigwerden des traditionellen Familienbildes und der sukzessiven Abnahme langfristiger Bindungen an den Arbeitsplatz, öffentliche Räume als immer wichtiger werdenden sozialen Referenzrahmen sieht, kann der viel gescholtenen städtischen Anonymität ein neues Bewusstsein von Gemeinschaft entgegensetzen. Eine neue urbane Agora städtischen Zuschnitts kann nicht nur den bekannten Stressoren des Gefühls von Diskriminierung, der Erfahrung von Unübersichtlichkeit und des Empfindens von Unverlässlichkeit entgegenwirken, bürgeraktivierende Prozesse sind auch die aussichtsreiche Immunisierung gegen alle segregierenden Heilsversprechungen politischer, ökonomischer, ethnischer oder religiöser Provenienz.

Ohne eine optimierende handlungsaktive Balance von Ökologie, Ökonomie, sozialer Verantwortung und kultureller Identität wird es in keinem Fall gehen.

DIPLOM-VOLKSWIRT
KAI SCHLEGELMILCH
Vorsitzender des Forums Ökologisch-
Soziale Marktwirtschaft,
Bundesamt für Naturschutz, Bonn

Der moderne Umweltstaat

Der moderne Umweltstaat ist in einer Marktwirtschaft in soziale Leitplanken eingebettet, umgesetzt in Form der Sozialen Marktwirtschaft. Mit ihr sind viele Errungenschaften verbunden, die für die Entwicklung westlicher Demokratien wie Österreich und Deutschland prägend wurden. Doch das gesellschafts- und wirtschaftspolitische Leitbild der Sozialen Marktwirtschaft aus den Nachkriegsjahren bedarf der Weiterentwicklung und Anpassung an neue Herausforderungen. Das hatte auch Josef Riegler, österreichischer Vizekanzler a. D., erkannt und eingefordert. Denn mit der aufkommenden Umweltbewegung Ende der 1960er-Jahre nahm allmählich der Druck auf die etablierten Parteien zu, sich des Umweltthemas anzunehmen. Spätestens seit den 1990er-Jahren hatten sich die meisten Parteien in Deutschland und Österreich dann auch mit den ökologischen Leitplanken stärker befasst und teils explizit das Leitbild einer darum ergänzten sogenannten Ökologisch-Sozialen Marktwirtschaft in ihre Parteiprogramme aufgenommen.

Denn es muss das Ziel sein, die Soziale Marktwirtschaft zu einer Ökologisch-Sozialen Marktwirtschaft weiterzuentwickeln. Nur mit diesen beiden, den ökologischen und den sozialen Leitplanken, kann eine Marktwirtschaft dauerhaft Bestand haben, also im mehrfachen, nämlich im ökologischen, sozialen und ökonomischen Sinne, „nachhaltig" sein. Weder eine „freie", noch eine Soziale Marktwirtschaft ist dauerhaft überlebensfähig.

Umweltpolitiker Professor Ernst Ulrich von Weizsäcker brachte es auf den Punkt: „Der Sozialismus ging daran zu Grunde, dass er es nicht zuließ, dass die Preise die ökonomische Wahrheit sagen. Der Kapitalismus könnte daran zu Grunde gehen, dass er nicht dafür sorgt, dass die Preise die ökologische Wahrheit sagen." Auch die Vertreter von CDU und FDP, Norbert Röttgen und Christian Lindner, vertreten diese Position: „An die Prozesspolitik in der Finanz- und Wirtschaftskrise wollen wir deshalb nun eine ökologisch gestaltende Ordnungspolitik

> *„Weder eine ‚freie‘, noch eine Soziale Marktwirtschaft ist dauerhaft überlebensfähig."*
>
> Kai Schlegelmilch

anschließen, die Umweltschutz und Ressourcenschonung zum wirtschaftlichen Eigeninteresse von Unternehmen und Bürgern macht. Sie orientiert sich am Verursacher- und Vorsorgeprinzip, das heißt, sie beseitigt externe Effekte, berücksichtigt ökologische Risiken und bereitet die Volkswirtschaft beispielsweise auf künftige Knappheiten vor. Marktkonforme Instrumente und umweltpolitische Zielvorgaben treten dafür an die Stelle von gut gemeinter ökologischer Detailsteuerung, um den Wettbewerb als Innovationstreiber, Kostensenker und Entdeckungsverfahren für neue Technologien zu nutzen. Der bislang zu oft nur quantitativ verstandene Wachstumsbegriff erhält so auch eine qualitative Dimension. Dieser ‚aufgeklärte' Wachstumsbegriff ist ein Standortvorteil im internationalen Wettbewerb." (Süddeutsche Zeitung, 26. März 2010, nach http://www.klima-retten.info/preise.html).

Das Forum Ökologisch-Soziale Marktwirtschaft (FÖS) trägt dieses Programm im Namen und fokussiert auf Elemente einer ökologischen Steuer- und Finanzreform:

- Steuern und Abgaben auf den Verbrauch von Energie und Ressourcen
- Abbau umwelt- und naturschädlicher Subventionen
- Emissionshandel
- Finanztransaktionssteuer und Vermögenssteuer

Die Begründung für diese Fokussierung des FÖS brachte Horst Köhler, Deutschlands Bundespräsident a. D., in einem Interview mit dem deutschen Magazin Focus mit dem Titel „Grünes Wachstum: Köhler für höhere Benzinpreise", am 21. März 2010 zum Ausdruck:

„Die Nation, die sich am schnellsten, am intelligentesten auf diese Situation einstellt, wird Arbeitsplätze und Wohlstand schaffen ... Auch auf die Gefahr hin, mich jetzt mit vielen anzulegen: Wir sollten zum Beispiel darüber nachdenken, ob der Preis von Benzin nicht tendenziell höher als tendenziell niedriger sein sollte. Das Preissignal ist immer noch das stärkste Signal, damit Menschen ihr Verhalten ändern." (http://www.focus.de/politik/deutschland/gruenes-wachstum-koehler-fuer-hoehere-benzinpreise_aid_491802.html, abgerufen am 21. März 2018).

Und mit dieser Auffassung ist er nicht allein, sondern auch die heutige Bundeskanzlerin, Dr. Angela Merkel, stellte bereits 1997, als sie noch Bundesumweltministerin war, in einem Interview mit der Frankfurter Allgemeinen Zeitung (FAZ) fest: „Energie ist heute zu billig. (...) es müssen aus meiner Sicht gezielt die Steuern auf Energie angehoben werden, sei es über Mineralöl, Heizgas oder Strom. Der gewünschte umweltpolitische Lenkungs- und Lerneffekt tritt freilich nur ein, wenn klar ist, daß (sic!) die Steuersätze über Jahre allmählich angehoben werden."

Der moderne Umweltstaat sorgt nicht nur für Kostenwahrheit, sondern er setzt auch das Vorsorge- und Verursacherprinzip um. Dazu bedarf es auch eines Umwelthaftungsrechts, das vollständig durchgesetzt wird. Skandale, wie sie von Volkswagen und anderen Autoherstellern in den letzten Jahren bewusst ausgelöst worden sind, würden idealerweise durch Abschreckung verhindert oder zumindest entsprechend strafrechtlich konsequent verfolgt werden.

Aber auch im Regierungshandeln muss die Priorität für Umweltaspekte institutionell und strukturell sichergestellt werden: Regelmäßig sorgen Entscheidungen der Wirtschafts-, Verkehrs-, Agrar- und anderen Politikbereichen dafür, dass Umweltaspekte nicht ausreichend berücksichtigt werden. Ein moderner Umweltstaat hat umfassende Veto- und Vorschlagsrechte für andere Politikbereiche, um so sicherzustellen, dass die erforderliche Transformation mit angemessener Geschwindigkeit angegangen wird.

Er könnte sogar in manchen Bereichen seinen Grad der Intervention zurückführen, sprich auf einige Ge- und Verbote und Detailvorschriften verzichten und diese abschaffen, und stärker den Marktkräften vertrauen. Der moderne Umweltstaat würde so der Bevölkerung und den Unternehmen ein Stück Freiheit zurückgeben, was auch der Demokratie zugutekäme.

In einem modernen Umweltstaat sollte auch nicht mehr der politische Mut und Wille fehlen, um die zahlreichen Erkenntnisse umfassend umzusetzen, die auch der 2017 aus diesem Amt geschiedene Bundesfinanzminister Wolfgang Schäuble (CDU) bereits 1998 in seinem Buch „Und sie bewegt sich doch" dargelegt hat: „Die grundsätzlichen Einwände gegen eine Verteuerung des Ressourcenverbrauchs sind sicher ernst zu nehmen, aber letztlich nicht durchschlagend."

DR. HANS GMEINER
Redakteur der Tageszeitung
„Salzburger Nachrichten", Oftering

Politik für die Bauern? Oder Show für die Gesellschaft?

„Ministerin für Nachhaltigkeit und Tourismus" steht auf der Visitkarte von Elisabeth Köstinger. Sie wird stolz drauf sein. Und andere auch. Man will offenbar ein Zeichen setzen. Und „Nachhaltigkeit" kommt immer gut. „Landwirtschaft" aber steht nicht mehr auf der Visitkarte der neuen Ministerin. Auch das kann man als Zeichen sehen, fügt es sich doch folgerichtig in die Linie, wie in den vergangenen Jahren Agrarpolitik in Österreich verstanden wurde. Da schien es zumeist sehr viel weniger darum zu gehen, einen ernsthaften und zukunftsfähigen Wirtschaftszweig zu positionieren, als um das Erfinden gefälliger Begriffe, allenfalls um Schnellschüsse da und dort und um PR-Schnickschnack, um Volk und Bauern zu beruhigen.

Ohne große Gegenwehr ließ sich die Landwirtschaft in den vergangenen Jahren Stück für Stück die Schneid abkaufen. Vom Handel, der längst über seine Eigenmarken und Vorschriften und Auflagen für die Bauern so etwas wie seine eigene Agrarpolitik in diesem Land macht, von den NGO, die sich schier ungebremst breit machen konnten, und von manchen Medien, die nicht müde werden, ein Bauernbild herbeizuschreiben, das ans vorletzte Jahrhundert gemahnt. Ganz so, als wäre die Landwirtschaft eine Ansammlung von ahnungslosen und bösartigen Tölpeln.

Über die vergangenen Jahre ist darüber ein Bild von der Landwirtschaft entstanden, das mit der Wirklichkeit oft nur mehr wenig zu tun hat. Viel eher gemahnt das, was als Landwirtschaft präsentiert wird, als Marketing-Gag, zu dem die Agrarpolitik mit ihrer verschwommenanbiedernden Begrifflichkeit untertänigst und wenig selbstbewusst das Showprogramm liefert.

Dass das nur wenig mit den Anforderungen auf den Märkten, mit wirtschaftlichen Anforderungen und schon gar nicht mit der Wirklichkeit auf den Bauernhöfen zu tun hat, tut den Bauern weh. Längst sind das sprechende Schweinderl und die lila Kuh aus der Werbung der Handelsketten für die Landwirtschaft, aber auch für alle Lebensmittelverarbeiter, für sie zu einer existenziellen Gefahr geworden.

Die Bauern, aber vor allem auch die Agrarpolitik und die bäuerliche Standesvertretung, haben es nie gelernt, damit umzugehen und selbst, und vor allem überzeugend, dagegenzuhalten. Man ist nur mehr Passagier einer Entwicklung, die inzwischen von anderen nach Belieben mit Begriffen, die seit jeher die Landwirtschaft ausmachen und die immer zur Landwirtschaft gehörten, gesteuert wird. Nachhaltigkeit gehört da dazu, Verantwortung für die Natur, Heimat auch.

Es scheint ganz so, als sei das sprechende Schweinderl aus der Werbung dabei, die Bauern zu fressen. Als sei hierzulande Landwirtschaft nur mehr in einer verkitschten Form erwünscht. Gefügig, anbiedernd, immer fröhlich und ganz bescheiden, aber jedenfalls weitab von der Wirklichkeit und ihren Anforderungen und auch weitab von Wirtschaftlichkeit.

Für die Bauern ist es verstörend, wie die ganze Gesellschaft willfährig mitmacht. Man scheint nicht mehr fragen zu wollen, wie es den Bauern geht damit und wie sie damit zurechtkommen. Es gibt kein Aufregen und schon gar keine Diskussion, wenn das Bauernleben verkitscht und vermarktet wird. Die einschlägigen Kritiker bleiben stumm, und Themen, die in anderen Konstellationen für helle Empörung sorgen, werden mit Gleichmut und mit nachgerade unverständlichem Einverständnis hingenommen.

Es macht Staunen, zumal sich durch diese Mode gewordene Strategie, mit Hilfe der Landwirtschaft und der Bauernwelt das Image aufzupolieren, für die Landwirtschaft selbst nichts verbessert. Im Gegenteil. Oft werden falsche, längst überholte Bilder fixiert, die sich für die Landwirtschaft und die Anforderungen, denen sie sich gegenübersieht, zumeist als nichts denn hinderlich erweisen. Denn für die Bauern, die davon leben müssen, was Stall und Felder hergeben, macht es all das nur schwieriger, ihre Bedürfnisse verständlich zu machen.

Bauern vom Fortschritt ausgeschlossen?

Dabei ist es nicht so, dass die Bauern nicht die Zeichen der Zeit erkannt hätten. Ganz im Gegenteil. Vor allem Österreich hat sich in der Landwirtschaft schon früh als Land positioniert, in dem möglichst umwelt- und tierfreundlich gearbeitet wird, in dem agrarindustriellen Formen eine klare Absage erteilt wurde, und in dem Nachhaltigkeit schon sehr früh zu einer Kategorie des Handelns gemacht wurde. Der bäuerliche Familienbetrieb gilt nach wie vor als Leitbetrieb. Bei Hektarausstattung und Tierbestandsgrößen rangiert Österreich im EU-Vergleich nach wie vor im hinteren Viertel.

Das alles und die Bemühungen der Bauern, möglichst nachhaltig zu wirtschaften, finden dennoch kaum Anerkennung. Ausgeblendet wird in der öffentlichen Diskussion zumeist auch das wirtschaftliche Umfeld, schon gar das internationale, in dem die Landwirte tätig sind. Moderne Methoden, zu arbeiten und zu wirtschaften, werden den Bauern oft nicht zugestanden, Fortschritt in der Landwirtschaft gilt nachgerade als verpönt und wird scheel angesehen. Vor allem konventionell wirtschaftende Landwirte, aber auch immer öfter Biobetriebe, die über ein paar Hektar Land und ein paar Tiere hinausgewachsen sind und mit modernen Methoden und Geräten arbeiten, müssen sich allerorten für ihr Tun rechtfertigen. Und das ganz oft so, als würden sie etwas verbrechen.

Die Situation der Landwirtschaft im Gefüge der Gesellschaft ist fragil geworden. Was jahrelang galt, wird hinterfragt. Die Produktionsweisen genauso wie die Vermögensverhältnisse, die Förderungen und die

Besteuerung. Die Diskussion wird schneller und volatiler. Was jahrelang gut gewesen ist, ist mit einem Mal schlecht, und kurz darauf heißt es, dass eigentlich längst schon wieder alles ganz anders ist. Blinder Alarmismus bestimmt immer öfter die öffentliche Diskussion hinter der nicht selten politische und wirtschaftliche Interessen stehen, die nicht von der Sorge um Umwelt und Landwirtschaft, sondern zumeist von Streben nach Gewinn, nach Wählerstimmen und nach Einschaltquoten und Auflagen getragen sind.

> *„Die Bauern sind Getriebene geworden. Sie stehen der Entwicklung hilflos gegenüber und leiden darunter."*
>
> Hans Gmeiner

Die Bauern sind Getriebene geworden. Sie stehen der Entwicklung hilflos gegenüber und leiden darunter. Sie tun sich schwer, damit umzugehen und die Dinge einzuordnen. Man schafft es kaum mehr, sich und seine Anliegen verständlich zu machen. Vor allem die konventionelle Landwirtschaft, die nach wie vor mehr als 80 Prozent der Agrarprodukte erzeugt und damit den größten Teil der Verantwortung für eine sichere und preisgünstige Versorgung mit Lebensmitteln trägt, hat Akzeptanzprobleme in dem gesellschaftlichen Umfeld, das sich in den vergangenen Jahren etabliert hat.

Landwirtschaft ist zum Spielball geworden

Die Bauern und ihre Vertreter haben in den vergangenen Jahren, zurückgezogen in einer abgeschlossenen Welt, die man heute wohl Blase nennt, den Kontakt zur Gesellschaft und damit auch zu den Konsumentinnen und Konsumenten verloren. Wohl auch deshalb tut man sich so schwer, die eigenen Bedürfnisse für Außenstehende verständlich zu artikulieren. Wohl darum fühlt man sich so oft unverstanden. Und wohl darum hat man das Heft des Handelns nicht mehr in der Hand. Das haben jetzt oft Gruppen in der Hand, die besonders von sich und ihren Ansichten eingenommen sind, denen aber Verantwortung viel zu oft ein Fremdwort ist. Die keine Scheu haben, billige Nahrungsmittel zu fordern, die aber ganz vorne stehen, wenn es um noch mehr

Beschränkungen für die heimische Landwirtschaft geht. Und die einer verträumten Subsistenz-Landwirtschaft abseits der Märkte das Wort reden und im gleichen Atemzug die Versorgungssicherheit gefährdet sehen und vor hohen Preisen warnen.

Den Ton in der Landwirtschaft bestimmen heute immer öfter die großen Handelskonzerne sowie die NGO und auch Medien. Sie reden in der Politik und in der Öffentlichkeit längst sehr selbstbewusst mit und haben dort mitunter mehr Gehör als die Bauern und ihre Vertreter. Sie sind es, die heute neue Produkte lancieren, neue Märkte und Absatzmöglichkeiten schaffen und die über die Produktionsmethoden auf den Feldern und in den Ställen allein durch ihre Macht auf den Märkten und in der Öffentlichkeit entscheiden. Und – das tut der Landwirtschaft besonders weh – sie sind es auch, die mittlerweile die Glaubwürdigkeit auf ihrer Seite haben.

Die Landwirtschaft ist in diesem Gefüge zum Spielball geworden. Ohne viel Gewicht in der öffentlichen Diskussion, mit wenig Glaubwürdigkeit und zuweilen punziert als gierige Geldvernichtungsmaschine. Das zu einem guten Teil freilich auch aus eigener Schuld. Viel zu lange haben es sich die Bauern und ihre Vertreter zu einfach gemacht. Statt auf den Wandel der Gesellschaft und ihre Forderungen zu reagieren und glaubhafte und glaubwürdige Antworten zu entwickeln, haben sie viel zu lange auf nichts denn schöne Bilder und hohle Slogans gesetzt und Geld gefordert. Dabei ist die Glaubwürdigkeit eines ganzen Berufsstandes perdu gegangen.

Ökosozialer Weg braucht Anpassung

Die Konzepte, Ideen und Forderungen, die heute die Diskussion innerhalb der Landwirtschaft bestimmen, sind gut 30 Jahre alt. Die Basis, auf der man seit Jahrzehnten arbeitet, ist immer noch das Konzept der Ökosozialen Marktwirtschaft, wie es in den 1980er-Jahren der damalige Bauernbunddirektor Josef Riegler auf den Weg brachte.

Dieses Konzept verschaffte der Landwirtschaft damals nicht nur einen neuen Platz in der Gesellschaft, sondern gab den Bauern auch ein neues Selbstbewusstsein. Es wirkt bis heute nach. Es ist nach wie vor die Grundlage für die Entwicklung der Umweltprogramme. Erhaltung der Landwirtschaft, Schutz der Umwelt, flächendeckende Landwirtschaft und Regionalität sind Schlagworte, die seither in keiner Diskussion fehlen und längst weit über Österreich hinaus strahlen. Unsere Alpenrepublik war damals so etwas wie ein internationaler Vorreiter, wenn es galt, neue Wege für die Landwirtschaft abseits der einfachen und vor allem industrialisierten Nahrungsmittelproduktion zu finden. Man hatte damals die Nase weit im Wind. „Wie machen die Österreicher das bloß?", fragte man sich in ganz Europa.

Die Kreativität, die Bauernschläue, die sie getragen hat, und mit der sich die Landwirtschaft ihre Glaubwürdigkeit und das Überleben sicherte, sind in diesem langen Zeitraum über weite Strecken verloren gegangen. Die Weiterentwicklung des ökosozialen Weges hat sich längst erschöpft. Neues, schon gar in der Qualität des ökosozialen Weges, wurde nie entwickelt.

Stattdessen schreibt man seit Jahren fort, was man kennt. Immer wieder. Der größte Teil der Energie geht viel zu oft darein, an Altem festzuhalten und zu erklären, was nicht geht. Die agrarische Diskussion wird nicht mehr von der Landwirtschaft geführt und schon gar nicht bestimmt, sondern von außen – vorzugsweise vom Handel und von den NGO. Aus der Landwirtschaft selbst kommt wenig. Vor allem nichts, was eine Antwort auf die neuen Anforderungen und das neue Umfeld sein könnte und das auch wirtschaftlichen Kriterien entsprechen könnte.

Nicht ohne Grund hat die Landwirtschaft gerade in den vergangenen Jahren stark an Gewicht und Gehör in der Gesellschaft verloren. Man will es sich mit niemandem verscherzen, und man gefällt sich zu oft in der Rolle des Guten, aber Unverstandenen, und des Opfers. Neue Ideen? Neue Wege? Erfolge gar? Fehlanzeige. Seit Jahr und Tag werden selbstzufrieden, bäuerlicher Folklore gleich, die selben Themen getrommelt, ohne auch nur den geringsten Fortschritt zu erzielen. Ja, der Anteil der Bauern an den Lebensmittelpreisen ist zu gering, ja, der Handel verschleudert beste Fleischwaren billiger als Katzenfutter, ja, Österreichs Bauern haben in manchen Produktionssparten strengere Auflagen als ihre internationale Konkurrenz. Ja, ja, und nochmals ja möchte man ihnen am liebsten entgegenrufen. Alle wissen das. Seit Jahren. Doch hat es irgendwelche Konsequenzen gegeben? Und: Warum nicht?

Der Erfolg der Agrarpolitik wird nach wie vor vor allem an Erfolgen bei Verhandlungen um Förderungen gemessen, daran, die Situation möglichst unverändert durch Reformen zu bringen und so den „politischen Besitzstand" zu wahren. Vor allem in den vergangenen Jahren wurde eine populistische Agrarpolitik Mode, gemacht für Kameras und Schlagzeilen, die sich auf Forderungen und Ankündigungen beschränkte, der aber jede Kontinuität und schon gar eine Leitidee fehlte. Auch die agrarische Forschung liegt darnieder. Und eine Vorwärtsstrategie, schon gar eine, die sich nicht auf Bio beschränkt, sondern die der Vielfalt der heimischen Landwirtschaft, vom konventionellen Betrieb im Flachland, über den Bio-Hof bis hin zu den Bergbauernbetrieben, gerecht wird, ist nicht zu erkennen.

Agrarpolitik: Vom Rückzugsgefecht zur Offensive

Die Bauernschaft, deren einstige Stärke die Geschlossenheit war, ist dabei, unter diesem gesellschaftlichen und auch wirtschaftlichen Druck auseinanderzudriften und sich damit weiter zu schwächen. Dabei ist Landwirtschaft weltweit eine der am stärksten wachsenden Branchen. Kaum anderswo ist das Innovationstempo so groß und sind die Aussichten langfristig so gut.

Aber was tut Österreich, um diese Trends zu nutzen? Man kann nicht anders, als zu sagen, das ist sehr überschaubar. Man pflegt mit Inbrunst Spezialthemen und Spezialgebiete, man scheut aber, an der modernen Landwirtschaft anzustreifen, man hält möglichst große Distanz zu modernen Produktionsmethoden und zu denen, die sie anwenden, und man lässt sich immer rigidere Vorschriften aufdrücken, die den Bauern das Leben verleiden und ihre Konkurrenzfähigkeit schmälern. Hilf- und konzeptlos fabuliert man seit Jahren davon, den bäuerlichen Familienbetrieben helfen zu wollen, ohne freilich viel Erfolg zu haben. Insofern passt, dass das „Landwirtschafts"-Ministerium zum „Nachhaltigkeits"-Ministerium geworden ist. Agrarpolitik in diesem Land ist seit Jahren mehr Showprogramm für die Gesellschaft, aber viel zu selten greifbare Politik, die den Bauern Zukunft geben könnte.

Das Resultat dieser Entwicklung hat viele Bauern längst bitter gemacht. Agrarpolitik empfinden sie oft sehr viel mehr als Bremse denn als Unterstützung. Es gibt keine Visionen, keine Strategien und keine Ziele. Und wenn, dann für die Gesellschaft, aber nicht für die Landwirtschaft. Die muss die Verwirklichung solcher Visionen und das Erreichen solcher Ziele allenfalls ausbaden.

Knapp 80.000 Bauern haben alleine in den vergangenen 20 Jahren aufgegeben. Genau betrachtet ist jeder, der aufgibt, verlorenes Potenzial, die Position Österreichs auszubauen und für die Landwirtschaft Zukunft und Spielraum dafür zu schaffen, die Möglichkeiten, die sich bieten, zu nutzen.

> *„Agrarpolitik in diesem Land ist seit Jahren mehr Showprogramm für die Gesellschaft, aber viel zu selten greifbare Politik, die den Bauern Zukunft geben könnte."*
>
> Hans Gmeiner

Aber dafür fehlt es am großen Denken und an Visionen. Die kommen nicht aus der Agrarpolitik, die kommen von anderen. Oft zum Leidwesen und zu Lasten der Bauern.

Darum wohl ist Agrarpolitik ein Rückzugsgefecht geworden. Das ist vor dem Hintergrund der internationalen Entwicklungen unverständlich. Denn diese Chancen sind, durchaus auch im Einklang mit den gesellschaftlichen Wünschen, zu nutzen.

Man muss nur wollen – und neu denken.

CONRAD SEIDL
Redakteur der Tageszeitung
„Der Standard", Wien

Goethes Ideal und die reale Regionalpolitik

Gleich im ersten Bild seiner „Iphigenie auf Tauris" lässt Goethe seine Titelheldin über den Verlust ihrer Heimat klagen – „das Land der Griechen mit der Seele suchend", wie es Romantiker des 19. Jahrhunderts gern nachzuempfinden, nachzumalen und nachzudichten versucht haben. Und wie es Deutschlehrer bis heute bewundern und daher ihren Schülern anpreisen: Ja, die Klassik! Die Hinwendung zum Griechentum! Die Sehnsucht nach dem Wahren, Reinen und Schönen!

Da ist etwas dran, ganz gestillt wurde diese Sehnsucht ja nie. Im Gegenteil: Sie ist umfassender geworden! Mehr denn je idealisieren wir die Schönheit, Reinheit und Wahrheit, die wir im Ländlichen vermuten – das antike Griechenland mag dafür Metapher sein, aber eigentlich fehlt uns ja das gesamte Landleben.

Martin Walker, als Krimiautor wohl nicht ganz mit Goethe vergleichbar, mit seinen Romanen in unserer Zeit allerdings ähnlich stilprägend wie es der Weimarer Geheimrat seinerzeit war, hat kürzlich in der deutschen Wochenzeitung „Die Zeit" ausgebreitet, dass er für sich das ideale Leben im Périgord gefunden hat: „Das Périgord versetzte uns zurück in ein Frankreich aus früherer Zeit – vor Autobahnen, Starbucks und McDonald's. Ein Frankreich, in dem zur Mittagszeit noch alles stillstand und die Croissants immer frisch und warm aus dem Ofen kamen. Wir entdeckten einen Ort, an dem man eine Woche verbringen konnte, ohne jemals ein Restaurant zu besuchen. Stattdessen stellte man sich mittags auf einem der Märkte ein Picknick zusammen oder ging abends auf einen der Nachtmärkte, wo man sich auf einem mittelalterlichen Platz an eine lange Tafel setzte und steak frites oder moules marinières direkt von den umliegenden Ständen bestellte." Und natürlich Kunst und Geschichte, beides bis in die Frühzeit der Menschheit zurückverfolgbar, schließlich liegen im Périgord auch die Höhlen von Lascaux.

Gut, wer es sich leisten kann, sich in ein verschlafenes Dorf zurückzuziehen, um von dort die Welt mit Literatur zu beglücken (und dabei gleichzeitig stilbildend zu wirken sowie Sehnsüchte zu verstärken), ist fein heraus. Und kann, wenn's ihn überkommt, ja auch jederzeit weg. Selbst Goethe konnte das, für immerhin zwei Jahre ab nach Italien – das war zu seiner Zeit nur sehr wenigen vergönnt.

Aber der Dichter und Geheime Rat war ja nicht nur ein genialer Schwärmer, den es nach Weimar verschlagen hatte – er war gleichzeitig Agrar- und Wirtschaftspolitiker. Die in Iphigenies Auftrittsmonolog gelegte Liebe zu einem idealisierten antiken Griechenland stand in scharfem Kontrast zu dem, was die Weimarer Gegenwart Goethes zu bieten hatte: Wenn er nicht gerade dichtete, kümmerte sich Goethe um Bergbau und Landwirtschaft. Und das war sehr typisch für die Zeit: In den Entstehungsjahren der Iphigenie wurden Gaslicht und Webmaschine, Dreschmaschine und Nähmaschine erfunden, drei Jahre nach der Fertigstellung der Versfassung der Iphigenie bricht in Frankreich die Revolution aus. Und das, was man später „Industrielle Revolution" genannt hat, war längst am Laufen, auch wenn noch nicht absehbar war, dass diese Revolution die Landwirtschaft auf immer ihrer führenden wirtschaftlichen Bedeutung entheben würde.

Das passierte ja auch nicht von einem Tag auf den anderen – noch der Zweite Weltkrieg wurde von den Nazis mit dem Begriff „Volk ohne Raum" ideologisch aufgeladen und der Gewinn von „Lebensraum im Osten" sowie die Ansiedlung deutscher Bauern etwa in der Ukraine als Kriegsziel proklamiert. Noch heute sind viele Konflikte in Afrika und dem Nahen Osten zumindest teilweise mit landwirtschaftlichen Interessen verbunden.

Für uns heutige Mitteleuropäer ist das inzwischen unvorstellbar geworden. Wir kennen den Krieg allenfalls aus den Erzählungen der Großvätergeneration, und von Hunger haben wir keine Vorstellung. Versorgung mit Nahrungsmitteln macht uns keine Sorge. Allenfalls überlegen wir, ob die Produktion umweltfreundlich und tiergerecht passiert ist – aber dass man überhaupt jederzeit Essen in ausreichender Menge kaufen kann, erscheint als Selbstverständlichkeit.

Zur Goethezeit war das definitiv anders. Krieg war eine allgemeine Erfahrung, Hunger, nicht selten erst durch kriegerische Ereignisse ausgelöst, jedenfalls durch Knappheiten und kriegsbedingte Preissteigerungen verschärft, ebenso. Auch dem Iphigenie-Stoff, der sich an den Sagenkomplex des Trojanischen Kriegs anlehnt, liegt ja ein vom Krieg geprägtes Muster zugrunde. Und die kriegführenden Staaten jenes Krieges waren durch und durch Agrarstaaten, in denen zwar Heldentaten und auch Philosophie in der Kunst gefeiert wurden, die wirtschaftliche Wertschöpfung aber aus der Landwirtschaft kam. Auch der trojanische Königssohn Paris, dessen Urteil über die Schönheit der drei Göttinnen bekanntlich den ganzen Krieg ausgelöst hat, lebte auf dem Berg Ida als einfacher Hirte.

Im Grunde hatte sich zwischen jener mythischen Vorzeit und dem 18. Jahrhundert wenig geändert: Städte gründeten ihren Reichtum auf der agrarischen Basis ihres engeren oder weiteren Umlandes und natürlich auf der Fähigkeit, mit den Überschüssen Handel zu treiben. Ackerbürger waren es im Mittelalter, die die Städte beherrscht und die Handwerker ernährt haben. Adelige mit großen Gütern haben aus deren Ertrag die Palais und Schlösser der Hauptstädte errichtet.

Und dann der Umbruch zwischen 1780 und 1840: Ingenieurwissen und Dampfkraft, Kapital und unternehmerische Risikobereitschaft führen zu neuen Produktionsweisen. Schaffen Wohlstand aus dem Nichts; oder wenigstens ohne dass man den Boden dafür beackern hätte müssen. Bodenschätze ausbeuten, das ja. Alter Adel verarmt, wird von der Macht verdrängt. Neuer Geldadel entsteht, zudem bürgerliches Selbstbewusstsein und bürgerliches Politikverständnis. Gleichzeitig entsteht dort, wo Industrie ist, ein Proletariat. Und Industrie ist ja fast überall, nicht nur in den zentralen Städten, sondern in den Tälern, wo Wasserkraft und Brennholz, gegebenenfalls auch Eisen und Kohle den Standort begünstigen. Es wächst ein Proletariat heran, das eine eigene Kultur, einen eigenen politischen Anspruch entwickelt – zumindest dort, wo es eine starke Führung hat. Schon in der zweiten Hälfte des 19. Jahrhunderts sieht Karl Marx in den Bauern nur noch eine Neben-klasse. Immerhin rät er dem Proletariat dazu, sich mit den Bauern gegen das Kapital zu verbünden.

Denn im 19. Jahrhundert wusste man noch, dass es die Bauern sind, die die Bevölkerung ernähren. Später ist das nur noch in den Hunger-zeiten nach den Kriegen bewusst geworden.

Aber die Bauern haben einem permanenten Be-deutungsverlust klug vorgebeugt, sie haben sich eine starke wirt-schaftliche Vertretung und eine genossen-schaftliche Wirtschafts-basis geschaffen. Sie sind, dem Struktur-wandel zum Trotz, eine bedeutsame gesell-

> *„Im 19. Jahrhundert wusste man noch, dass es die Bauern sind, die die Bevöl-kerung ernähren. Später ist das nur noch in den Hungerzeiten nach den Kriegen bewusst geworden."*
>
> Conrad Seidl

schaftliche Kraft geblieben – in Österreich vielleicht stärker als das in seinen Führungsschichten ebenso wie in seiner Lebensweise stark verbürgerlichte Proletariat.

Politik für die Bauern, das war folglich lange Zeit Politik für eine schrumpfende, aber politisch stark organisierte Gruppe. Landwirt-schaftspolitik musste Handelspolitik sein – einerseits bei der Steue-rung von Mengen und Preisen, andererseits bei der Erschließung von Absatzmärkten (wie etwa jüngst bei der Ermöglichung von Exporten „unedler" Schweineteile in die Volksrepublik China). Landwirtschafts-politik musste Förderpolitik sein – nicht zuletzt, um strukturelle Un-terschiede national und zunehmend auch europäisch auszugleichen.

Und irgendwann musste Landwirtschaftspolitik auch Regionalpolitik werden.

Der ländliche Raum als Lebensraum – idealisiert bei den zitierten Dichtern, aber immer noch von Millionen Menschen belebt. In den zehn größten österreichischen Städten leben strenggenommen 2.964.249 Personen – auch wenn allein der Großraum Wien, der weit ins Burgenland hineinreicht, 2,3 Millionen Einwohner hat. Aber von denen meinen zumindest ihrem Selbstverständnis nach einige 100.000, dass sie eigentlich „auf dem Land" leben. Ähnlich ist es mit dem Großraum Graz und dessen 466.804 Bewohnern, von denen nur 283.869 tatsächlich in der Stadt Graz leben.

Wobei die Städte – insbesondere die Bundeshauptstadt – auch in den eigenen Mauern deutlich wachsen: Vom rund 60.000-Einwohner-Plus, das Österreich im Jahr 2017 verbuchen konnte, entfielen 40.000 zusätzliche Einwohner auf Wien, während sich die anderen acht Bundesländer mit dem restlichen Plus von 20.000 Einwohnern begnügen mussten. Es ist nun einmal so, dass die Phänomene der Stadtflucht und der Landflucht zwei Seiten derselben Medaille sind: mit der Seele nach einem imaginären heilen (Griechen-)Land zu suchen, während man all die Annehmlichkeiten des Stadtlebens haben will.

Praktisch lässt sich das nur in den städtischen Agglomerationen halbwegs unter einen Hut bringen – mit einem absurden Wachstum von Speckgürtelgemeinden und Schlafdörfern, in denen Menschen ohne Bezug zur jeweiligen Kommune eine neue Heimat gefunden zu haben glauben (oder wenigstens behaupten). Und wo pseudo-alpine Bauten – das Bauen städtisch geprägter Villen scheint seit 100 Jahren in Vergessenheit geraten zu sein – den hilflosen Versuch dokumentieren, das Land (wie gesagt, nicht unbedingt jenes der Griechen, aber die romantische Vorstellung eines klassischen Landes) mit der Seele zu finden.

Die Umweltauswirkungen dieser Besiedelung der Speckgürtel sind beachtlich – und werden unvernünftigerweise auch noch subventioniert: Viele Haushalte, die Pendlerpauschale beziehen, pendeln ja nicht aus der Not heraus, in der engeren Heimat keinen Arbeitsplatz zu finden, sondern haben wegen einer persönlichen Vorliebe für das, was sie für Landleben halten, den Wohnort vom Arbeitsplatz weg verlegt, sind „ins Grüne" gezogen und beziehen jetzt eine Förderung für den Weg zur Arbeit, als wären sie sozial bedürftig. Dabei sind es gerade diese relativ wohlhabenden Haushalte, die oft mehrere Fahrzeuge besitzen, mehr Auto fahren und daher auch verstärkt die Umwelt belasten.

Die Erklärungen, die die Bewohner dieser Siedlungen abgeben, warum sie eigentlich hierhergezogen sind, verraten keine materielle, sondern eine seelische Hilflosigkeit: Eigentlich habe man das Haus ja wegen der Kinder gebaut, die sollen „im Grünen" aufwachsen, hört man von den Häuslbauern.

In den peripheren Regionen klingt es genau umgekehrt: Ja, die Kinder hätten es wohl gut – bloß Zukunft gebe es keine da. In Zahlen: 830 österreichische Gemeinden sind Abwanderungsgemeinden – das bedeutet, dass in 38 Prozent der Kommunen die Bevölkerung schrumpft, weil sie eben nicht als zukunftssicher gelten. Und es sind auch diese Gemeinden, in denen sich eine von dieser Stimmung geprägte politische Kultur etabliert.

Man konnte das bei der Bundespräsidentenwahl im Dezember 2016 recht deutlich erkennen: Bundespräsident Alexander Van der Bellen verdankt seinen Sieg vor allem den Wählern in den Städten und deren Umland. Bei der Wiederholungswahl holte er auf Anhieb gleich alle neun Landeshauptstädte. Im Mai 2016 ging Eisenstadt erst mit der Briefwahl von Norbert Hofer zu Van der Bellen. Hofer dagegen erwies sich als Kandidat der Vergessenen (er hatte sich ja auch selber zu einer Art Rächer der Benachteiligten stilisiert), seine größten Erfolge fuhr er in Kleingemeinden wie Muhr (84,5 Prozent), Wiesfleck (82,3 Prozent) oder Unterlamm (80,6 Prozent) ein – in Orten, bei denen man Schwierigkeiten hat, das Bundesland zu erraten (es wäre, der Reihe nach, Salzburg, Burgenland und Steiermark), geschweige denn, sie auf der Karte zu finden.

Es ist nicht untypisch für solche Gemeinden, dass sie einen geringen Akademikeranteil haben und dass sich ihre Bevölkerung von städtischen Eliten (wie sie eben Van der Bellen repräsentiert) unverstanden fühlt. Es spricht für das Einfühlungsvermögen der Wahlkämpfer rund um Van der Bellen, dass sie dieses Problem erkannt haben und durch Einsicht in ihre eigene bisherige Hochmut diese überwinden und schließlich doch auch Zugang zu zumindest einem Teil der ländlichen Wähler finden konnten.

Aber die politische Spaltung Österreichs in Regionen der Gewinner und Regionen der Verlierer bleibt ein Faktum, sie war auch bei der Nationalratswahl 2017 nachzuweisen. Es ist mehr als ungewiss, ob sie von der türkis-blauen Regierung überwunden werden kann. Zwar hat das damals noch Landwirtschaftsministerium genannte Ressort 2017 einen Masterplan für den ländlichen Raum vorgelegt, zwar gibt es Bekenntnisse zur Chancengleichheit zwischen Stadt und Land, zwar gibt es mit Erwin Pröll (dessen berufliche und politische Wurzeln in Regionalentwicklung und Dorferneuerung liegen) einen gewichtigen Schirmherrn. Auf die Lebensverhältnisse in den ländlichen Gemeinden hat das aber nur geringe Auswirkungen.

Da geht es natürlich vor allem um ökonomische Fragen; auch, aber längst nicht mehr vorrangig, um die Fragen der Landwirtschaft. Ja: Die Erkenntnis, dass es ohne lebensfähige Landwirtschaft auch keinen lebenswerten ländlichen Raum gibt, hat sich durchgesetzt. Aber zur viel gepriesenen Chancengleichheit gehört mehr dazu. Schon in den späten 1970er- Jahren wurde Telearbeit als eine Möglichkeit gepriesen, Arbeitskräfte im ländlichen Raum „dezentral" arbeiten zu lassen – damals wusste man noch nicht viel von Datennetzwerken (der Begriff wurde gerade erst in Fachkreisen angesprochen) oder gar vom High-Speed-Internet, das von Unternehmern und Bürgern für eine Selbstverständlichkeit gehalten wird, sofern sie sich in Städten aufhalten. Und schmerzlich vermisst wird, wenn man mal „draußen" auf dem Land ist.

Immerhin gibt es ja die „Breitbandmilliarde", ein auch schon in die Jahre gekommenes politisches Projekt, das flächendeckend schnelles Internet ermöglichen soll. Das klang von Anfang an sehr gut – so gut, dass man lieber darüber in Sonntagsreden spricht, als das Geld wirklich auszugeben. Bis April 2018 hat das Infrastrukturministerium aus der Breitbandmilliarde allerdings erst Förderungszusagen über insgesamt 332 Millionen Euro vergeben. Nicht einmal wenn man berücksichtigt, dass die Mittel aus der Breitbandmilliarde von den privaten Netzbetreibern mit Investitionen in derselben Höhe verdoppelt werden, kommt man in die Nähe des Milliardenbetrags. Da muss man schon auf den nächsten technologisch erwarteten Schritt, den 5G-Ausbau, warten.

Die schnelle Beweglichkeit von Daten ist allerdings nur ein Teil dessen, was im ländlichen Raum an Ungleichheit auszubalancieren ist. Mindestens so wichtig ist die physische Beweglichkeit von Menschen. Viel ist in den vergangenen Jahrzehnten passiert, um leistungsfähige Straßen zu bauen, die periphere Regionen gut an die zentralen Räume anbinden. Gleichzeitig aber ist der öffentliche Personenverkehr deutlich geschrumpft worden – wobei in den peripheren Regionen eine Negativspirale in Gang gesetzt wurde, wie der VCÖ Anfang 2018 in einer Studie belegt hat: Eine sinkende Bevölkerungszahl bedeutet für den öffentlichen Verkehr, der in dünn besiedelten Regionen ohnehin schwer zu finanzieren ist, sinkende Nachfrage. Die dadurch erschwerte Bündelung der Nachfrage und ein teilweise defizitärer Betrieb werden sodann zu Argumenten für eine weitere Einschränkung des Angebots: Es will ja ohnehin „kaum einer" öffentlich fahren. Unter „kaum einer" fallen aber jene Gruppen, die kein Auto zur Verfügung haben – also sehr junge und sehr alte Menschen und Familien mit niedrigen Einkommen; diese können sich immer schwerer fortbewegen. Wer kann, wandert ab.

Oder bleibt weg, wenn er oder sie die Region schon einmal – etwa zum Studium – verlassen hat. Apropos Studium: In der historisch gewachsenen Universitätslandschaft waren viele deutsche Kleinstaaten früh dran mit Universitätsgründungen, die relativ kleinen Städten wie Marburg, Jena oder Tübingen seit der frühen Neuzeit eine gewisse Weltläufigkeit verschafft haben – ein Phänomen, das in Österreich ausgeblieben ist. Umso wichtiger ist es, dass (Fach-)Hochschulen außerhalb der Ballungsgebiete angesiedelt werden. Und dass mitsamt den Hochschulen weitere akademische Arbeitsplätze in die Regionen hinaus verlegt werden – ein wohlverstandener Föderalismus sollte dafür sorgen können, dass hoch- und höchstrangige Bundesdienststellen in die Bundesländer (und da bevorzugt nicht in die Landeshauptstädte) verlegt werden.

Säße etwa eines der Höchstgerichte statt in Wien in einer inneralpinen Bezirksstadt, würde dort automatisch Nachfrage nach besseren Daten- und Verkehrsanbindungen, aber auch nach besseren Bildungseinrichtungen und gehobener Gastronomie entstehen. Das ist wahrscheinlich keine Lösung, die für alle Bezirksstädte (oder auch alle Bundeseinrichtungen) passt – aber es wäre ein Weg, Entwicklungen zu steuern, die auch in anderen Regionen neue Chancen eröffnen könnten: Um die Versorgungsqualität mit Einkaufsmöglichkeiten sowie Service-, Betreuungs- und Gesundheitseinrichtungen im ländlichen Raum zu sichern, sollten neben entsprechender Siedlungsentwicklung auch Strukturen gefördert werden, die bei geringer Verkehrs- und Umweltbelastung eine hohe Lebensqualität in den Gemeinden sichern.

Und wo bleibt bei all dem die Landwirtschaft? Sie bleibt wichtig – aber sie wird immer schwerer verständlich, weil ihre Grundfunktion, die Bevölkerung zu ernähren, als Selbstverständlichkeit gesehen wird. Da erzielen auf der einen Seite Aussagen zum „Stolz auf die schöne Landschaft", zum „Feinkostladen Europas" und zum „Schutz der bäuerlichen Landwirtschaft" in Umfragen stets Spitzenwerte. Auf der anderen Seite aber gibt es in der Bevölkerung ein Landwirtschaftsverständnis, das irgendwo zwischen dem sprechenden Schweinchen aus der „Ja! Natürlich"-Werbung und den Heilsversprechen militanter Veganer angesiedelt ist.

> *„Die Landwirtschaft bleibt wichtig – aber sie wird immer schwerer verständlich, weil ihre Grundfunktion, die Bevölkerung zu ernähren, als Selbstverständlichkeit angesehen wird."*
>
> Conrad Seidl

Auch hier überall das Sehnen nach der einfachen Welt, das Suchen der Seele nach einem idealisierten Land. Dem kann nicht entsprochen werden. Genauer gesagt: Für eine Mehrheit bleibt das Ideal unerreichbar. Ganz wenige Menschen, die sich das leisten können, können sich diese einfache, heile Welt erkaufen, können leben „wie Gott in Frankreich" oder eben Martin Walker im Périgord: „Ein Geschmack, der sich uns eingeprägt hat, stammt von den Forellen, die unser Nachbar, der Baron, frisch aus dem Fluss fischt; ein anderer von den Hasen, die wir im Saft unserer eigenen Trauben kochen; oder von der Foie gras, kurz angebraten mit Honig und Balsamico. Zum ersten Mal aßen wir die auf dem Samstagsmarkt von Audrix, wo unser Freund, der Käser Stéphane Bounichou, jede Woche seinen knoblauch-haltigen Frischkäse Aillou und seinen Tomme d'Audrix verkauft. Käse von Kühen, denen wir dabei zusahen, wie sie gemolken wurden. Zu unserem Leben mit eigenem Haus und Garten gehört die Süße der Kir-schen und der Pfirsiche, die wir von den Bäumen pflücken; der Ge-schmack der eigenen Tomaten, die noch warm sind von der Sonne. Und die eigenen Eier gehören dazu, die wir mit Trüffeln in einer klei-nen Kiste verschließen, damit sie etwas von deren Geschmack annehmen, und die wir dann in Haselnussöl braten."

Sicher: Es wird einige hundert, vielleicht auch einige tausend Men-schen geben, die sich auf so ein Leben mit all den geschilderten Genüs-sen zurückziehen können. Und das muss auch nicht im Périgord sein – als das Périgord Österreichs kann auch das Waldviertel verstanden werden, vielleicht auch das steirische Weinland. Beides ebenso wie das Périgord uralte Kulturlandschaften, in denen man Genuss großschreibt und in denen die Landwirtschaft Großartiges leistet. Als Lebensplan für eine Mehrheit, die sich den Lebensunterhalt mit schnöder Erwerbs-arbeit verdienen muss – und dies wiederum nicht mehrheitlich in den idealisierten Agrargemeinden –, ist der Rückzug auf die Genussseite des (zumindest scheinbar) einfachen Landlebens nicht machbar.

Und so sehr ein Martin Walker auch geschätzt sein mag – lauter Men-schen seines Schlages will man wohl auch nicht als Nachbarn haben. Die vermeintliche ländliche Idylle verkäme zu jenem oft beschwore-nen und breit abgelehnten „ländlichen Disneyland", in dem die ange-stammte Bevölkerung wie in einem Reservat für bedrohte Völker lebt. Mit städtisch geprägten Zuwanderern, die sich für das Dorfleben allen-falls unter kulinarischen und ästhetischen Gesichtspunkten interessie-ren – die sich aber in dieses weder integrieren lassen noch integrieren lassen wollen.

Als Massenphänomen würde sich so eine künstlich erhaltene (oder nachgebaute) Idylle in ihrem brüchigen Sozialgefüge auch kaum von den Siedlungen im Speckgürtel der Städte unterscheiden.

So sehr Martin Walkers Schilderung Lust auf Teilhabe an seinen Ge-nüssen macht: Halten wir es lieber mit Goethe. Just zu der Zeit, als er seine Iphigenie in die heute gültige Form gebracht hat, hat er sich quasi hauptberuflich mit Agrarpolitik befasst. Er war ja Minister in Weimar, einer Stadt mit irgendwo zwischen 6000 und 8000 Einwohnern, was heute mit Laa an der Thaya beziehungsweise Deutsch-Wagram vergleichbar wäre. In dem kleinen Herzogtum Sachsen-Weimar-Eisenach (es hatte insgesamt kaum 100.000 Bewohner) machte sich Goethe ganz pragmatisch an eine Agrarreform. Das bedeutete seinerzeit Entlastung von Frondiensten, es bedeutete eine modernere Besteuerung, es bedeutete die Eröffnung neuer Einkommenschancen durch den Anbau neuer Feldfrüchte (damals galten Erdäpfel als neu). Es bedeutete vor allem eine ganz unromantische, eine ganz klassische Befassung mit ökonomischen Fragen.

Von idealen Welten träumen, sie allenfalls in Verse fassen, kann man, wenn diese ökonomischen Fragen abgearbeitet sind.

Ethik

„Wir sind dran.
Was wir ändern müssen,
wenn wir bleiben wollen."

Club of Rome. Der große Bericht, 2018

Dr. Gerd Müller
Deutscher Bundesminister für wirtschaftliche Zusammenarbeit und Entwicklung, Berlin

Globalisierung gerecht gestalten

„EINEWELT - Unsere Verantwortung": Unter dieser Überschrift hat das Bundesministerium für wirtschaftliche Zusammenarbeit und Entwicklung (BMZ) im Jahr 2014 mit Vertretern aus der Zivilgesellschaft, Wissenschaft, Wirtschaft und Religionen über globale Zukunftsfragen diskutiert. Ergebnis dieses breiten und offenen Dialogs ist die „Zukunftscharta", die im November 2014 an Bundeskanzlerin Angela Merkel übergeben wurde.

Viele Inhalte der Zukunftscharta haben Eingang gefunden in die Agenda 2030 für nachhaltige Entwicklung mit ihren 17 nachhaltigen Entwicklungszielen. Die Agenda 2030 wurde im September 2015 von den 193 Mitgliedstaaten der Vereinten Nationen unterzeichnet. Sie kann zu einer Zukunftsagenda für die gesamte Menschheit werden. Dazu müssen den Worten Taten folgen.

Die heutige Vision einer gerechten und lebenswerten Zukunft knüpft direkt an die Arbeit der Vordenker einer Ökosozialen Marktwirtschaft an. Zu diesen gehört Vizekanzler a. D. Dr. Josef Riegler an herausgehobener Stelle. Bereits vor Jahrzehnten, als das Bewusstsein für nachhaltige

Entwicklung noch weitaus weniger stark ausgeprägt war als heute, hat sich Josef Riegler aus tiefer persönlicher Überzeugung für sie eingesetzt. Die Ökosoziale Marktwirtschaft hat als Leitbild für die Bewältigung der globalen Herausforderungen nichts an Aktualität verloren. Vielmehr ist der Einsatz für eine gerechtere Welt, in der alle Menschen die Chance auf ein Leben in Würde innerhalb der Grenzen des Planeten haben, angesichts der fortschreitenden Globalisierung heute dringlicher denn je.

Licht und Schatten der Globalisierung

Die weltweite Vernetzung im Zuge der Globalisierung hat einerseits enorme Fortschritte hinsichtlich menschlicher Entwicklung ermöglicht: So sind in den letzten 25 Jahren im Durchschnitt weit über 100.000 Menschen täglich der absoluten Armut entkommen. Der Anteil der ärmsten Menschen an der Weltbevölkerung, die von weniger als 1,90 US-Dollar am Tag leben müssen, ist von gut 37 Prozent Anfang der 1990er-Jahre auf etwa zehn Prozent gefallen. Parallel dazu ist die Zahl der zu den Mittelschichten gehörigen Menschen stark angestiegen, sodass bis 2030 die Mehrzahl der globalen Mittelschichten in Entwicklungs- und Schwellenländern leben wird. Heute sterben weniger als halb so viele Kinder unter fünf Jahren wie vor 25 Jahren, mehr als 90 Prozent der Kinder in Entwicklungsländern besuchen zumindest eine Grundschule. Und die Menschen leben heute in allen Teilen der Erde länger: die durchschnittliche Lebenserwartung in Afrika ist von 36 Jahren im Jahr 1950 auf etwa 60 Jahre gestiegen.

Gleichzeitig bringt die Globalisierung neue Herausforderungen mit sich oder führt dazu, dass bestehende Probleme verschärft werden: 20 Prozent der Menschheit verfügen über 80 Prozent der Einkommen und verbrauchen etwa 65 Prozent der Ressourcen. Unternehmen und Verbraucher in Industriestaaten nutzen die Vorteile weltweiter Wertschöpfungsketten, während an ihrem Beginn oftmals untragbare Arbeitsbedingungen herrschen. Wirtschaft und Wachstum in den Industriestaaten gehen vielfach zu Lasten der Erde und haben zu gefährlichen Umweltrisiken geführt, allen voran der Klimawandel. Ändern wir unsere Wirtschafts- und Konsummuster nicht, ist das angestrebte Zwei-Grad-Ziel nicht annähernd erreichbar. Die Konsequenzen wären dramatisch: Dürren, Konflikte, Fluchtbewegungen. Nach Angaben der

Vereinten Nationen stehen schon jetzt fast 90 Prozent aller weltweiten Katastrophenfälle in Verbindung mit dem Klimawandel. Und in den nächsten Jahrzehnten könnte nach Prognosen von Experten die Zahl der Klimaflüchtlinge deutlich ansteigen, wenn wir die Klimaziele nicht erreichen.

Hinzu kommt die Explosion der Weltbevölkerung: Bald leben 7,4 Milliarden auf der Erde, und jedes Jahr kommen weitere 80 Millionen Menschen hinzu. Allein die Bevölkerung Afrikas wird sich bis zum Jahr 2050 auf dann zwei Milliarden Menschen verdoppeln, von denen jeder Zweite unter 18 Jahren sein wird. Diese Menschen benötigen Nahrung, Wasser, Energie und Perspektiven. Schätzungen gehen davon aus, dass bis 2030 der Bedarf an Nahrungsmitteln um mindestens 50 Prozent, der an Wasser um 30 Prozent sowie an Energie um 45 Prozent steigen wird. Befriedigen wir diese Bedürfnisse nicht, werden Konflikte um knappe Ressourcen die Folge sein.

Ökosoziale Transformation: Der Beitrag von Entwicklungspolitik

Angesichts dieser Überlebensfragen bedarf es eines fundamentalen Umdenkens. Wir müssen ein neues Wirtschafts- und Wohlstandsleitbild entwickeln, das menschliche und soziale Entwicklung mit den Grenzen des Planeten in Einklang bringt. Und wir bedürfen einer neuen Dimension der internationalen Zusammenarbeit als Antwort auf die grenzüberschreitenden Herausforderungen.

> *„Wir bedürfen einer neuen Dimension der internationalen Zusammenarbeit als Antwort auf die grenzüberschreitenden Herausforderungen."*
>
> Gerd Müller

Deutschland geht bei der Umsetzung der nachhaltigen Entwicklungsziele voran. Wir haben in der letzten Legislaturperiode die nationale Nachhaltigkeitsstrategie von Grund auf überarbeitet und an die aktuellen Herausforderungen angepasst. Nachhaltige Entwicklung geht weit über ein einzelnes Politikfeld hinaus. Sie ist eine Aufgabe der gesamten Bundesregierung, gemeinsam mit gesellschaftlichen Akteuren bis hin zu jedem Einzelnen – an seinem oder ihrem Ort, mit den jeweiligen Möglichkeiten und in der jeweiligen Verantwortung.

Deutsche Entwicklungspolitik trägt in und mit unseren Partnerländern bereits heute dazu bei, Lebenschancen für Menschen zu schaffen und die Welt ein Stück weit gerechter und fairer zu gestalten.

Beispiel Klima und Energie: Klimaschutz und die Wende hin zu erneuerbaren Energien werden nur dann gelingen, wenn wir dabei den Interessen von Entwicklungs- und Schwellenländern Rechnung tragen. So ist in Marokko mit deutscher Unterstützung das modernste Solarkraftwerk der Welt in der Nähe der Stadt Ouarzazate entstanden, das die Stromversorgung von mehr als 1,3 Millionen Menschen sicherstellt. Unter der deutschen G7-Präsidentschaft wurde 2015 eine Klimarisikoversicherung („InsuResilience") gestartet. Durch sie werden bereits heute etwa 180 Millionen Menschen in Entwicklungsländern vor den Folgen von klimabedingten Katastrophen wie langanhaltenden Dürren oder steigendem Meeresspiegel geschützt. Bis 2020 sollen weitere 400 Millionen besonders gefährdete Menschen abgesichert werden. Ebenfalls gemeinsam mit unseren G7-Partnern setzen wir Initiativen zur Förderung erneuerbarer Energien sowie zur Wiederaufforstung in Afrika um. Letzterer sind 22 afrikanische Länder beigetreten, die sich zum Wiederaufbau von 100 Millionen Hektar Waldlandschaften bekannt haben.

Hinsichtlich der Welternährung gilt: Eine Welt ohne Hunger ist möglich! Zur Überwindung von Mangel- und Unterernährung hat deutsche Entwicklungspolitik seit 2014 insgesamt 14 Grüne Innovationszentren zur Förderung ländlicher Wertschöpfung in Afrika und Indien aufgebaut und die Ernährungssicherung von rund 18 Millionen Menschen verbessert. Damit wird eine nachhaltige Entwicklung in der Agrar- und Ernährungswirtschaft gefördert, mit besonderem Fokus auf Kleinbauern sowie lokale Beschäftigung und Versorgungssicherheit.

Die Chancen der Globalisierung müssen weltweit wirksam werden. Deutsche Entwicklungspolitik tritt dafür ein, dass faire Standards in Lieferketten weltweit zum Standard werden. Vor Ort in unseren Partnerländern wurden mehr als 100.000 Frauen und Männer im Textilsektor in ihren Arbeitnehmerrechten und -pflichten geschult, etwa in

Bangladesch, wo wir beim Aufbau einer Unfallversicherung unterstützen. In Deutschland erreichen wir mit dem „Bündnis für nachhaltige Textilien" rund 50 Prozent des deutschen Textileinzelhandelsumsatzes. Die Bündnismitglieder haben sich auf verbindliche Zielsetzungen und einen robusten Überprüfungsprozess für Nachhaltigkeit im Textilsektor verpflichtet. Nach dem Vorbild des Textilbündnisses werden weitere Lieferketten nachhaltiger gestaltet, etwa von Kakao, Bananen, Kaffee und Palmöl. So konnte mit dem vom BMZ mitinitiierten Forum Nachhaltiger Kakao der Anteil nachhaltigen Kakaos am deutschen Markt von 18 Prozent (2013) auf 45 Prozent (2016) erhöht werden. Dies schafft zusätzliche Einkommen für die Menschen in Westafrika.

Die globalen Herausforderungen sind lösbar

Diese Beispiele zeigen: Die Herausforderungen sind groß, aber die Möglichkeiten, Lösungen zu entwickeln, sind es auch. Mit der Agenda 2030 und dem Pariser Klimaabkommen hat sich die Weltgemeinschaft einen globalen Ordnungsrahmen gegeben. Er lenkt den Blick auf die Tatsache, dass wir heute in einem globalen Dorf leben, in dem die Verbindungen der Menschen zueinander von Tag zu Tag enger werden. Für uns in Deutschland und Europa folgt daraus: Uns wird es auf Dauer nur dann gut gehen, wenn es auch unseren Mitmenschen in anderen Erdteilen gut geht.

Ein Leben in Würde für alle innerhalb der Grenzen des Planeten ist machbar. Dies ist die zentrale politische und gesellschaftliche Aufgabe in den nächsten Jahren und Jahrzehnten. Arbeiten wir gemeinsam daran, das 21. Jahrhundert zum Jahrhundert der nachhaltigen Entwicklung zu machen!

DR. JOHANN HISCH
Religionspädagoge, Direktor des internationalen Netzwerkes PILGRIM, Wien

Nachhaltig und spirituell

Dem Autor ist es ein persönliches Anliegen, Josef Riegler zu seinem besonderen Geburtstag diesen Artikel zu widmen. Josef Riegler war beim Gründungssymposion 2003 einer der Hauptredner mit dem Thema „Nachhaltigkeit ist mehr als Ökologie – Verflechtungen im modernen Leben". Dieser inhaltliche Beitrag führte zur weiterführenden Begleitung auch während der Vereinsgründung von PILGRIM bis hin zur Ehrenmitgliedschaft von Josef Riegler bei PILGRIM.

Was bedeutet PILGRIM?

„Wir werden in diese Welt hineingeboren und müssen sie wieder verlassen, aber so, dass die nächsten Generationen weiterhin eine lebbare Welt vorfinden können." So sieht Johann Hisch, Initiator und nunmehr geschäftsführender Direktor des Internationalen Bildungsnetzwerkes PILGRIM, die Grundidee von PILGRIM. Pilger und Gast auf Erden zu sein, ist nicht eine Einschränkung des Lebensgefühls, sondern ein neuer Ansatz zu einem erfüllteren Leben. Aus der Erde kommend, die Sehnsucht nach Himmel im Herzen, im Leben verspürend als die Erfahrung „to be touched by the finger of God", so drückt es James Barnett, französischer Angehöriger der Anglikanischen Kirche, aus.

Ausgangspunkt für PILGRIM war das Forschungsprojekt des Bundesministeriums für Bildung, Wissenschaft und Kunst „nachhaltigkeit & religion(en) – eine pilgerreise" 2002/03, in dem die „vierte" Dimension der Nachhaltigkeit, die Spiritualität, als Ergebnis definiert wurde.

PILGRIMs Grundidee

Menschen stellen sich die Frage nach dem Woher, dem Wohin und dem Wozu. Aus der jeweils gelebten, gelehrten und reflektierten Religion entspringt eine tiefe Sicht der Welt, erwächst Spiritualität. Eine spirituelle Sichtweise gibt im Leben als „Vierte Dimension" Orientierung im Spannungsfeld von Ökonomie, Ökologie und Sozialem.

Ökologie wird dabei erfahren als Staunen über die Welt, als Nachdenken über den Platz und die Aufgabe des Menschen. Ökonomie erscheint dann als Gabe und Aufgabe, Arbeit wird als eine Form des Dienstes an Gott und den Menschen gesehen. Soziales wird zum Auftrag, alle Menschen in ihrer Würde und Gottesebenbildlichkeit zu sehen. Spiritualität kann dabei unterschiedlichste Bildungsinhalte anreichern und zusammenführen, den ganzen Menschen erfassen und Engagement für nachhaltige Entwicklung fördern. Wer um das Wozu weiß, kann sein Verhalten ändern.

Im Anschluss an dieses Forschungsprojekt hat das seinerzeitige Religionspädagogische Institut der Erzdiözese Wien 2003/04 das Konzept der PILGRIM-Schule gegründet und weiterentwickelt. Seit 2007/08 hat der gemeinnützige Verein die Trägerschaft übernommen.

Dazu haben sich mittlerweile 226 Institutionen (Stand Juni 2017) angeschlossen, nicht nur in Österreich, sondern auch u. a. in Polen, in Ungarn und sogar in Peru sind Schulen und Pädagogische Institutionen gemeinsam auf dem Weg.

Pädagogischer Ansatz

Gerade in einer Zeit, in der Geld, Macht und Reichtum („reicher als reich" – aus einer Werbung) als Inbegriff des Erstrebenswerten gefeiert werden, ist Innehalten angesagt. Papst Franziskus hat es so formuliert: „Werden Macht, Luxus und Geld zu Götzen, so werden diese der Notwendigkeit einer gerechten Verteilung des Reichtums übergeordnet."

Die Verantwortung der Schöpfung gegenüber ist daher eine Folge des Bewusstmachens und Annehmens der eigenen Möglichkeiten. Dies wird auch in den Klassen und Schulen deutlich spürbar. Eine besondere Form der Schulentwicklung wird in den Schulen ersichtlich. Nicht nur die Kompetenz der SchülerInnen und LehrerInnen wird gehoben, sondern auch das soziale und ethische Miteinander verändert. Es ist ein Paradigmenwechsel der Bildung

„Es ist ein Paradigmenwechsel der Bildung spürbar: fächerübergreifend, interreligiös, ökumenisch und interkulturell arbeiten die Kinder zusammen."

Johann Hisch

spürbar: fächerübergreifend, interreligiös, ökumenisch und interkulturell arbeiten die Kinder zusammen. Die Abfolge der Bildung geht folgende Schritte: wahrnehmen > staunen > betroffen sein > reflektieren > bewusst machen > Beziehung schaffen > neu handeln.

Diese sieben Schritte scheinen sehr einfach, sind sie doch dem Lehrplan für den Philosophischen Einführungsunterricht und Religion der Oberstufe entnommen. Dennoch sind Sensibilität und Engagement der LehrerInnen gefordert, aber auch Respekt vor dem jeweiligen Handeln und Verständnis der SchülerInnen. Nur in den Ebenen des Wahrnehmens und des Reflektierens ist ein Eingreifen von außen möglich, alle anderen Schritte sind dem Einzelnen anvertraut. Das Staunen ist der Anfang jeder Religiosität, wie es Aristoteles formuliert und ihm einen besonderen Rang zuordnet. Dass daraus die Betroffenheit erwächst, ob beim Schönen oder Schrecklichen, ist jedem Menschen anheimgestellt. Nach Paul Tillich ist alles, was betroffen macht, bereits religiös. Der Stufe des Reflektierens und der inhaltlichen Bearbeitung folgt das Bewusstmachen der Situation, in der jeder Schüler steht. Aus diesem Bewusstsein folgen der Schritt zu einer neuen Beziehung, wie es Franz von Assisi eindrucksvoll vorgelebt hat, und das neue Handeln. Die Verantwortung der Schöpfung gegenüber ist daher eine Folge des Bewusstmachens und Annehmens der eigenen Möglichkeiten. Dies wird auch in den Klassen und Schulen deutlich spürbar.

Umsetzung

So stehen die PILGRIM-Projekte im Zusammenhang mit Bildung für nachhaltige Entwicklung und Pädagogik mit der religiös-ethisch-philosophischen Bildungsdimension, wie es die Präambel in den Lehrplänen für alle Gegenstände ausweist.

Dass heute in einer leicht oberflächlichen Welt nicht gerne nachgedacht wird, scheint ein Hemmschuh für Schöpfungsverantwortung und Spiritualität zu sein. „Wer die Bildung für Nachhaltigkeit um die Spiritualität erweitert, bereichert die Erde mit dem Himmel", ein Lieblingsspruch des Autors. Die Erde würde wie ein „Flatscreen" nach Belieben ein- oder ausgeschaltet werden, wenn Achtsamkeit, Enkeltauglichkeit und Respekt nicht mehr als ethische Größen gelten.

Der Zusammenhang mit der Grundidee der Ökosozialen Marktwirtschaft, wie sie Josef Riegler entwickelt hat, ist evident. So sind die beiden Initiativen jeweils für die entsprechenden gesellschaftlichen Rahmenbedingungen prädestiniert und sollten mehr miteinander zu tun bekommen ...

Forschungsauftrag „Nachhaltigkeit & Religionen – Eine Pilgerreise", bmbwk GZ 35.020/1-VI/A/4/2001.

Literatur

- Margit Leuthold, Johannes Tschapka: Nachhaltigkeit im Dialog der Religionen. Lehren und Lernen ohne Grenzen. Österreichisches Bundesministerium für Bildung, Wissenschaft und Kultur, Abt. VI/4 und Abt. V/n (Hrsg.), Wien 2005.
- Margit Leuthold (Hg.), Im Dialog: Nachhaltigkeit und Religionen. Wien 2005.
- Beate Littig (Hg.), Religion und Nachhaltigkeit, Multidisziplinäre Zugänge und Sichtweisen. Reihe Soziologie Bd. 46, Münster 2004.
- Johann Hisch, Der Beitrag der PILGRIM-Schulen zur Spiritualität in der Bildung zur Nachhaltigen Entwicklung, in: Festschrift des Ökumenischen Rates der Kirchen in Österreich, Wien (Styria-Verlag), 2008.
- Johann Hisch, PILGRIM und die ethische Verantwortung im Klimawandel – ein Ansatz. In: Ingeborg Gabriel/Petra Steinmair-Pösel (Hg.), Gerechtigkeit in einer endlichen Welt. Ökologie – Wirtschaft – Ethik. Matthias Grünewald Verlag, Ostfildern. 2013, S 234-246.
- Gerda Schaffelhofer (Hg), Gebete für Papst Franziskus, Styria-Premium, Wien-Graz, 2014, Johann Hisch, Gebet. S. 94-98.

MAG. DR. PIOTR KUBIAK
Römisch-katholischer Religionspäd-agoge, zuständig für internationale PILGRIM-Projekte und PädagogInnen-Fortbildung, Wien

Die Zukunft beginnt im Jetzt

Im Laufe der letzten 30 Jahre hat Bildung für nachhaltige Entwicklung (BNE) in den Schulen Europas und Amerikas die Lerninhalte, das Wissen, das Denken sowie das Handeln von Schülerinnen und Schülern entschieden mitgeprägt. Die klassische Vision der Nachhaltigkeit mit ihren drei Dimensionen der Ökologie, Ökonomie und des Sozialen wurde in Österreich um eine neue holistische Komponente erweitert. Es ist der Bereich der Spiritualität, der Ethik und der Werte in der Nachhaltigkeit.

 Die Initiative dazu erging vom Bundesministerium für Bildung, Wissenschaft und Kultur, das sich an das Religionspädagogische Institut der Erzdiözese Wien wandte, um ein umfangreiches Projekt im Bereich der Nachhaltigkeit in Kooperation mit Religionslehrerinnen und -lehrern, Theologinnen und Theologen zu starten. So entstand das Projekt „nachhaltigkeit & religion(en) – eine pilgerreise", das im Schuljahr 2002/03 in Kooperation mit Schulen, Universitäten, evangelischen und katholischen Religionspädagogischen Instituten sowie mit den Wiener

Gärten in zahlreichen Vorlesungen, Seminaren, Symposien und praktischen Umweltprojekten umgesetzt wurde.[1]

„2002 und 2003 arbeiteten über 60 WissenschaftlerInnen, LehrerInnen und Garten- und TourismuspraktikerInnen

- an Zusammenhängen zwischen nachhaltiger Entwicklung und Theologie
- an einem interreligiösen Dialog über Religion(en) und Nachhaltigkeit …
- an der Weiterentwicklung von umweltethischen Konzepten und Lehrinhalten …
- an Gärten und Religionen in Österreich …
- an einem nachhaltigen Pilgerweg durch dieses Land …
- an Anregungen für ein respektvolles und nachhaltiges Reisen auf dieser Wanderschaft."

In diesen Worten zählt Margit Leuthold in ihrem PILGRIM-Endbericht die Leitschienen der Arbeit der Vordenker der Gründungsidee von PILGRIM auf.[2]

Wie wichtig und zukunftsweisend diese Initiative war, zeigte nicht nur das Echo des Erstprojekts, an dem über 4.700 Personen mitgewirkt haben, sondern auch die Entwicklung, die danach folgte; viele Schulen, Pädagogische Hochschulen, Sonderschulen und Kindergärten wollen die BNE in Verbindung mit Spiritualität umsetzen. Fünfzehn Jahre nach diesem Startprojekt gibt es 250 Schulen und Institutionen in Europa, die diese in Österreich begründete Idee in der Theorie und Praxis, in Form von Projekten, teilen und weitertragen.

---

1 Endbericht, Zukunftspartnerschaften zur nachhaltigen Entwicklung, EcoForesights Austria – sozialökologische Zukunftsforschung „nachhaltigkeit & religion(en) – eine pilgerreise a pilgrim towards sustainability", RPI – Wien, http://pilgrim.at/files/pilgrim/Vorgaengerprojekt/2-Pilgrim-Dokumentation-2003-Endbericht-bunt.pdf

2 Leuthold, Margit, „Nachhaltigkeit & Religionen – eine Pilgerreise" – PILGRIM, Endbericht-Abstract, http://pilgrim.at/pilgrim_alt.html

Vienna Business School Akademiestraße und ihr sozial-ethisches Engagement als PILGRIM-Schule

Ein Beispiel für Schulen, die sich mit Begeisterung der Idee der BNE in Verbindung mit der Spiritualität verschrieben haben, ist die private Schule des Fonds der Wiener Kaufmannschaft, die älteste ökonomische Schule im deutschsprachigen Raum[3], die alte Handelsakademie I, mit dem modernen Namen Vienna Business School Akademiestraße. In dieser Schule werden Jahr für Jahr zwölf bis 15 Sozialprojekte umgesetzt und danach in Form des Amicus[4] Awards einem großen Publikum stolz präsentiert. Die drei besten Projekte bekommen von einer sechsköpfigen Jury, bestehend aus Vertretern der Wirtschaft, der NGOs, der Religionen, des Lehrkörpers, der Schülerschaft und der Elternvertreter, eine Amicus-Statue. In den letzten 15 Jahren wurden dort von über 1500 Schülerinnen und Schülern 180 Projekte in Österreich und im Ausland umgesetzt.

Die Thematik der Projekte reicht vom Engagement für obdachlose Menschen in Österreich über langjährige Projekte mit Sonderschulkindern oder dem SOS-Kinderdorf – hin zu Besuchen und Unterstützung in Kinderheimen in Rumänien, Afrika, dem Bau von Bäckereien, Schulen und Brunnen in Ländern der Dritten Welt.

International, interkulturell und interreligiös

Der besondere Wert dieser Sozialprojekte, die an einer ökonomischen Schule initiiert, geplant und mit Werkzeugen des Projektmanagements umgesetzt werden, liegt in ihrem holistischen Charakter. Eine Projektarbeit umfasst und fördert das Wissen, die organisatorischen Kompetenzen der Schüler genauso wie ihr Sozialengagement, ihre ethische und religiöse Einstellung sowie ihren emotionalen Zugang zum Projektthema. Es werden dabei die Interkulturalität, die Interreligiosität, die Offenheit und die Toleranz gefördert und gelebt. Als

---

3   Im Jahr 2017 feierte die VBS Akademiestraße ihr 160. Jubiläum.
4   lateinisch für Freund

Beispiel dazu kann das Internationale Projekt zum Thema „Entsatz-schlacht von Wien 1683" dienen, an dem Schüler aus Österreich, Polen und der Türkei die Unterschiede in den Lehrbüchern für Geschichte in den jeweiligen Ländern über das Projektthema analysiert und in Form einer zweisprachigen Zeitschrift herausgegeben haben. Für die beteiligten Schülergruppen aus verschiedenen Ländern war das ein starkes positives und emotionales Erlebnis, gemeinsam in den Lehrbüchern der jeweiligen Länder zu forschen und Unterschiede in der Sicht der Geschichte festzustellen. Die Projektgruppe lud Historiker und Sprachlehrer als Berater, Gesprächspartner und Korrektoren zu ihrem Projekt ein, um die fachlichen Qualitäten zu stärken. Die Arbeit dauerte zwei Jahre und

> *„Die Projektgruppe lud Historiker und Sprachlehrer als Berater, Gesprächspart-ner und Korrektoren zu ihrem Projekt ein, um die fachlichen Qualitäten zu stärken."*
>
> Piotr Kubiak

beinhaltete außer dem Thematisch-Fachlichen auch Besuche in den jeweiligen Ländern. Freundschaften sind entstanden, die auch außerhalb der Schule gepflegt wurden. Angesichts dieser Erfahrung haben auch die religiösen Unterschiede bei gemeinsamen Besuchen von muslimischen und christlichen Schülerinnen und Schülern in der Kirche am Kahlenberg und in der Augustinerkirche keine Rolle mehr gespielt. Ein zweites Projekt mit starkem sozialen, interkulturellen und interreligiösen Bezug war der Besuch von christlichen, jüdischen und muslimischen Schülern der Vienna Business School Akademiestraße in Auschwitz. Die Idee dazu ging vom römisch-katholischen Religions-unterricht, genauer gesagt von Schülerinnen und Schülern, aus. Die Planung, die Organisation und die Umsetzung des Projekts lagen in der Hand der SchülerInnen. Lehrer konnten beratend begleiten. Die starke Betroffenheit, die sich nach dem Besuch von diesem Ort ausbreitete, war so intensiv, dass die SchülerInnen innerhalb der Projektgruppe spontan beschlossen haben, eine Ausstellung über den Holocaust in der eigenen Schule zu machen, um für diese Thematik zu sensibilisieren. Das positive Echo zwischen den Katholiken, Juden und Muslimen schlägt bis heute kleine und große Kreise innerhalb der Schulgemeinschaft.

Ethisch inspiriertes Handeln bei sozialen Projekten ist seit 15 Jahren ein starker und bei SchülerInnen geschätzter Bestandteil der Bildung an der Vienna Business School Akademiestraße. Die Zukunft der jungen Generation fängt im Jetzt an.

UNIV.-PROF.
DR. INGEBORG GABRIEL
Katholische Theologische Fakultät der
Universität Wien

Weniger ist mehr!

Wie weitsichtig, ja visionär die Ideen von Josef Riegler waren und sind, sieht man jeden Tag, wenn man die Zeitung aufschlägt. Fast drei Jahrzehnte nach der Gründung des Ökosozialen Forums und der Lancierung des Globalen Marshall Plans ist es offenkundig: es braucht eine globale Ökosozialordnung. Wir wissen inzwischen auch, dass dies nicht nur der ethische richtige Weg ist, sondern auch jener, der unseren eigenen Interessen am ehesten entspricht. Unsoziale Dumpinglöhne und Umweltverschmutzung führen zu einer Billigproduktion, die eine energieverschlingende Wegwerfgesellschaft fördert und die natürlichen Ressourcen (vor allem die fossilen Energien) verschwendet und zerstört. Eine derartige globale Ökosozialordnung könnte vielen der Schrecken, die heute wie apokalyptische Reiter am Horizont auftauchen, die Spitze nehmen. Obwohl zu viel Zeit weitgehend ungenützt verstrichen ist, ist es doch immer besser, etwas zu tun als nichts, um die weiterhin möglichen Fortschritte hin auf eine gerechtere und nachhaltigere Weltordnung zu erzielen. Wenn viele Menschen diese Vision mit Persistenz und Kreativität verfolgen, dann verändert dies die Situation und stärkt die Hoffnung. Einzelne Reformen scheinen heute zu wenig, sie müssen Teil einer umfassenden Reformation sein, in der sich eine wachsende Zahl von Mitbürgern und Mitbürgerinnen engagiert. Denn die schlimmste Sünde ist (wie wir aus der Theologie wissen) die Verzweiflung, die keine Verbesserung mehr für möglich hält. Sie führt insgeheim zur Haltung „Nach uns die Sintflut" und stellt im ökologischen und globalen Sozialdenken eine reale Versuchung dar.

Josef Riegler kommt ursprünglich aus der Landwirtschaft. Auch deshalb ist ein Thema zu erwähnen, das oft an den Rand gedrängt wird. Es ist eine der größten Herausforderungen heute, lokale Landwirtschaften zu stärken, die allein eine weiter wachsende Weltbevölkerung ernähren können, die zum Großteil, was vielfach vergessen wird, weiterhin in Subsistenzwirtschaften lebt. Eine derartige globale Ernährungsordnung wäre zudem um vieles nachhaltiger. Sie verlangt jedoch die Unterstützung der agrarischen Klein- und Mittelbetriebe weltweit und eine Zurückdrängung des Agrobusiness[1]. Das braucht strukturelle Reformen, die ihrerseits freilich nie ohne eine Gesinnungsreform, also ohne tiefgreifende Änderungen in den „Gewohnheiten des Herzens" (Robert Bellah) möglich sind.

Gegensteuern: Für eine Globalisierung der Nachhaltigkeit

Was wir gegenwärtig beobachten, ist eine Globalisierung der Nicht-Nachhaltigkeit! Ein marktradikales Wirtschaftsdenken seit den 1990ern hat zwar zu beachtlichen Produktionssteigerungen geführt. Diese gehen jedoch mit eklatanten Verwerfungen im Bereich des Sozialen und der Umwelt Hand in Hand. Vor allem Großunternehmen können soziale und ökologische Kosten externalisieren und damit die kleineren und mittleren Unternehmen an den Rand drängen. Was es dringend braucht, sind faire Systeme internationaler Besteuerung sowie soziale und ökologische Regelungssysteme, deren Einhaltung international überwacht wird (Internationale Organisationen, Zivilgesellschaft, Kirchen). Jene, die vom gegenwärtigen unfairen System

---

[1]   Die Schätzung ist, dass 2050 zehn bis elf Mrd. Menschen (heute 7,8 Mrd.) die Erde bevölkern werden. Zur Weltagrarordnung vgl. Ingeborg Gabriel: Das tägliche Brot für alle. Welternährung als Gerechtigkeitsfrage der Gegenwart, in: Communio 46 (2017), S. 52-65.

profitieren, machen einen immer geringeren Teil der Weltbevölkerung aus, was zu einer Destabilisierung der Wirtschafts- ebenso wie der sozialen Ordnungen führt.[2] Die Machtasymmetrie zwischen einer national verankerten und daher schwerfälligen Politik und einer international agierenden Großindustrie wird immer größer. Letztere kann durch ihre schiere Finanzkraft (aber auch Korruption) politische Entscheidungen vielfach durch Lobbying beeinflussen. Die Tatsache, dass Großunternehmen gleichzeitig kaum

> *„Die Machtasymmetrie zwischen einer national verankerten und daher schwerfälligen Politik und einer international agierenden Großindustrie wird immer größer."*
>
> Ingeborg Gabriel

Steuern zahlen, ist nicht nur ungerecht, sondern höhlt auch nationale Sozialsysteme und Infrastruktur aus – mit beachtlichen demokratiepolitischen Konsequenzen.

Wie bedeutsam die gleichzeitige Verfolgung von ökologischen und sozialen Zielsetzungen ist, zeigen nicht zuletzt die Sustainable Development Goals von 2015, die durchaus als eine späte Hommage an das Global-Marshall-Plan-Projekt verstanden werden können. Sie stellen auch einen Aufruf dar, das europäische Modell der Sozialen Marktwirtschaft mit mehr Selbstbewusstsein zu propagieren, um einen ökosozialen Ordnungsrahmen für die Weltwirtschaft zu schaffen und so zukünftiges Leid und Elend zu verhindern.

---

2   Vgl. Ingeborg Gabriel/Peter G. Kirchschläger/Richard Sturn (Hg.), Eine Wirtschaft, die Leben fördert. Wirtschafts- und unternehmensethische Reflexionen im Anschluss an Papst Franziskus, Ostfildern 2017.

Für ein Ethos der Gemeinwohl-Verantwortung und Selbstbeschränkung

In seiner Umweltenzyklika Laudato si' (2015) zeigt Papst Franziskus[3], dass die heutigen Probleme daher kommen, dass über lange Zeit hinweg falsche Vorstellungen davon propagiert wurden, was ein gutes Leben eigentlich ausmacht. Viel zu konsumieren und sich zu bereichern, wurde zu einem universellen Ideal. Die Idee, dass Menschen füreinander Verantwortung tragen und dass Selbstbeschränkung notwendig, aber auch humaner ist, trat in den Hintergrund. In allen Religionen wie auch in der griechischen Philosophie gilt, dass zum Menschsein wesentlich gehört, Maß zu halten. Das ist nicht nur eine Pflicht aufgrund der Solidarität aller Menschen, sondern es fördert auch die innere Freiheit und Lebensqualität.

Der Einsatz für das gemeinsame Wohl gehört zum Menschsein. Es bildet auch das Rückgrat jeder anständigen politischen Tätigkeit. Wenn politische Arbeit zuerst eigen- oder parteiinteressengeleitet ist, verliert sie ihre Würde. Gerade heute braucht es die Motivation, sich gegen mächtige Akteure und ihr Lobbying zur Wehr zu setzen. Zivilgesellschaftliche Organisationen sowie die Kirchen in ihrem sozialen Engagement können und sollten ihr den Rücken stärken. In einer Demokratie kommt letztlich jedoch allen Bürgern und Bürgerinnen eine Gemeinwohlverantwortung zu. Was stelle ich mir unter einer guten Zukunft der Menschheit und unseres Landes vor? Dies ist auch eine persönliche Frage, die jeder für sich beantworten muss und die sein Handeln anleiten sollte.

---

3   http://w2.vatican.va/content/francesco/de/encyclicals/documents/papa-francesco_20150524_enciclica-laudato-si.html (abgerufen am 4. 4. 2018)

Die Welt als Geschenk: Dankbarkeit, Einfachheit und innere Freiheit

Eine notwendige, aber häufig überbordende kritische Sicht auf die Welt lässt leicht vergessen, dass wir für die Natur, die menschlichen Beziehungen und auch die sozialen und politischen Ordnungen unseres Landes dankbar sein können. Das gilt auch materiell. Bei aller Notwendigkeit permanenter Verbesserung gilt es das Gute zu sehen und zu würdigen. Daraus entsteht ein Mehr an innerer Freiheit, was die Selbstbeschränkung erleichtert. Wie Stefan Rammler in einem eindrücklichen Artikel gezeigt hat, ließe sich auch in einer Gesellschaft, die 90 % weniger Energie verbraucht, gut leben.[4] Die Kultivierung der Dankbarkeit als einer Grundtugend befreit von übermäßigen Ansprüchen. Sie fördert jene Einfachheit im Lebensstil, nach der sich viele Menschen sehnen, die zu verwirklichen aber oft nicht gelingt. Weniger ist mehr, sollte ein überall affichierter Slogan sein. Dies würde helfen, Energie zu sparen, und Produzenten dazu veranlassen, wieder nachhaltiger zu produzieren, um eine Wirtschaft zu schaffen, die Leben fördert – eine solidarische und ökologische Wirtschaft.

---

4   Stephan Rammler, Die Geschichte der Zukunft unserer Mobilität, in: Ingeborg Gabriel/Petra Steinmair-Pösel (Hg.), Gerechtigkeit in einer endlichen Welt. Ökologie – Wirtschaft – Ethik, 2. Auflage Ostfildern 2014, 111-131.

GERHARD WEISSGRAB
Präsident der Österreichischen
Buddhistischen Religionsgesellschaft, Wien

Achtsames Handeln für eine gute Zukunft

Es ist mir eine große Freude und Ehre, anlässlich der Vollendung des 80. Lebensjahres von Josef Riegler einen Beitrag für dieses Buch leisten zu dürfen. Dabei werde ich versuchen, einen Blick auf mögliche Lösungsansätze unserer heutigen Probleme zu werfen, wie sie sich aus der Lehre des Buddha darstellen, die heute eine seit 35 Jahren in Österreich staatlich anerkannte Religion ist. Der zur näheren Betrachtung gewählte Begriff der „Achtsamkeit" beschreibt nicht nur ein bedeutendes Werkzeug für die Gestaltung einer guten Zukunft, sondern in gewissem Sinne auch eine lebenslange Haltung des Jubilars. Jedenfalls zeugt sein Lebenswerk, dessen Ziel stets auf eine gerechte Gesellschaft und eine lebenswerte Umwelt fokussiert ist, von Sati – großer Achtsamkeit im buddhistischen Wortverständnis.

Achtsamkeit

Dem Begriff und dem Wort „Achtsamkeit" begegnen wir im Westen schon längere Zeit in unterschiedlichem Kontext. Sei es in den öffentlichen Verkehrsmitteln der Stadt Wien, wenn wir zu Achtsamkeit beim Aussteigen aufgefordert werden, oder in diversen Beratungsgesprächen, in denen man uns darauf hinweist, in Zukunft so manches achtsamer zu tun.

So wie viele Begriffe aus der buddhistischen Lehre, wie zum Beispiel „Karma" und „Nirwana", hat auch der Begriff „Achtsamkeit" Einzug in unseren täglichen Sprachgebrauch gefunden. Aber nicht nur die Begriffe „Karma" und „Nirwana" werden sehr oft völlig falsch angewandt, auch der Begriff „Achtsamkeit" wird selten in seiner buddhistischen Bedeutung verstanden. Ich will jetzt nicht in die Breite gehen und darstellen, warum Karma nichts mit Schicksal zu tun hat und Nirwana eigentlich das Gegenteil von Nihilismus beschreibt. Bleiben wir einfach beim so wichtigen Begriff der Achtsamkeit, der in seiner buddhistischen Bedeutung eine Übersetzung des Pali-Begriffes „Sati" darstellt.

Zum besseren Verständnis möchte ich den Indologen und großen Buddhismus-Kenner Hans Wolfgang Schumann auszugsweise zum Begriff „Sati" aus einem seiner Bücher zitieren.[1] Dort steht zur Bedeutung von Sati unter anderem auch Folgendes: „Achtsamkeit, Bewusstheit, Wachheit. [...] Sie besteht darin, den eigenen Körper, die Gefühle, den Geist sowie die vom Geist aufgefassten Objekte bewusst und leidenschaftsfrei zu betrachten. [...] Sati bedeutet ferner „Erinnerung", denn wenn man sich erinnert, macht man sich eine vergessene Sache wieder bewusst."

Bevor ich zu den möglichen Auswirkungen und Anwendungsarten von Sati im Heute unserer Gesellschaft komme, möchte ich noch einen wichtigen Punkt darlegen. Wenn wir im Westen über Religion reden oder denken, so haben wir meist den Monotheismus in seiner christlichen Ausprägung vor Augen. Wir sprechen, vor allem wenn es um die Zukunft der Erde und der Menschheit geht, von einem Schöpfergott und einer Schöpfung, die es zu bewahren gilt. Die buddhistische Perspektive ist hier eine andere und begründet und motiviert ihr heilsames Handeln nicht durch einen Schöpfergott, sondern auf einer anderen Basis. Diese andere Basis besteht in einer uneingeschränkten Sicht auf das Gesamte und geht von einem Weltbild aus, in dem alles

---

1   Schumann Hans Wolfgang, „Siebzig Schlüsselbegriffe des Pali-Buddhismus", Werner Kristkeitz-Verlag, 2006

mit allem absolut verbunden ist und sich daher immer und ausnahmslos gegenseitig bedingt. Kein Schöpfer kreiert, steuert oder handelt in diesem System, sondern wir Menschen sind die Handelnden und Steuernden. Es liegt uneingeschränkt in unseren Händen, wie wir die Welt gestalten. Daraus leitet sich gleichzeitig unsere uneingeschränkte Verantwortung dafür ab, was aus dieser Erde und dieser Menschheit in Zukunft wird.

Die längste Reise beginnt mit dem ersten Schritt

Einer meiner ersten Lehrer am Buddhaweg hat zu mir gesagt: Wenn du den Weg des Buddha gehen willst, mache nichts anders, als du es bisher getan hast, mit einem Unterschied, mache es achtsam! Dann wirst du erkennen, ob deine Handlungen für andere und damit zwangsläufig auch für dich selbst heilsam oder unheilsam sind. Aus dieser Einsicht heraus kannst du dann entscheiden, ob du weiter so handelst wie bisher, oder dein Handeln entsprechend korrigierst oder änderst.

Ich denke, diese einfache Formulierung kann für alle Bereiche unseres Lebens, aber auch unserer Gesellschaft ein sinnvoller Parameter sein, um festzumachen, ob wir so weitermachen sollen oder nicht. Immer vorausgesetzt, eine lebenswerte und gute Zukunft ist uns ein Anliegen. Am Anfang stehen die Einsicht und die Absicht. Fehlt es nämlich an beidem, so werden wir auch keinerlei Grund haben, entsprechende Schritte zu setzen oder zu unterlassen. Daher steht am Beginn die Schaffung von Bewusstsein dafür, dass wir verantwortlich sind, genau hinzuschauen, wohin uns die aktuellen Entwicklungen führen werden. Es sollte sich die Absicht bei jedem einzelnen Menschen darauf aufbauen, diese Entwicklungen im Rahmen seiner Möglichkeiten so zu beeinflussen, dass möglichst Gutes für alle entstehen kann.

Mir ist bewusst, dass es sich hier um schön klingende und schon oft gesagte Worte handelt – sie wirklich zum Umsetzen und Wirken zu bringen, ist nochmal ein anderer Weg. Dieses Faktum darf aber keinesfalls als gute Begründung verwendet werden, warum ich erst gar nicht beginne. Die längste Reise beginnt mit dem ersten Schritt, sagt ein altes chinesisches Sprichwort, und auch der kleinste Schritt hat auf jeden Fall Wirkung. Alles, der kleinste Schritt, sowie das Gegenteil, nämlich „kein Schritt", hat Wirkung und Folgen. Das sollten wir uns vor Augen halten und uns dabei bewusst machen, dass wir in Wahrheit überhaupt nicht in der Lage sind, nicht zu handeln. Wenn wir das verstanden haben, dann sollten wir erst recht motiviert sein, richtig zu handeln. Und um richtig zu handeln, brauchen wir Wissen, Verstehen und Intuition. Für richtiges, oder anders gesagt, für heilsames Handeln,

> *„Alles, der kleinste Schritt, sowie das Gegenteil, nämlich ‚kein Schritt', hat Wirkung und Folgen."*
>
> Gerhard Weißgrab

brauchen wir immer den Blick auf das Gesamte – auf die Folgen unseres Handelns im Hier und Jetzt sowie auch im Morgen.

Betrachten Sie bitte diese wenigen Gedanken als möglichen Anstoß, als Gedankenbeitrag für einen ersten kleinen Schritt auf einem langen und in Wahrheit nie abgeschlossenen und nie endenden Weg. Einen Weg in eine gute Zukunft für alle fühlenden Wesen.

Damit möchte ich meinen Beitrag zu einem vorläufigen Ende bringen mit dem Wunsch für ein glückliches Dasein aller fühlenden Wesen. In diesem Kontext sind Menschen und Tiere gleichermaßen zu verstehen, beide trachten danach, Wohlsein zu erlangen und Leiden zu vermeiden. Nichts unterscheidet uns darin, und beide brauchen wir eine heile Natur und ein heiles Umfeld, um dieses Wohlsein zu einem großen Teil verwirklichen zu können.

EM. O. UNIV.-PROF.
DR. KLAUS ZAPOTOCZKY
Johannes Kepler Universität Linz

Europas Seele suchen – und finden

Die Ökosoziale Marktwirtschaft wird sich nur dann in Europa und von hier aus in der ganzen Welt entwickeln, wenn es gelingt, eine entsprechende Spiritualität in möglichst vielen Menschen wachzurufen. Daher sollen hier einige Thesen zur Spiritualität dargestellt werden, in dem Bemühen, der Ökosozialen Marktwirtschaft eine tragfähige geistig-geistliche Basis zu vermitteln, die auch dann hält, wenn politische und wirtschaftliche Krisen die Länder beeinträchtigen.

These 1: Jeder Mensch ist ein spirituelles Wesen und braucht zu seiner Gesamtentfaltung auch die Entwicklung seiner spirituellen Fähigkeiten.

In kritischer Auseinandersetzung mit und in achtsamer Anknüpfung an André Comte-Sponville[1] versuche ich, eine „Spiritualität mit Gott" für alle Menschen zu entwickeln, auch wenn Comte-Sponville weitgehend zuzustimmen ist, dass die Amtsträger der christlichen Kirchen,

---

[1] Comte-Sponville, André: Woran glaubt ein Atheist? Spiritualität ohne Gott, Diogenes Verlag, Zürich 2009.

die die Schätze der Spiritualität ihrer Kirchen vermitteln sollten, dafür immer weniger Zeit und (intellektuelle) Kraft besitzen. Aber Spiritualität sollte doch nicht erklärten Atheisten überlassen werden. Auch Atheisten und Glaubenszweifler können mehr Konstruktives zur Spiritualität beitragen[2], als oft angenommen wird. Einen Sinn im Leben zu finden, das Leben – möglichst in jeder Phase – meistern zu können, benötigt auch spirituelle Entfaltung, die jeder für sich gestalten, gemeinsam mit Vertrauten in einer dafür offenen Gesellschaft leben können sollte.

These 2: Moderne christliche Spiritualität erfordert freie persönliche Entscheidung und ist immer weniger geprägt von einer traditionellen Volksfrömmigkeit.

Besonders in den modernen, gewaltorientierten Gesellschaften ist es für alle Menschen wichtig, auf die Stimme des eigenen Gewissens hören zu lernen, wie dies der polnische Schriftsteller Zbigniew Herbert in unnachahmlicher Weise in der Zeit des Kalten Krieges gezeigt hat.[3] Auch unter ungünstigen Bedingungen bleibt die innere Stimme für Hinhörende lebendig.

These 3: Christliche Spiritualität hat vor allem das doppelte Liebesgebot der Gottes- und Nächstenliebe und die Bergpredigt als Basis, ist aber nicht nur eine individuelle moralische Haltung, sondern auch ein gesellschaftliches und politisches Prinzip.

Politiker verschiedener Provenienz behaupteten und behaupten immer wieder – zuletzt der Gesundheitsminister Deutschlands, Jens Spahn von der CDU –, „mit der Bergpredigt könne man kein Land regieren". Der Jesuit Klaus Mertes widersprach dieser „Politik der Herzenshärte".[4] Mertes hat sich allerdings nicht mit den dafür nötigen Bedingungen in seinem Beitrag auseinandersetzen können. Menschen

---

2   Grün, Anselm, Halik, Tomás, Nonhoff, Winfried: Gott los werden? Wenn Glaube und Unglaube sich umarmen, Vier-Türme-Verlag, Münsterschwarzach 2016.

3   Herbert, Zbigniew: Die innere Stimme. In: Wort und Wahrheit. Zeitschrift für Religion und Kultur, XXV. Jahrgang, Heft 2, Wien März/April 1970, S. 125.

4   Mertes, Klaus: Mit der Bergpredigt kann man nicht regieren? Doch, man kann! In: Die Zeit, Ausgabe vom 8. März 2018, S. 3.

sind verführbar und bedürfen für eine verlässliche menschenfreundliche Haltung sowohl innerer Stärke als auch struktureller Hilfe und vertrauensbildender Maßnahmen.

These 4: Das Leben in allen seinen Äußerungen anerkennen und lieben zu lernen, ist zugleich eine persönliche Aufgabe aller Einzelnen als auch eine Verpflichtung aller anderen menschlichen Einheiten (von der Familie, über gesellschaftliche Einrichtungen wie Schulen, Unternehmen oder Krankenhäusern, Gesellschaften und Staaten bis zur Weltgesellschaft) und zeigt sich im tatkräftigen Einsatz, sowohl für den Schutz der Umwelt als auch für die Respektierung der Menschenrechte.

Es liegen von verschiedenen Einzelpersonen und Institutionen ausreichende Unterlagen, Beschlüsse und Resolutionen vor, die die konkreten Bedrohungen der Menschheit aufzeigen und Wege weisen, was zum Schutz der Umwelt und Respektierung der Menschen und der Menschheit notwendig ist. Es fehlt an entschlossenem Handeln auf allen Ebenen. Das Fragen nach Schuldigen muss durch wirksames Handeln im Rahmen des jeweils Möglichen (und das ist viel mehr als normalerweise angenommen wird) ersetzt werden.

> *„Das Fragen nach Schuldigen muss durch wirksames Handeln im Rahmen des jeweils Möglichen ersetzt werden."*
>
> Klaus Zapotoczky

These 5: Die besonders Mutigen und innerlich Starken auf allen Ebenen des gesellschaftlichen Zusammenlebens werden ihre Überzeugungen auch bei widrigen Bedingungen in entschlossenes, gewaltloses Tun umsetzen können.

Ein solches gewaltfreies Tun wird auf den sechs Prinzipien der Gewalt-losigkeit aufbauen[5] und auch die Empfehlungen der leiblichen und geistlichen Werke der Barmherzigkeit ernst nehmen und vom Wort in die Tat umsetzen müssen.[6]

---

5   King, Martin Luther: Ich habe einen Traum, Patmos-Verlag, Düssel-dorf 2003, S. 44ff.

6   Zapotoczky, Klaus: Vom Wort zur Tat. Spiritualität für alle Menschen guten Willens, Trauner-Verlag, Linz 2017, S. 91ff.

UNIV.-PROF.
DR. LEOPOLD NEUHOLD
*Institut für Ethik und Christliche
Gesellschaftslehre der
Karl-Franzens-Universität Graz*

Grundpfeiler einer Friedensstrategie

Wir wissen, es genügt nicht, den Frieden zu beschwören, „Frieden, Frieden!" zu schreien, wenn es keinen Frieden gibt. Deshalb sollten wir uns zuerst darüber verständigen, was wir überhaupt unter Frieden verstehen.

In der Tradition gibt es einen doppelten Zugang zum Friedensbegriff: negativ definiert über die Abwesenheit von Krieg und organisierter Gewaltanwendung, positiv definiert über die Verwirklichung von Werten wie Ganzheit, Harmonie, Freiheit, Gerechtigkeit usw., also die Abdeckung von Überlebens- und Gut-Lebens-Bedürfnissen. Aber beide Zugänge zum Friedensbegriff dürfen nicht absolut gesetzt werden. Vollkommene Gewaltlosigkeit und Konfliktlosigkeit können etwa angesichts gewalttätiger Gruppen, wenn sie den anderen einen nur aus ihrer Sicht gerechten Frieden aufzwingen wollen, nicht umgesetzt werden. Dieses Szenario führt nur zu leicht zu einer Gewaltdiktatur im Namen eines aufgezwungenen Friedens, der dann oft wieder ein Grund für die Auslösung eines Krieges wird. Ebenso kann die Absicht, Gerechtigkeit oder Freiheit um jeden Preis erreichen zu wollen, zum Krieg führen.

Wenn es zum Beispiel in Bezug auf Bosnien-Herzegowina heißt, Dayton habe den Krieg zwar beendet, den Frieden aber nicht gebracht, so wird diese Spannung zwischen negativ und positiv definiertem Frieden deutlich. Denn allen den Aspekten eines positiv definierten Friedens zuwiderlaufenden Menschenrechtsbeschränkungen begegnen zu wollen, kann zu einem realen Krieg führen.

So würde ich Frieden nicht als Zustand sehen, sondern als einen Prozess abnehmender organisierter Gewaltanwendung und zunehmender Verwirklichung der die grundlegenden Bedürfnisse des Menschen – und zwar aller Menschen – anpeilenden Menschenrechte. Friede bleibt damit immer eine Aufgabe, gerade auch in Zeiten relativen Friedens. Es geht etwa darum, der Gewalt den Nährboden, wie er etwa durch Ungerechtigkeit und Ausschluss von Menschen aus der Gesellschaft aufbereitet wird, zu entziehen, auch indem positive Möglichkeiten der Verwirklichung des Menschseins den Menschen eröffnet werden.

Friede muss also in einer umfassenden Strategie, die die Ebene des Individuums, der gesellschaftlichen Gruppen, der Wirtschaft, des Staates und der internationalen Staatengemeinschaft wie der transnationalen Weltgesellschaft umfasst, zu erreichen versucht werden. Friede ist zu komplex, um auf einen Schlag und im Einsatz auf einer der genannten Ebenen erreicht werden zu können. Dabei gilt es auch, die die einzelnen Ebenen prägenden Eigengesetzlichkeiten zu beachten. Friede beginnt im eigenen Haus, aber deswegen, weil im eigenen Haus Friede herrscht, ist der nicht schon automatisch auch auf den anderen Ebenen garantiert. Es bedarf also des Bedenkens der Bezogenheit der Ebenen, wie auch ihrer Verschiedenheiten. Nur einige der Maßnahmen, die Josef Riegler immer wieder behandelt hat, sollen im Folgenden kurz angesprochen werden.

- Das Konzept einer Ökosozialen Marktwirtschaft bezieht sich auf wesentliche Pfeiler einer gesellschaftlich-wirtschaftlich-politischen Ordnung, die in ihrer Verbindung für die Gesellschaft friedensfördernd wirken. Dabei geht es um die sogenannte Konkordanz der Ordnungen, um die Beziehung der verschiedenen Bereiche auf- und zueinander. Der Markt im wirtschaftlichen Bereich braucht die Basis der Rechtsordnung im demokratischen Zugang auf der politischen

Ebene, die Ausrichtung auf eine die soziale Zusammengehörigkeit in Einbeziehung aller betonenden gesellschaftlichen Ordnung und die Perspektive auf ökologische Sicherung der Lebensbedingungen in Nachhaltigkeit. Dabei müssen schon in den jeweiligen Bereichen die Perspektiven der anderen Ebenen mitbedacht werden, sie stellen sich nicht automatisch ein. So sind etwa soziale Akzente nicht auf den gesellschaftlichen Bereich beschränkbar, sondern es muss schon in der Marktkonzeption mitbedacht werden, wie in den Marktmechanismen selbst die soziale Beziehung verbessert werden kann. Wie Wirtschaft schon immer mehr als Wirtschaft ist, so gilt es, Wirtschaft etwa in der Bezugssetzung der Imperative „Wirtschafte wirtschaftsgerecht, menschengerecht, umweltgerecht, zukunftsgerecht, gesellschaftsgerecht und tiergerecht!" aufeinander zu gestalten.

- Um es auf einer anderen Ebene zu zeigen: In der Politik werden Menschenrechte mitunter als Freiheitsrechte und soziale Rechte und als kollektive Rechte wie das auf eine intakte Umwelt in Konkurrenz zueinander zu verwirklichen versucht. Das Recht auf soziale Absicherung steht dann etwa gegen das auf eine intakte Umwelt, das Recht auf Arbeit in der Folge gegen das Recht auf freie Arbeitsplatzwahl. Der Aspekt der Unteilbarkeit der Menschenrechte sollte aber eine Aufforderung in die Richtung sein, nach einer Strategie zu suchen, die in Zusammenschau der verschiedenen Rechte die Erfüllung der verschiedenen Rechte gegenseitig begünstigt. Das heißt etwa, das Recht auf Nahrung in einer solchen Strategie zu verwirklichen zu versuchen, dass weltweit in der Schonung von Ressourcen die Voraussetzung für die Erreichung dieses Zieles in Zukunft geschaffen wird. Kurzfristig zeigen sich oft Gegensätze, die langfristig als Bezogenheit aufeinander ausgestaltet werden können. Dazu bedarf es der Ausrichtung auf eine haltende Ordnung mit den verschiedenen Lebensperspektiven.

- Wenn es im Blick auf China heißt, der Markt könne erfolgreich auch ohne Demokratie positiv gestaltet werden, so stellt sich die Frage: „Wie lange?" Wie lange kann in der Ausklammerung der Freiheit von Menschen im Gesellschaftlich-Politischen seine Einbeziehung im Wirtschaftlichen als Arbeitgeber oder Arbeitnehmer, als Produ-

HOFRAT FRITZ NEUGEBAUER
*Zweiter Präsident des Österreichischen
Nationalrates a. D., Wien*

Zivilisation der Nachhaltigkeit

Für die meisten Mitteleuropäer steht heute außer Frage: Die Welt, oder genauer gesagt die Menschheit, steht am Beginn einer Zeitenwende, wahrscheinlich sind wir schon mittendrin. Für weitblickende Beobachter menschlichen Verhaltens und der Natur hat sich das schon lange abgezeichnet.

Der legendäre österreichische Verhaltensforscher und Medizin-Nobelpreisträger Konrad Lorenz hat bereits in den 1960er-Jahren die „acht Todsünden der Menschheit" formuliert und aufgelistet. Er erwies sich dabei aus heutiger Sicht als prophetisch. Nur drei dieser „Todsünden" seien hier angeführt:

- Die Verwüstung der natürlichen Lebensräume;
- Der Wettlauf der Menschen mit sich selbst, wobei Lorenz Dinge wie unbändig wachsende Geldgier und „Zeitgeiz", angetrieben durch die sich verselbständigende immer raschere Entwicklung der Technik, nannte;
- Die Überbevölkerung der Erde.

Wachsende Verunsicherung

Die Vorhersagen des außergewöhnlichen Wissenschafters sind weitgehend eingetreten oder sogar übertroffen worden. Das ist nicht nur am spürbar wachsenden Unbehagen und den Ängsten vieler Menschen erkennbar, sondern vielfach auch an messbaren und unumstrittenen Fakten. Die jahrzehntelange weitgehende Ruhe, die uns in Österreich und in Mitteleuropa zu umgeben schien, ist wachsender Verunsicherung gewichen. Die Welt scheint immer mehr aus den Angeln zu geraten. Viele fragen sich voller Unbehagen, wie es vor allem für Kinder und Enkelkinder weitergehen wird.

Insel der Seligen?

Noch leben die meisten von uns in weitgehendem Wohlstand. Für weniger von Glück begünstigte Menschen gibt es ein vergleichsweise engmaschiges Sozialnetz, aus dem kaum jemand völlig hinausfällt. Sogar Zuwanderer kommen sofort oder recht bald in den Genuss dieses sozialen Auffangsystems. Die Wirtschaft hat die schweren weltweiten Wirtschaftskrisen nach dem Platzen der Technologieblase und nach dem großen Bankenkrach zu Beginn des neuen Jahrtausends relativ gut überstanden, auch die Arbeitslosenrate hält sich in Grenzen. Österreich also als „Insel der Seligen", wie das Papst Paul VI. anlässlich eines Vatikanbesuchs des damaligen Bundespräsidenten Franz Jonas gesagt haben soll? Das Gefühl, auf einer solchen Insel zu leben, ist den meisten Österreichern abhanden gekommen.

Dabei ist dieses Unbehagen in anderen Regionen noch deutlicher spürbar. Ein Blick über den Tellerrand Österreichs und Europas hinaus vermittelt ein düsteres Bild. Die Güter der Welt sind allzu ungleich verteilt.

- 20 Prozent der insgesamt sieben Milliarden Menschen beherrschen 80 Prozent des Vermögens. Viele gehen mehr oder minder leer aus.
- Eine Milliarde Menschen muss hungern, davon sind mehr als 200 Millionen Kinder.
- Die Zahl der kriegerischen Auseinandersetzungen sinkt nicht, sondern steigt weiter an.

- Schon alltäglich werden Medienmeldungen über Terror und Fanatismus mit unzähligen Opfern. Dazu kommen auch schon längst überwunden geglaubte Religionskriege.
- All das setzt Millionen von Flüchtlingen in Bewegung. Mehr als 65 Millionen waren es nach Angaben der Flüchtlingshilfeorganisation UNHCR im Jahr 2017.

Nicht nur zwischen Ländern, Volksgruppen und Religionen werden die Auseinandersetzungen brutaler, sondern auch innerhalb der Gesellschaft. Das gilt nicht nur für die Terroranschläge. Auch die Bandenkriminalität in vielen Großstädten nimmt zu, Messer sind zum bevorzugten Instrument bei der Austragung von Meinungsverschiedenheiten geworden, Kinder ermorden Kinder oder werden als Selbstmordattentäter missbraucht, der Respekt vor der Exekutive ist vor allem bei vielen Zuwanderern verloren gegangen. Geltende Ordnungen scheinen außer Kraft gesetzt.

Die Gewalt von Menschen gegen Menschen wird noch übertroffen von Untaten der Menschen bei der Ausbeutung des Planeten, auf dem und von dem sie leben. Wasser, Luft und Erde werden erbarmungslos verschmutzt, Regenwälder vernichtet, viele Bodenschätze maßlos ausgebeutet.

Der Klimawandel ist schon da

Mit den bekannten Folgen, die sich im Wesentlichen in einem Begriff zusammenfassen lassen: Wir leben im Klimawandel, dessen tatsächliche Folgen und Auswirkungen vorerst noch völlig unvorhersehbar sind. Wenn der Meeresspiegel tatsächlich ansteigen sollte, wie das von ernstzunehmenden Wissenschaftern erwartet wird, dann können sich reiche Länder vielleicht dagegen schützen, aber das wird schwierig und teuer, wenn man bedenkt, dass auch Städte wie London und weite Teile der Niederlande unter Wasser stehen könnten.

In armen Ländern muss ein nennenswerter Anstieg des Meeresspiegels zwangsläufig eine Völkerwanderung auslösen, in anderen Ländern Hungerkatastrophen, die ebenfalls eine Flüchtlingsflut oder sogar kriegerische Auseinandersetzungen zur Folge haben könnten. Menschen, deren Land, auf dem sie leben, im Meer zu versinken droht, müssen fliehen.

Noch wird die Angst vor Klimaveränderung bei vielen Menschen in bevorzugten Zielländern von Flüchtlingen wie Österreich, Deutschland, Schweden, Frankreich, den Niederlanden oder Großbritannien überlagert von einer Angst vor Islamisierung. Dabei dürfte der Klimawandel und dessen Folgen die am schwierigsten zu bändigende Herausforderung für die Menschheit sein.

Verursacht werden Klimawandel und andere Naturkatastrophen vereinfacht gesagt durch die maßlose Verbrennung fossiler Rohstoffe, die rücksichtslose Ausbeutung des Bodens, die Verschmutzung der Meere, den Raubbau an den noch vorhandenen Bodenschätzen ohne Rücksicht darauf, ob daraus negative Folgen für die Erde und die Menschheit resultieren könnten.

Die Devise lautet: Immer schneller, immer mehr Wachstum, immer mehr Reichtum. Dieses Wachstum muss zwangsläufig an Grenzen stoßen. Angesichts einer Weltbevölkerung von sieben Milliarden Menschen und weiter rasch steigender Geburtenzahlen sind diese Grenzen schon erreicht.

Verlust der Mitte

Der seit vielen Generationen als „golden" geschätzte Mittelweg ist Maßlosigkeit gewichen. Schon der französische Aufklärer Blaise Pascal (1623 bis 1662) hatte gewarnt, dass „der Verlust der Mitte" mit einem Verlassen der Menschlichkeit gleichzusetzen sei. Dieser Weg führe zum Ende der Humanität.

Rezepte und Möglichkeiten, die großen Probleme der Menschheit in den Griff zu bekommen, sind bekannt. Aber man muss sie umsetzen, und diese Bereitschaft fehlt in großen Teilen der Bevölkerung noch – auch in Österreich, ebenso in der EU und in den wirtschaftlich nachhinkenden Regionen der Welt, in denen zum Teil noch Hunger und Armut herrschen, sowieso. Dort ist man verständlicherweise bemüht, den Rückstand zur beneideten westlichen Welt aufzuholen.

Der Raubbau an den Schätzen der Erde bei gleichzeitiger Verschmutzung der Atmosphäre, der Meere und des Bodens muss enden. Zügelloser Kapitalismus muss gebändigt werden. Das funktioniert nach allen bisher gemachten Erfahrungen aber nicht mit einer zentral gesteuerten Wirtschaft sozialistischer Prägung. Die führt ebenso ins Chaos wie der Raubtierkapitalismus. Die Vergangenheit hat das mehrfach gezeigt.

Die offensichtlich einzige Lösung ist ein Mittelweg, der die Kräfte des Marktes weiter als Antrieb wirken lässt, aber Grenzen für hemmungslose Gier bei gleichzeitiger Vernichtung der Natur setzt. Auch die soziale Komponente und die größtmögliche Schonung der Natur dürfen dabei nicht vernachlässigt werden. All das haben Vordenker wie Josef Riegler unter dem Begriff „Ökosoziale Marktwirtschaft" entwickelt und aufbereitet.

> *„Das Bewusstsein für die Notwendigkeit einer Neuorientierung der Wirtschaft ist weltweit schon geweckt, bis zur erfolgreichen Umsetzung ist der Weg aber noch weit."*
>
> Fritz Neugebauer

Das Bewusstsein für die Notwendigkeit einer Neuorientierung der Wirtschaft ist weltweit schon geweckt, bis zur erfolgreichen Umsetzung ist der Weg aber noch weit. Und es gibt massive Widerstände. Ein bekanntes und besonders plakatives Beispiel ist die weltweit mächtige und reiche Öl-, Gas- und Kohlelobby. Deren Führungskräfte würden in ihrem Milliardengeschäft durch einen Ausstieg aus der fossilen Energie schwere Einbußen erleiden und wehren sich daher leidenschaftlich mit allen Mitteln gegen Veränderung. Klare wissenschaftliche Erkenntnisse werden weggeleugnet, Warnungen lächerlich gemacht.

Dass sich Menschen, die durch die Ökosoziale Marktwirtschaft möglicherweise Einbußen erleiden, gegen Änderungen nach Kräften wehren, ist verständlich. Aber wenn nicht sehr bald alte Strukturen aufgebrochen und die erforderlichen Schritte in eine menschengerechte Zukunft gesetzt werden, verliert die gesamte Menschheit ihre Existenzgrundlage.

Politik mehr denn je gefordert

Was Österreich, Europa und die Welt dringend brauchen, sind Sicherheit und Stabilität in allen Bereichen des menschlichen Lebens. Alles was notwendig ist, um die Herausforderungen der Zukunft zu bewältigen, ist mit den besten Ideen und ganzer Kraft in Angriff zu nehmen. Die Politik ist dabei mehr denn je zuvor gefordert. Noch sitzen wir in der Falle des Kurzzeitdenkens. Politik muss mehr sein als der Gedanke an die Zeitungsschlagzeile von morgen und darf sich auch nicht nur am nächsten Wahltermin orientieren. Langfristiges Denken über Generationen hinweg ist notwendiger denn je zuvor. Dazu braucht es Menschen, die den Mittelweg der Vernunft suchen und finden, Menschen mit Handschlagqualität, für die Arbeit für die Bürgerinnen und Bürger im Vordergrund steht und die sich nicht in parteitaktischen Spielchen verzetteln.

Für Extremisten – egal ob links oder rechts – und fanatische religiöse Fundamentalisten, für Unternehmer und Manager, deren hauptsächlicher Antrieb die Gier nach immer mehr ist, darf in der Welt von morgen kein Platz mehr sein und es darf dafür keine Anerkennung geben. Gestärkt werden muss die Gemeinschaft, denn im Verbund sind Menschen stärker. Eine Gesellschaft, die überwiegend aus gierigen Egoisten besteht, ist schon sehr bald vom Zerfall bedroht, wie Josef Riegler seit Jahren betont: Wir brauchen eine „Zivilisation der Nachhaltigkeit" und müssen die noch immer herrschende „Zivilisation des Raubbaus" überwinden. Es geht um das Überleben der Menschheit.

DKFM. FERDINAND LACINA
Bundesminister für Finanzen a. D.,
Wien

Mit Steuern steuern

Für Etymologen ist die Verknüpfung Steuer, etwa am Schiff, mit Steuer, etwa als Lohnabzug, nicht klar. Aber – um im Bild zu bleiben – es ist politisch verlockend, der Steuer maßgeblichen Einfluss auf die Richtung zu geben, in der sich das Staatsschiff bewegt. In einer globalisierten Welt ist es nicht mehr nur ein nationales Schinakel, nein, eine ganze Flotte fährt in eine bestimmte Richtung. Diese Richtung ist in den letzten Jahrzehnten klar auszumachen:

- Einerseits wird Steuerpolitik in zunehmendem Maße als Standortpolitik betrachtet, andererseits ist das Instrumentarium der Steuerbehörden immer weniger imstande (und oft auch nicht willens), der Steuervermeidung und der Steuerflucht entgegenzuwirken. Dies gilt insbesondere für die Besteuerung von international tätigen Unternehmen, großen Vermögen und hohen Einkommen. Beispiele wurden in den letzten Jahren durch diverse Leaks öffentlich. Schätzungen über in Steueroasen angelegte Vermögen schwanken zwischen sechs und 32 Billionen US-Dollar, die entgangenen Steuereinnahmen werden auf mehr als 250 Milliarden US-Dollar jährlich geschätzt.

Die gespielte Entrüstung ist bei Veröffentlichung der jeweiligen Berichte über Steuervermeidung zunächst einmal groß, die Medien berichten ausführlich über Steueroasen, die Politik zeigt Entrüstung.

Nach wenigen Wochen ist der Hype vorbei. Immerhin wird unter Druck in einigen Ländern die Transparenz von Vermögensanlagen erhöht (unter anderem, spät aber doch, auch in Österreich). Diese Maßnahmen dürften aber höchstens dazu ausreichen, das Ansteigen der Steuerflucht zu verlangsamen. Denn nicht nur malerische Inseln im Pazifik ziehen Unternehmen und Private magisch an. Auch die Europäische Union übersieht bei ihrem Kampf gegen Steuerflucht geflissentlich den Balken im eigenen Auge – Luxemburg, Niederlande, Irland etc.

> *„Die Maßnahmen zur Erhöhung der Transparenz von Vermögensanlagen dürften höchstens dazu ausreichen, das Ansteigen der Steuerflucht zu verlangsamen."*
>
> Ferdinand Lacina

So wehrt sich beispielsweise der irische Finanzminister standhaft, die Steuerschuld von Apple in Höhe von 13 Mrd. Euro einzutreiben und lässt sich deshalb sogar von der Europäischen Kommission klagen. Dabei wären mit diesem Betrag alle staatlichen Ausgaben für das irische Bildungssystem eines Jahres zu finanzieren. Aber es geht um Standortpolitik. Seit Karl-Heinz Grasser haben alle österreichischen Finanzminister den Steuerwettbewerb befürwortet, ja aktiv an ihm teilgenommen. Das Ergebnis dieser Rückwärtsauktion ist, dass immer das niedrigste Angebot gewinnt. Die nächste Bieter-Runde hat vor kurzem Donald Trump eingeläutet.

Banken versenken Finanztransaktionssteuer

Auf europäischer Ebene bedeutet dies, dass zwar staatliche Subventionen bei der Wahl eines Standorts eine geringere Rolle spielen, aber Vereinbarungen über Steuerreduktionen und allgemein niedrige Unternehmenssteuern eine umso größere. Ein Beispiel aus jüngster Zeit: Deutschland gehörte mit einigen anderen Ländern zu den Unterstützern einer Steuer auf Kapitaltransaktionen, die nicht nur der Spekulation entgegensteuern, sondern auch eine beachtliche Quelle öffentlicher Einnahmen darstellen sollte. Nachdem die Pläne aufgrund erfolgreichen Lobbyings des Finanzsektors stark abgemagert wurden, sind nunmehr die deutschen Aktivitäten gänzlich erlahmt – will man doch attraktiv bleiben für Bankenkonzerne, die infolge des Brexits eine Übersiedlung aus London nach Frankfurt überlegen.

Sechzehn Jahre schon liegt ein Bericht zur Vereinheitlichung der Bemessungsgrundlagen und für einen Korridor für Steuersätze in den Schubladen der Europäischen Kommission. Benannt wurde dieser Bericht nach dem Ausschussvorsitzenden, dem liberalen Finanzminister der Niederlande, Onno Ruding. Steuerliche Harmonisierungen sind im EU-Vertrag vorgesehen, wurden aber bei Unternehmenssteuern niemals versucht, hingegen wurden Abgaben, die die Konsumenten treffen (Mehrwert-, Mineralöl-, Tabaksteuer etc.), sehr wohl harmonisiert. Wohin steuern wir also international? Auf eine Verringerung der steuerlichen Belastung hoher Einkommen, großer Vermögen und multinationaler Konzerne. Und das in einer Zeit, in der die Schere zwischen hohen und niedrigen Einkommen national und international auseinandergeht, in der die Konzentration der Vermögen von Jahr zu Jahr zunimmt.

Und wohin steuern wir in Österreich? Noch jeder Bericht über die Verteilungswirkung der öffentlichen Haushalte hat gezeigt, dass die Wirkung der Steuern auf die Einkommensverteilung neutral war, dass lediglich über die öffentlichen Ausgaben eine Korrektur der Markteinkommen von oben nach unten erreicht werden konnte. Im Wesentlichen ist das auf die Sozialbudgets und die Nutzung der öffentlichen Infrastruktur zurückzuführen.

Verdächtiger Ruf nach dem „schlanken Staat"

Der Ruf nach einem „schlanken Staat" ist also mit großer Vorsicht zu genießen. Das gilt in erster Linie für Kürzungen im Sozialbereich, die meist mit „Missbräuchen" begründet werden. Ohne solche zu leugnen – wo gibt es solche nicht –, ist doch die fehlende Verhältnismäßigkeit beachtlich. Wenn nur halb so viele Regierungsäußerungen, halb so viele Medienberichte zur Steuervermeidung und zur Steuerflucht erfolgen würden wie zur Mindestsicherung, wäre schon viel erreicht. Auch Einschränkungen der Arbeitsmarktpolitik und der öffentlichen

Investitionen beeinträchtigen positive Verteilungswirkungen der öffentlichen Hand, aber auch künftige Steuererträge aus den Einkommen der Beschäftigten.

Irreführend ist die Behauptung, dass die „Leistungsträger" allzu hoch belastet seien, dass sie allein die Steuerlast zu tragen hätten. Jene, die von „Leistungsträgern" sprechen, definieren Leistung damit nur über die Höhe des Einkommens. Wenn sie allerdings Leistungen von Menschen, die weniger als sie verdienen, also beispielsweise Leistungen von Altenbetreuerinnen oder Krankenschwestern, in Anspruch nehmen müssen, könnten ihnen Zweifel kommen, ob sie nicht einige vergessen hatten, als sie von den „Leistungsträgern" sprachen. Außerdem wird noch eines – meist bewusst – vergessen: dass mehr als ein Drittel des Abgabenertrags aus indirekten Steuern stammt. Und die Verteilungswirkung der Verbrauchsabgaben ist regressiv, sie belasten die Bezieher niedriger Einkommen, also die der Altenbetreuerinnen und Krankenschwestern stärker als die von Managern. Dazu kommt noch das System der Sozialversicherungsbeiträge, die schon bei geringer Einkommenshöhe einsetzen und nach oben gedeckelt sind, sodass Bezieher höherer Einkommen relativ, manchmal sogar absolut weniger für ihre Absicherung zahlen.

Vorsicht vor rechten Populisten

Anzuerkennen ist, dass die österreichische Politik hinsichtlich der Transparenz von Kapitalanlagen – allerdings als Reaktion auf ausländischen Druck – Fortschritte erzielt hat, insbesondere bei Anlagen von Ausländern. Aber die strukturellen und gesellschaftlichen Änderungen werden nicht zur Kenntnis genommen, wenn kapitalkräftige Lobbys entgegenwirken. Wir leben in einem Zeitalter der Erben, ungeschmälert gehen Vermögen auf die nächste Generation über. Damit wird eine der Grundlagen der Leistungsgesellschaft untergraben, denn monetär bewertete Leistung wird besteuert, während monetäres Erbe unversteuert bleibt. Und das mit der hanebüchenen Begründung, dass ja schon einmal Steuer gezahlt worden sei. Dieselbe Begründung hatte man als Argument gegen die Besteuerung von Kapitalerträgen gehört, sie ist inzwischen nicht glaubwürdiger geworden. Auf diese Weise leistet auch der österreichische Fiskus seinen Beitrag zur Vergrößerung der Schere zwischen niedrigen und hohen Einkommen.

Ich bin der Überzeugung, dass die Menschen dann unsere Demokratie akzeptieren und schätzen, wenn sie zumindest den Eindruck haben, dass es einigermaßen gerecht in unserer Gesellschaft zugeht. Diesen Eindruck dürften jene nicht haben, die den rechten Populisten auf den Leim gehen. Und dann gibt es noch jene, die sagen, so etwas wie „die Gesellschaft" gibt es gar nicht, nur Einzelne und Familien.

Damit derer nicht immer mehr werden, gilt es jetzt gegenzusteuern.

ÖK.-RAT FRANZ TITSCHENBACHER
Präsident der Landwirtschaftskammer Steiermark, Obmann des Raiffeisenverbandes Steiermark, Graz

Genetischer Code für ein Zukunftsmodell

Die Genossenschaftsidee ist eine zeitlose. Sie steht neben der wirtschaftlichen Verlässlichkeit auch für eine Werteordnung. Es ist unser zentrales Anliegen, dass das Miteinander, die Solidarität, wie die Regionalität gelebt wird und dass nicht nur darüber geredet wird.

Die Wertewelt von Friedrich Wilhelm Raiffeisen ist eine zeitlose, unverzichtbare und enorm moderne: Zeitlos, da Werte wie Solidarität, Subsidiarität und Nachhaltigkeit wichtig für ein lebenswertes Miteinander von Menschen sind. Unverzichtbar, da sie durch ihr Bekenntnis zum wirtschaftlichen Miteinander ein Gegenpol zur zu starken materiellen Orientierung der Weltwirtschaft darstellt. Und enorm modern, da sie dort, wo die regionale Identität zurückgedrängt wird und persönliches Engagement und Solidarität des Einzelnen immer weniger Wertschätzung erfahren, ein wichtiger Gegenpol ist.

Die Idee der Genossenschaften ist heute so modern wie bei der Gründung der ersten österreichischen Raiffeisenkasse im Jahr 1886: Was ein Einzelner nicht erreichen kann, wird durch die Zusammenarbeit vieler Gleichgesinnter erst möglich. Wer sich der Regionalität besinnt und die Kräfte bündelt, kann auch im Konzert der Großen mitspielen und bestehen. Beispiele für dieses Erfolgsmodell gibt es viele: Das Spektrum reicht von großen Genossenschaftssparten, wie Kreditgenossenschaften, über ländliche Genossenschaften, Lagerhäuser und (gemeinnützige) Bauvereinigungen, bis hin zu neuen Genossenschaften etwa im Bereich Soziales, Energie, Dienstleistungen oder Handel.

Dabei stellt der Nachhaltigkeitsgedanke das Fundament und die Wertebasis des unternehmerischen Handelns dar. Die Werte Solidarität, Nachhaltigkeit, Vertrauen und Sicherheit sind der genetische Code, den uns Friedrich Wilhelm Raiffeisen mit seiner Idee vermittelt hat, und dem wir uns im täglichen Wirken verpflichtet fühlen. Als deutliches Zeichen für die Aktualität der Ideen

> *„Der Nachhaltigkeitsgedanke stellt das Fundament und die Wertebasis des unternehmerischen Handelns dar."*
>
> Franz Titschenbacher

der Genossenschaft steht die steigende Nachfrage, Attraktivität und Zukunftsfähigkeit der Rechtsform Genossenschaft. Denn die Genossenschaft in ihrer großen Vielfalt ist eine moderne Rechtsform, die gerade aufgrund der breiten Mitbestimmungsmöglichkeiten ein Wirtschaftsmodell des 21. Jahrhunderts ist. Die Genossenschaftsidee entspricht dem heutigen Zeitgeist, auch wenn sie in Gestalt eines neuen Namens auftritt: „Crowdfunding" macht die Idee, dass viele Menschen freiwillig kleinere Geldbeträge beitragen und bündeln, um damit ein Vorhaben zu realisieren, wieder in. Viele Menschen sehen in dieser Idee die Hoffnung, dass eine andere Form der Wirtschaft möglich ist. Dieses Crowdfunding mit einer Genossenschaft als Rechtsform umzusetzen, erhöht die Sicherheit der Investitionen: Die Genossenschaftsidee stellt seit je her an die Ehrlichkeit und Sorgfalt der Projektbetreiber hohe Anforderungen, ist nachhaltig in der Betreuung und Kontrolle der wirtschaftlichen Gebarung, damit alle Beteiligten den höchstmöglichen gemeinsamen Erfolg haben.

Dass Gewinne für ein Unternehmen zur Sicherung des finanziellen Gleichgewichts notwendig sind, steht außer Frage. Aber die Maximierung der Gewinne muss heute zunehmend auch im internationalen Konzert der Konzerne ethisch gerechtfertigt werden. Nicht das Prinzip des Gewinns, sondern das Prinzip der Ethik und des gemeinsamen Wirkens sollte letztlich maßgeblich sein. Moderne Unternehmensführung ist von nachhaltiger Geschäftsintegrität getragen. Der faire Umgang mit allen Beteiligten, den Mitarbeiterinnen und Mitarbeitern, den Lieferanten und den Konsumenten ist heute auch der Weg zu finanziellem Erfolg. Der Wirtschaftsethiker Ulrich Thielemann sieht speziell die Genossenschaften aufgrund ihrer grundlegenden wirtschaftlichen Ausrichtung im Vorteil, denn Genossenschaften stehen im Besitz von vielen, von Bauern, Wirtschaftstreibenden, Arbeitnehmern, Konsumenten und Lieferanten. Daher stehen sie nicht unter Druck, möglichst hohe Renditen zu erzielen und können sich um eine gemeinsame Selbsthilfe zur Förderung der Mitglieder bemühen. Daher könnte für ihn die Genossenschaftsidee zum „Leitstern einer erneuerten sozial-ökologischen, menschlichen Marktwirtschaft" werden.

1989 hat Josef Riegler die Ökosoziale Marktwirtschaft ins Leben gerufen. Heute – fast 30 Jahre später – ist genau diese Idee aktueller und wichtiger denn je. Die Ökosoziale Marktwirtschaft von Josef Riegler hat als zentrales Herzstück wesentliche Elemente des Genossenschaftsgedankens. Friedrich Wilhelm Raiffeisens Ideen wie auch die von Josef Riegler geprägte Ökosoziale Marktwirtschaft sind damit letztlich die Antworten für die Herausforderungen des 21. Jahrhunderts und haben großes Potenzial für eine nachhaltige Wirtschaftsentwicklung der Zukunft.

MAG. HEINZ ZOUREK
Ehemaliger Generaldirektor der Gene-
raldirektion Steuern und Zollunion der
Europäischen Union, Brüssel

Fortschritte in der EU-Steuerdebatte?

Seit der Gründung der Europäischen Union gilt unverändert der Grundsatz, dass die Mitgliedsstaaten ihre Autonomie im Steuerwesen behalten und – sollte die Entwicklung des Binnenmarktes hier Eingriffe und Harmonisierungen erfordern – dass solche immer nur einstimmig beschlossen werden dürfen. Weder die verschiedenen Anpassungen der Verträge noch die Erweiterungen der Anzahl der Mitgliedsstaaten haben daran gerüttelt.

Aus diesem Grund hat sich auch nur ein recht bescheidener sekundärer Gemeinschaftsrechtsbestand in Steuerangelegenheiten entwickelt. Hauptsächlich zur Vollendung des Binnenmarktes und zur Erleichterung des grenzüberschreitenden Waren- und Dienstleistungsverkehrs. So hat man die unterschiedlichen Umsatzsteuersysteme harmonisiert und sich auf die sogenannte Mehrwertsteuer (eigentlich präziser eine Allphasenbruttoumsatzsteuer mit Vorsteuerabzug und Fälligkeit im Land des Verbrauchers) sowie auf Mindestbelastungen für Energie, Alkohol oder Tabak geeinigt. Im Zentrum der Harmonisierung standen und stehen also die indirekten Steuern. Viel weniger wurden die direkten Steuern, also die Einkommensteuern, ins Visier genommen, für

199

sie gelten hauptsächlich die Grundsätze der Verträge. In erster Linie ist für sie die Judikatur des Europäischen Gerichtshofes (EuGH) entscheidend, etwa im Hinblick auf die Gleichbehandlung aller Steuerpflichtigen unabhängig von Staatsangehörigkeit oder Wohnsitz, kaum aber Richtlinien oder Verordnungen. Wenn es aber zur Erlassung von Sekundarrecht gekommen ist, dann mit der Absicht, den Unternehmen, die die Möglichkeiten des Binnenmarktes tatsächlich nützen, daraus keine steuerlichen Nachteile erwachsen zu lassen. Zur Vermeidung von Doppelbesteuerungen in Unternehmen, die Töchter und Betriebsstätten in mehreren Mitgliedstaaten unterhalten, im Vergleich zu jenen, die das nur in dem Mitgliedstaat tun, in dem auch die Muttergesellschaft ihren Sitz hat, wurden die Mutter-Tochter-Richtlinie und die Zinsen- und Lizenzgebühren-Richtlinie geschaffen.

Im Übrigen haben die meisten Mitgliedsländer darauf geachtet, dass grenzüberschreitende Steuerangelegenheiten im Rahmen der OECD und nicht der EU behandelt werden. Das hat ja auch den Vorteil, dass man damit einen größeren Kreis an relevanten Verhandlungspartnern erreicht. Mit dieser Verbreiterung des Teilnehmerkreises nimmt man allerdings auch in Kauf, dass die Rechtsverbindlichkeit derartiger Konventionen in keiner Weise an die des Gemeinschaftsrechts heranreichen. Über lange Jahre war es den Mitgliedstaaten aber vor allem daran gelegen, dass sie Steuermaterien bewusst außerhalb des Rahmens der EU behandeln konnten. Im Jahre 1997 gelang es dennoch, auf Initiative von Kommissar Mario Monti, einen Verhaltenskodex für die Unternehmensbesteuerung zu erstellen[1]. Dieser ist inhaltlich besonders an einer Praxis orientiert, die zu dieser Zeit besonders häufig anzutreffen war, dem sogenannten „ringfencing". Das ist eine unterschiedliche steuerliche Behandlung von nicht im Inland ausgeführten wirtschaftlichen Aktivitäten, eine Regelung, die allgemein als „schädlich" im Steuerwettbewerb angesehen wird. Der Kodex legt Kriterien für die Beurteilung solcher Optionen fest, und alle Mitgliedstaaten verpflichteten sich, sie abzuschaffen, wenn sie von einem Komitee, das aus Vertretern aller Mitgliedstaaten gebildet wird, als schädlich befunden werden (roll-back) und keine neuen einzuführen (stand-still). Es ist aber

---

1   ABl.C2 vom 6. 1. 1998

wichtig, darauf hinzuweisen, dass die rechtliche Natur dieses Kodex sehr „speziell" ist, insofern, als es eine Vereinbarung „der Vertreter der Regierungen der Mitgliedstaaten" ist und ausdrücklich nicht des Rates der Wirtschafts- und Finanzminister (ECOFIN). Dennoch ist das Sekretariat des Rates mit der logistischen und praktischen Betreuung dieses Gremiums und die Europäische Kommission mit der technischen und inhaltlichen Vorbereitung und Bewertung der Tagesordnungspunkte betraut. Trotz seiner rechtlich fragilen Natur hat der Kodex zur Abschaffung einer beachtlichen Zahl bestehender Steuervorschriften in den Mitgliedstaaten geführt und die Neueinführung bedenklicher Klauseln verhindert. Er war auch die Basis dafür, dass die Kommission mit einigen europäischen Ländern, die nicht der EU angehören (Schweiz, Liechtenstein, Andorra, San Marino und Monaco), Übereinkünfte (Memorandum of Understanding oder MoU) verhandeln konnte, die diese Wohlverhaltensregeln auf sie ausdehnten und sie im Gegenzug vor Retorsionen bewahrt. Diese MoUs wurden dann aber nicht von der EU als solcher, sondern von jedem einzelnen Mitgliedstaat separat rechtlich abgeschlossen.

> *„Trotz seiner rechtlich fragilen Natur hat der Kodex zur Abschaffung einer beachtlichen Zahl bestehender Steuervorschriften in den Mitgliedstaaten geführt und die Neueinführung bedenklicher Klauseln verhindert."*
>
> Heinz Zourek

Zurzeit sind intensive Beratungen im Gange, ob und wie man diesen Kodex auf neue, als schädlich angesehene Steuerpraktiken ausdehnen könnte. Es bleibt aber das Grundproblem, dass dieses Wohlverhalten nicht auf der Basis des Gemeinschaftsrechts fußt und die mit der Tätigkeit dieses Komitees verbundene Vertraulichkeit in der Öffentlichkeit und dem Europäischen Parlament in wachsender Kritik steht.

Dieser Exkurs sollte nur illustrieren, mit welcher Vorsicht und welchem Zögern die Mitgliedstaaten sich verhalten, wenn es um die Verbreiterung der Themen geht, die als gemeinsame EU-Materie behandelt werden dürfen, selbst wenn der Preis dafür sein kann, dass dem Fiskus erhebliche Einnahmen entgehen. Aber auch in bereits etablierten Dimensionen ist es oft sehr schwierig und vor allem zeitraubend, Fortschritte zu erzielen. Das sei an zwei Beispielen der jüngeren Vergangenheit dargestellt:

Energiebesteuerung und Vereinheitlichung der Mehrwertsteuererklärungen

- Der Vorschlag der Kommission zur Reform der Energiebesteuerung basierte auf zwei Überlegungen, nämlich der besseren Erfassung der Energie und der Berücksichtigung des Treibhausgasausstoßes bei der Nutzung. Derzeit sind die Steuersätze spezifisch, d. h. pro Tonne, m³ etc. festgelegt und nicht nach dem Energiegehalt des Energieträgers. Daher wäre es rationaler, die fällige Steuer nach eben dem Energiegehalt, d. h. Joule, zu bemessen. Also eine Form der Gleichbehandlung aller Energieträger eben nach der enthaltenen Energie. Da aber die unterschiedlichen Energieformen unterschiedlich zum Treibhausgaseffekt beitragen und zur Zeit der Erarbeitung des Kommissionsvorschlages auch wesentliche Anstrengungen im Hinblick auf eine rationale Klimaschutzpolitik unternommen werden sollten, enthielt der Vorschlag auch das Element, die Steuer zu differenzieren. In Zukunft hätte sich die Besteuerung also aus zwei Komponenten errechnet, dem Energiegehalt und dem CO_2-Ausstoß (bewertet nach dem Kurs der Emissionszertifikate). Nach Jahren ergebnisloser Verhandlungen und Abänderungsvorschläge der Mitgliedstaaten, die sogar noch einen Rückschritt gebracht hätten und auch in diametralem Widerspruch zu den feierlichen Bekenntnissen zum Klimaschutz gestanden wären, sah sich die Kommission gezwungen, den Vorschlag zurückzuziehen.
- Ebenso erfolglos war der Versuch, die unglaubliche Vielfalt der Formulare zu reduzieren, die Unternehmen ausfüllen müssen, wenn sie ihre Mehrwertsteuer erklären (es war dies ein Anliegen, das eine Reihe von Verbänden der KMUs immer wieder an die Kommission herangetragen hatte). Während es seit Jahrzehnten ein einheitliches Formular für die Zollanmeldungen gibt, erwies es sich als

unmöglich, hier eine einheitliche Auffassung und auch nur geringfügige administrative Erleichterungen für die Steuerpflichtigen zu erreichen, und der Vorschlag wurde ebenso kassiert.

An diesen zwei Beispielen zeigt sich, wie schwierig es oft ist, im Steuerbereich selbst nur zu kleinen Anpassungen oder Neuorientierungen zu kommen. Doch in den letzten Jahren haben zwei Faktoren zu einer Haltungsänderung geführt: die Finanz- und Wirtschaftskrise und die zunehmende Digitalisierung der Wirtschaft.

Wirtschaftskrise und Steuerflucht

Mit dem Andauern der Wirtschaftskrise hat sich der fiskalische Spielraum für alle Finanzminister in der EU erheblich eingeschränkt, und zwar sowohl wegen der notwendigen zusätzlichen Ausgaben zur Bekämpfung der Krisenfolgen wie Arbeitslosigkeit und konjunkturellen Anstößen als auch wegen des geringeren Steueraufkommens. Nachdem aber bereits seit einigen Jahrzehnten die Steuerlast immer stärker auf die immobilen Produktionsfaktoren verlagert worden ist und zur Bekämpfung der Arbeitslosigkeit eine weitere Verteuerung des Faktors Arbeit kontraproduktiv ist, wurde nach neuen Einnahmequellen gesucht. Eine dieser Ideen war, den Finanzsektor, von dem die Krise ausgegangen war, ebenfalls in ihre Bewältigung einzubeziehen. Immerhin hatte sich durch die unterschiedlichen Rettungsaktionen die Staatsverschuldung in den Mitgliedstaaten im Schnitt um etwa 20 Prozentpunkte erhöht. So wurde die Idee einer Besteuerung der Transaktionen von Finanzinstituten untereinander entwickelt, die sogenannte Finanztransaktionssteuer (FTT). In dem Kommissionsvorschlag war sie im Wesentlichen so konzipiert, dass sie am Standort des Finanzinstituts anknüpft und alle Transaktionen auf allen Märkten mit Nicht-Banken erfasst, wobei für Derivate ein wesentlich niedrigerer Steuersatz zur Anwendung kommen sollte. Derart – weil ohne komplizierte Ausnahmen – wäre die Administration sehr einfach und ein wirklich niedriger Steuersatz möglich, womit etwaige Marktbeeinträchtigungen vermieden würden und dennoch Einnahmen erzielbar wären, die sich in der Größenordnung eines halben Prozentpunktes des BIP bewegen. Nun, wie bekannt, war es nicht möglich, über diesen Vorschlag Einstimmigkeit herbeizuführen, aber es eröffnete sich eine völlig neue Option: die verstärkte Zusammenarbeit. Dieses neue Vertragsinstrument erlaubt einer Gruppe von Mitgliedstaaten (mindestens ein Drittel, derzeit also neun) eine nur für sie bindende gemeinschaftsrechtliche Vorschrift zu erlassen, der die anderen Mitgliedstaaten danach jederzeit beitreten können. Dieses Experiment wurde von zehn Staaten aufgenommen, ist aber nach einigen Verhandlungsrunden praktisch unterbrochen worden, unter anderem um den Ausgang der Brexit-Verhandlungen abzuwarten.

Hier liegt also eine „genuine" EU-Initiative vor, allerdings mit noch ungewissem Ausgang.

Eine andere Initiative, die aber bereits Erfolg gezeigt hat, kam über einen Anstoß von außen, nämlich den USA und der OECD. Dabei geht es um Transparenz bei Kapitalerträgen und einen automatischen Informationsaustausch zwischen den Steuerbehörden. In der EU gab es schon seit geraumer Zeit die sogenannte „Zinsertragsrichtlinie"[2], die Kapitalerträge zu Gunsten von Steuerausländern erfasste und zwei Optionen bot: entweder eine Quellenbesteuerung in dem Land, in dem die Erträge entstehen, oder eine Mitteilung an die Wohnsitzfinanzbehörde des Begünstigten. Detaillierte Informationen konnten angefragt werden, stießen aber dort auf praktische Grenzen, wo entweder ein starkes Bankgeheimnis oder anonyme Veranlagungen möglich waren. Sowohl die Bekämpfung der Geldwäsche als auch der wachsende Druck der USA nach der Einführung der FATCA-Gesetzgebung, die eine genaue Mitteilung über Kapitalerträge von in den USA Steuerpflichtigen bei sonstigen massiven Konsequenzen für die Finanzinstitute postuliert, hat auch in der EU dazu geführt, dass vor allem jene drei Länder, die sich sehr lange und vehement gegen Transparenz gewehrt hatten (Belgien, Luxemburg und Österreich), sich zu einem Gesinnungswandel durchringen konnten. Seither ist auch in der EU der automatische Informationsaustausch eingeführt. Nicht nur das, er ist mittlerweile ebenso Standard in den OECD- und G20-Ländern. Damit konnte auch das klassische Bankgeheimnis gegenüber den Steuerbehörden eliminiert und eine erhebliche Verbesserung im Kampf gegen die Geldwäsche erreicht werden.

---

2   RL 2003/48/EG vom 3. 6. 2003

Eine wahre Zeitenwende in der Haltung der Finanzminister zur internationalen Zusammenarbeit in Steuerangelegenheiten trat aber erst ein, als auch durch weitbeachtete Veröffentlichungen in der Presse einer breiten Öffentlichkeit bewusstwurde, dass es einer Reihe besonders großer und multinational tätiger Unternehmen immer effektiver gelingt, ihre Erträge vor Besteuerung zu bewahren. Dabei geht es vordringlich nicht um Steuerhinterziehung, also einen Bruch der bestehenden Vorschriften, sondern um ganz besonders penibel konstruierte Konstruktionen, die zumindest formal innerhalb des Rechtsrahmens bleiben. Es ist

> *„Da die Steuersysteme in den einzelnen Ländern das Ergebnis historischer Entwicklungen sind, ist es unvermeidlich, dass unter ihnen Unterschiede bestehen."*
>
> Heinz Zourek

allerdings wichtig, festzuhalten, dass hier Unternehmen in erster Linie Möglichkeiten nützen, die sie vorfinden, wenn sie Unterschiede in den verschiedenen nationalen Steuerjurisdiktionen zu ihrem Vorteil nutzen. Da die Steuersysteme in den einzelnen Ländern das Ergebnis historischer Entwicklungen sind, ist es unvermeidlich, dass unter ihnen Unterschiede bestehen. Es gibt aber auch durchaus Differenzen, die bewusst herbeigeführt wurden, um Unternehmen zu einer Standortwahl oder -verlagerung zu veranlassen, also durch einen Steuerwettbewerb. Die angespannte Budgetlage hat aber dazu geführt, dass der Spielraum für großzügige Steuervorteile und die Toleranz über das Verhalten sogenannter Steueroasen wesentlich reduziert wurden.

Diese starke öffentliche Wahrnehmung hat nun nicht bloß zu einer „moralischen" Empörung geführt, sondern auch vielen Unternehmen evident gemacht, dass sie in ihrem Wettbewerb wesentlich unterschiedliche Bedingungen vorfinden. Sie konnten so ebenfalls erheblichen politischen Druck ausüben. Damit wurde es für die Regierungen immer dringlicher, Initiativen zu setzen, dieser Entwicklung Einhalt zu gebieten. Die fortschreitende Globalisierung der Wirtschaft, die zunehmende Aufteilung der Produktion auf mehrere Länder oder Kontinente und die enorme Vervielfältigung und Beschleunigung der Kommunikation machte es immer augenscheinlicher, dass durch ausschließlich nationale Maßnahmen keine adäquaten Antworten gefunden werden konnten. Es wurde unerlässlich, eine gemeinsame Strategie jener Länder zu entwickeln, die von der stetig zunehmenden Steuerflucht der multinational tätigen Unternehmen betroffen sind und die Lösung nicht in einem ungebremsten Steuerwettbewerb (race to the bottom) sahen.

Als Reaktion entwickelte sich auch über Initiativen der Europäischen Kommission in der EU eine Strategie zur Eindämmung der Steuerflucht und aggressiven Steuervermeidung. Sie richtete sich stets auf drei Ebenen aus, die der EU, der Kooperation im Rahmen der OECD und G20 und vis-a-vis der „nichtkooperativen Jurisdiktionen" oder Steueroasen. Dabei wird unter „aggressiver Steuervermeidung" ein Verhalten verstanden, in dem Abläufe oder Transaktionen enthalten sind, die keinen anderen ökonomischen Zweck erfüllen als den der Steuervermeidung.

So wurde es innerhalb der EU möglich, einen besonderen Missstand rasch zu beenden, den der Steuervorbescheide oder „rulings". Dabei geht es um Sondervereinbarungen zwischen Unternehmen und Steuerbehörden, die eine besonders günstige Behandlung vorsehen, aber nach dem Gemeinschaftsrecht eine unerlaubte staatliche Beihilfe darstellen, weil sie zu einer Verzerrung des Wettbewerbs zwischen den Unternehmen führt. Unter dem Eindruck der sogenannten Luxleaks konnten die Finanzminister sich ungewöhnlich schnell darauf einigen, dass solche Steuervorbescheide, soweit sie grenzüberschreitende Wirkungen haben, den anderen Mitgliedstaaten übermittelt werden.

Ebenfalls rasch konnte eine Entwicklung beendet werden, die aus einer ursprünglich als Schutz vor Doppelbesteuerung gedachten Regelung eine Möglichkeit zur doppelten Nichtbesteuerung geschaffen hatte. Mit Hilfe sogenannter Hybridkredite konnten verbundene Unternehmen die von der Mutter-Tochter-Richtlinie gebotene Nichtbesteuerung von Eigenmittelübertragungen nutzen, um einen doppelten Vorteil zu ziehen. Es gelang auch hier recht rasch, dass der ECOFIN-Rat einen solchen Missbrauch einstimmig beendete.

Wesentlich schwieriger gestaltet sich aber eine Anpassung bei der Behandlung von Zinsen und Lizenzgebühren. Die enorme Steigerung der Bedeutung von Patenten, Marken und Urheberrechten im Wirtschaftsleben hat dazu geführt, dass es für die Gestaltung der Gewinne einen erheblichen Unterschied machen kann, wohin Lizenzgebühren oder betriebsinterne Zinszahlungen fließen, und ob diese nicht nur eine Form der Gewinnverschiebung in ein Niedrigsteuerland darstellen. Immer mehr Mitgliedstaaten sehen sich damit konfrontiert, dass derartige Abflüsse in Länder gehen, die für derartige Erträge entweder nur einen sehr niedrigen allgemeinen Körperschaftssteuersatz oder sogar ein Sonderregime anwenden. Sie möchten solchen Konstruktionen etwas entgegensetzen. Damit rührt man aber an eine Kardinalsfrage der Steuerdebatte: Soll es (in der EU) eine effektive Mindestbesteuerung geben, und wenn ja, wie hoch soll sie sein? Derzeit gibt es so etwas nicht, und einige Staaten lehnen so einen Gedanken aus Prinzip ebenso vehement ab wie andere ihn verfolgen möchten.

Solange diese Frage nicht geklärt werden kann, werden einige Fortschritte in der Steuerharmonisierung der EU nicht voranschreiten können, nicht nur die Zinsen- und Lizenzgebührenrichtlinie.

Die zweite Handlungsebene für die Eindämmung der internationalen Steuerflucht hat in den letzten drei Jahren doch einige Fortschritte ermöglicht, da die Initiative der G20 und der OECD zur Eindämmung der Erosion der Steuerbemessungsgrundlagen und Gewinnverschiebungen (BEPS, base-erosion and profit-shifting) zu einer Einigung auf 15 Aktionen und ihrer Festschreibung in einem multilateralen Instrument geführt hat. Innerhalb der EU soll dieses Ergebnis in zwei Schritten verbindlich gemacht werden: durch die Annahme der Anti-Steuervermeidungs-Richtlinie[3] und die Einführung einer Gemeinsamen konsolidierten Bemessungsgrundlage für die Körperschaftssteuer (GKKB). Während die erste Entscheidung recht zügig getroffen werden konnte, ist die GKKB eine schwierigere Entscheidung. Das wiederum ist nicht überraschend, ist doch der nunmehrige Vorschlag der Kommission schon der zweite Anlauf, nachdem über einen ersten Entwurf nach einer ungefähr fünfjährigen Debatte keine Einstimmigkeit er-

---

3   (EU)2016/1164 vom 20. 6. 2016

reicht werden konnte. Im zweiten Anlauf hat die Kommission daher vorgeschlagen, die Einführung in zwei Etappen vorzunehmen, zuerst einmal eine gemeinsame Bemessungsgrundlage und dann erst, in einem zweiten, getrennten Schritt, die Konsolidierung der Betriebsergebnisse vorzunehmen.

Eine andere, womöglich noch stärkere Dringlichkeit, gemeinsam Antworten auf immer größere Probleme zu finden, liegt aber in der fortschreitenden Digitalisierung des Wirtschaftslebens und einer Vervielfältigung von Geschäftsmodellen. Die klassischen internationalen Steuerregeln basieren auf den Gegebenheiten der Industriegesellschaft, bei der die Besteuerungsrechte normalerweise an das Vorhandensein einer Betriebsstätte gekoppelt sind. Wenn nun aber Betriebsstätten gar nicht mehr notwendig oder nicht lokalisierbar sind, stoßen die bestehenden Regeln an ihre Grenzen. Auch wenn die Gewinnerzielung nicht mehr aus der direkten Leistungserbringung zwischen

> *„Eine andere, womöglich noch stärkere Dringlichkeit, gemeinsam Antworten auf immer größere Probleme zu finden, liegt aber in der fortschreitenden Digitalisierung des Wirtschaftslebens."*
>
> Heinz Zourek

Kunden und Anbietern stattfindet, sondern auf einer Metaebene, der der Verwertung der Nutzungsdaten, ist die Erfassung und Zuordnung der Erträge eine Herausforderung. Es gibt bereits einige Versuche einzelner Länder, Lösungen zu finden, doch ist es vordringlich, möglichst abgestimmt vorzugehen. Die Idee einer virtuellen Betriebsstätte, die in diesem Zusammenhang als Antwort entwickelt wird, sollte Vorrang bekommen, auch wenn noch eine Reihe von Fragen gelöst werden muss. Die meisten bislang ins Auge gefassten Zwischenlösungen haben den systemischen Nachteil, dass sie nicht an den Gewinnen oder Erträgen, sondern an den Umsätzen ansetzten und daher als indirekte Steuern kaum Gewinnverschiebungen hintanhalten können.

Was nun eine gemeinsame Strategie gegenüber den Steueroasen angeht, so ein langer und mühsamer Weg zu ersten Ergebnissen geführt und die Erstellung einer gemeinsamen EU-Liste von Jurisdiktionen ermöglicht, die als unkooperativ (d. h. ohne Gewährleistung von Transparenz und Informationsaustausch und abseits der BEPS-Vereinbarung) angesehen werden. Auch wenn von verschiedenen Seiten diese Liste als zu kurz und inkomplett kritisiert wird, weil sie zu wenige oder zu lockere Kriterien anlegt, so bleibt sie dennoch die erste gemeinsame Haltung aller Mitgliedstaaten zusammen in Steuerfragen gegenüber den Drittstaaten weltweit. Vorher hatten die meisten Mitgliedstaaten nämlich eine gemeinsame Beurteilung und Positionierung vis-a-vis derartigen Jurisdiktionen abgelehnt.

Auch wenn die bisherige Entwicklung gemeinsamer Strategien und Politiken im Bereich der Steuern in der EU langsam und mühsam war, ist der Problemdruck so stark geworden, dass die Wahrscheinlichkeit größer geworden ist, dass sich die Mitgliedstaaten letztlich auf eine Ausweitung der Kooperation einigen können. Immer weniger Fragen lassen sich von einzelnen Staaten lösen, und die grundlegenden Veränderungen des Wirtschaftslebens im Zuge der fortschreitenden Digitalisierung machen es immer deutlicher. Auch wenn die wieder anspringende Konjunktur den Finanzministern etwas von den unmittelbaren Schwierigkeiten nimmt, ihre Budgets auszufinanzieren, so stehen sie alle vor großen Unsicherheiten und nach wie vor unter dem Druck der Öffentlichkeit, den Auswüchsen im internationalen Steuerwettbewerb Grenzen zu setzen. Und das umso mehr, als noch niemand die Effekte und Folgerungen der derzeitigen Administration der USA abzuschätzen in der Lage ist.

Wenn es auch kein Herzensanliegen aller Finanzminister oder Regierungen der Mitgliedstaaten der EU sein mag, wird die Einsicht in die Notwendigkeit keine vernünftigen Alternativen zu einer weiterer Verstärkung der Zusammenarbeit in der Steuerpolitik zulassen. Daher besteht Hoffnung auf einen Fortschritt in der Steuerdebatte in der EU.

DIPL.-ING. AUGUST ASTL
*Generalsekretär der Landwirtschafts-
kammer Österreich a. D., Klosterneu-
burg*

Bäuerliche Landwirt-
schaft in Österreich –
Herausforderungen und
Chancen

Ich bin im Jahr 1951 auf einem kleinen Bergbauernhof als ältes-
tes von vier Kindern auf einer Seehöhe von 1.080 m im Salzburger Pinzgau geboren. Der elterliche Betrieb mit knapp 10 ha wurde
damals im Vollerwerb geführt. Neben meinen Eltern arbeiteten noch
mindestens zwei familienfremde Arbeitskräfte auf dem Hof mit. Mitte
der 1950er-Jahre hat der technische Fortschritt auch bei uns zuhause
Einzug gehalten. Es wurde der erste Motormäher angeschafft. Ein Teil
der Nachbarn hatte damals noch große Abneigung gegen die Moderni-
sierung und meinte, das mit dem Motormäher gemähte Gras bzw. das
daraus gewonnene Heu würden die Kühe nicht fressen oder jedenfalls
keine Milch mehr geben. Wie viele andere Neuerungen, haben sich diese
auch in der Landwirtschaft rasch durchgesetzt und innerhalb von kurzen Zeiträumen die Agrarstruktur und den ländlichen Raum völlig ver-

ändert. Der technische Fortschritt ist bis in unsere Zeit, und sicher auch für die Zukunft, der größte Treiber für Veränderung.

Mein Geburtsjahr 1951 war über viele Jahre das Basisjahr in der Agrarstatistik. In der Land- und Forstwirtschaft waren damals 1,08 Mio. Menschen beschäftigt. Die Agrarquote in der österreichischen Volkswirtschaft hat damals, gemessen an der Zahl der Beschäftigten, 32,6 % betragen. Bezogen auf die Anteile am BNP betrug der Anteil der Land- und Fortwirtschaft 16,5 %. Für das Jahr 1951 weist die land- und forstwirtschaftliche Betriebszählung insgesamt 432.800 Betriebe aus, wovon nahezu die Hälfte weniger als 5 ha Fläche bewirtschaften. Die angegebenen Werte entstammen der Analyse von Wilfried Puwein, Institut für Wirtschaftsforschung, die im Auftrag des BMLF erstellt wurde. Der Beitrag findet sich in den WIFO-Monatsberichten 8/1975.

Gemessen am heutigen Stand, ist dies eine geradezu unglaubliche Veränderung innerhalb eines Menschenlebens. Für sehr viele bäuerliche Familien waren die Veränderungen zu schnell, andere wieder haben die neuen Möglichkeiten gut nutzen können.

In meiner 40-jährigen beruflichen Tätigkeit in den Landwirtschaftskammern und als Geschäftsführer der Agrarmarkt Austria hat mich meine Herkunft in hohem Masse geprägt.

Entwicklungen der Agrarstruktur und im ländlichen Raum

Die österreichische Landwirtschaft ist trotz großer Veränderungen im internationalen Vergleich durch kleine und mittlere bäuerliche Betriebe gekennzeichnet. Auffallend ist, dass der Strukturwandel in den Gunstlagen wesentlich rascher fortgeschritten ist als im Berggebiet und dass der Nebenerwerb in vielen Regionen, und insbesondere in den Tourismusregionen, überwiegt.

Die Land- und Forstwirtschaft trägt in weiten Teilen unseres Landes wesentlich zur regionalen Wertschöpfung bei und spielt als Auftraggeber für Industrie, Gewerbe und Handel im ländlichen Raum eine wichtige Rolle.

Agrarischer Ausblick Österreich 2025

Die Landwirtschaftskammer Österreich hat im August 2016 als Ergebnis des Strategieprozesses eine Studie mit dem Titel „Agrarischer Ausblick Österreich 2025" veröffentlicht. Das Papier enthält wissenschaftliche Beiträge von Franz Sinabell, Institut für Wirtschaftsforschung, die Ergebnisse einer breiten Meinungsbefragung von Landwirten zu ihren Zukunftseinschätzungen und in sektorspezifischen Arbeitsgruppen Brancheneinschätzungen zur künftigen Entwicklung und zu Stärken und Schwächen des jeweiligen Sektors.

Die wichtigsten Ergebnisse sind nachstehend kurz dargestellt.

Franz Sinabell kommt in der Interpretation der Daten der volkswirtschaftlichen Gesamtrechnung für den Zeitraum 2000 bis 2015 zum Schluss, dass die Bruttowertschöpfung in der Landwirtschaft relativ wenig, wohl aber in der Forstwirtschaft ganz beträchtlich gestiegen ist. Vorleistungen und Abschreibungen sind in beiden Sektoren sehr stark angestiegen. Bezogen auf die Nettowertschöpfung, ergibt sich daraus eine klar negative Entwicklung für den Sektor Landwirtschaft, aber eine durchaus positive Entwicklung in der Forstwirtschaft.

Die Schlussfolgerung daraus ist, dass die Förderungsabhängigkeit der Landwirtschaft weiter angestiegen ist und für weite Bereiche der Landwirtschaft positive Einkommensbeiträge den Fortbestand der Förderungen voraussetzen.

Die Ergebnisse der Landwirte-Befragung durch KEY-Quest führt in der Auswertung zur Bildung von insgesamt sechs Gruppen von Landwirten mit unterschiedlicher Zukunftssicht und unterschiedlichen Strategien:

1	Die Wachstumsgetriebenen	13 %
2	Die Kämpfer	21 %
3	Die Perspektivenlosen	17 %
4	Die Etablierten	17 %
5	Die engagierten Kleinbauern	17 %
6	Die Aussteiger	15 %

Die Analyse zeigt, dass der Betriebserfolg nur bedingt von der Betriebsgröße abhängt, und dass die Einschätzung der wirtschaftlichen Situation positiv mit dem Ausbildungsgrad korreliert. Auf der anderen Seite sind die Aussteiger durch hohes Bildungsniveau und sehr gute außerlandwirtschaftliche Berufsalternativen erkennbar. Für sie ist die Landwirtschaft nur als „Nebenerwerb" zu sehen.

> *„Es ist immer weniger möglich, ‚Rezepte' für alle Bauern anzubieten."*
>
> August Astl

Es ist immer weniger möglich, „Rezepte" für alle Bauern anzubieten. Die Betriebe und die Betriebsführer fallen immer weiter auseinander. Dieser Punkt ist für die künftige Agrarpolitik und für die Beratungsarbeit von größter Bedeutung.

Die Bauern haben in der Befragung besonders häufig (Nennung zwischen 78 und 92 %) folgende Herausforderungen angesprochen:

- Zunehmende Bürokratie
- Hohe Sozialversicherungsbeiträge
- Steigende Betriebsmittelpreise
- Abhängigkeit von Förderungen
- Abhängigkeit der Preise vom Weltmarkt

Die Schlussfolgerungen aus der Studie sind u. a., dass der Strukturwandel in der bisherigen Geschwindigkeit weitergehen wird. Die Einschätzung ist, dass die Zahl der Betriebe von 166.300 im Jahr 2013 auf rund 133.100 im Jahr 2025 abnehmen wird. Für Betriebe mit Schweinehaltung wird im genannten Zeitraum eine Verringerung von rund 29.500 auf 12.200 und für Betriebe mit Milchkühen eine Verringerung von rund 42.200 auf 25.000 erwartet. Während in den landwirtschaftlichen Ungunstlagen die Zahl der Betriebe auch weiterhin vergleichsweise stabil bleiben wird, wird sich der Strukturwandel in den Gebieten mit günstigen Produktionsbedingungen weiter rasch fortsetzen. In diesen Regionen gibt es beachtliches Wachstum der Betriebe in der Größe und in den Tierbeständen.

EU-Beitritt 1995 und die Reformen der Gemeinsamen Agrarpolitik seither

Österreich ist der EU im Jahr 1995 beigetreten. In diese Zeit fällt die Einführung der Direktzahlungen und der Abbau der Preisstützungen in der EU. Für die österreichischen Bauern war der Beitritt mit großen Erzeugerpreissenkungen verbunden, die über den degressiven Preisausgleich, die Marktordnungsprämien und die Umwelt- und Bergbauernförderung (Ausgleichszulage) ausgeglichen wurden.

In der Zwischenzeit gab es zahlreiche Reformen der Gemeinsamen Agrarpolitik. Sie haben einen weitgehenden Verzicht auf Marktordnungsmaßnahmen wie Quoten, Intervention und Exporterstattungen gebracht. Die Betriebsprämien und das Programm der ländlichen Entwicklung sind der Kern der EU-Agrarpolitik.

„Die Lebensmittelverarbeiter und der Lebensmittelhandel haben den Wettbewerbsdruck in sehr hohem Maß an die Landwirtschaft weitergegeben."

August Astl

Der Zugang zum Europäischen Binnenmarkt hat zu einer großen Ausweitung des Lebensmittelhandels zwischen Österreich und den EU-Ländern in beiden Richtungen geführt. Die Lebensmittelverarbeiter und der Lebensmittelhandel haben den Wettbewerbsdruck in sehr hohem Maß an die Landwirtschaft weitergegeben. Österreich hat die Möglichkeiten der Programme der Ländlichen Entwicklung in besonders hohem Maß nutzen können und bietet im EU-Vergleich ein herausragendes Agrarumweltprogramm und die beste Förderung für benachteiligte Gebiete (Ausgleichszulage) an. Die nationale Kofinanzierung durch Bund und Länder ist neben der Programmgestaltung die entscheidende Voraussetzung dafür. Die positive Entwicklung des Biolandbaues in Österreich steht in engem Zusammenhang mit der Gestaltung des Agrarumweltprogrammes (ergänzend zum Aufbau der Handelsmarken für Bioprodukte).

In Österreich erhalten die Bauern unter Einrechnung der nationalen Kofinanzierung rund 60 % der finanziellen Mittel aus der Ländlichen Entwicklung und rund 40 % aus dem Direktzahlungsteil. Österreich stellt damit einen Sonderfall dar. Viele Mitgliedsländer sind bis heute nicht in der Lage, die Programme der Ländlichen Entwicklung national entsprechend zu kofinanzieren.

Die gute Zusammenarbeit von Landwirtschaftsministerium, den Bundesländern, der Agrarmarkt Austria und den Landwirtschaftskammern ist beispielhaft für die gesamte Europäische Union und hat bewirkt, dass die Beteiligung der österreichischen Bauern an den Programmen außerordentlich hoch ist und die Abwicklung eine geringe Fehlerquote aufweist.

Künftige Prioritäten der EU-Politik und der EU-Agrarpolitik

Die Gemeinsame Agrarpolitik zählt zu den Kernbereichen der EU-Politik. Gemessen an der finanziellen Ausstattung, nimmt der Anteil am Gesamthaushalt der EU seit vielen Jahren ab. Die Umstellung auf Direktzahlungen hat ein nominelles Einfrieren der Marktordnungsmittel bewirkt.

Die vorliegenden Reformvorschläge für die künftige EU-Finanzperiode (Mehrjähriger Finanzrahmen 2021-2027) laufen auf eine bedeutende Gewichtungsänderung hinaus. Der Ansatz für Natürliche Ressourcen und Umwelt bleibt zwar trotz Kürzungen der größte Haushaltsblock, Ausgabensteigerungen plant die Europäische Kommission bei den meisten anderen Ausgabenblöcken wie Binnenmarkt, Innovation und Digitales, Integration und Grenzmanagement, Sicherheit und Verteidigung und Europäische öffentliche Verwaltung. Der bevorstehende Austritt des Vereinigten Königreiches, einem bedeutenden Nettozahler der EU, verengt zusätzlich den Budgetspielraum.

Im 2. Halbjahr 2018 versucht die österreichische Präsidentschaft eine Annäherung der sehr unterschiedlichen Standpunkte der Mitgliedsländer zum künftigen EU-Haushalt zu erreichen. Österreich zählt zu jenen Ländern, die gegen eine wesentliche Budgetausweitung auftreten. Gleichzeitig tritt die Österreichische Bundesregierung gegen die geplanten Kürzungen des Agrarbudgets auf.

Der Agrarkommissar der EU, Phil Hogan, hat in seinen Reformvorschlägen Einsparungen bei den Direktzahlungen durch eine Obergrenze bzw. eine Degression sowie Kürzungen beim Programm der Ländlichen Entwicklung vorgelegt. Österreich wäre dadurch weit überproportional bei der Kürzung der Ländlichen Entwicklung, relativ wenig bei der Begrenzung der Direktzahlungen betroffen.

Längerfristig ist zu erwarten, dass die Europäische Agrarpolitik weiter an Gewicht verlieren wird und die Tendenz zu einzelstaatlichen und regionalen Politiken zunehmen wird.

Künftige Herausforderungen für die bäuerliche Landwirtschaft

Marktmacht des Lebensmittelhandels

Österreich weist eine der höchsten Konzentrationen des Lebensmittelhandels im internationalen Vergleich aus. Im Laufe der Jahre sind die Marktanteile der beiden Marktführer Rewe und Spar mehr oder minder kontinuierlich angestiegen und haben in Summe bereits zwei Drittel Marktanteil. Das Ausscheiden mehrerer Mitbewerber hat direkt oder indirekt immer zu

> *„Österreich weist eine der höchsten Konzentrationen des Lebensmittelhandels im internationalen Vergleich aus."*
>
> August Astl

einem Marktanteilszuwachs der beiden großen Anbieter geführt. Die drei größten Anbieter im LEH (mit Hofer, Unternehmen von Aldi Süd) erreichen zusammen einen Marktanteil von rund 87 %. Die Wettbewerbsbehörden haben dagegen kein wirksames Instrument gefunden. Es ist auch nicht zu erwarten, dass internationale Unternehmen neu auf dem österreichischen Markt einsteigen werden.

Alle drei großen Gruppen im LEH haben in den letzten 20 Jahren mit großem Erfolg Eigenmarken aufgebaut, die bekanntesten sind jeweils die Bio-Marken der Handelsketten (Ja natürlich, Spar Natur pur und Zurück zum Ursprung). Die drei Biomarken sind zugleich die mit Abstand bekanntesten Biomarken in Österreich und sind auch im internationalen Vergleich durchaus bemerkenswert erfolgreich. Die Entwicklung des Biomarktes in Österreich ist in einem sehr hohen Maß das Ergebnis der Strategie des LEH.

Bis knapp vor dem EU-Beitritt hat es bei Grundnahrungsmitteln wie Milch und Brot geregelte Preise und fixierte Handelsspannen gegeben. Die Einzelhandelsspannen sind in den vergangenen 20 Jahren massiv angestiegen und haben sich zumindest verdoppelt. Gleichzeitig ist der Erzeugeranteil an den Verbraucherpreisen immer kleiner geworden. Es gibt kaum noch Produkte, bei denen der Erzeugeranteil am Verbraucherpreis mehr als 25 oder 30 % beträgt.

In unzähligen Diskussionen auf der europäischen Ebene haben die Bauernvertreter immer wieder die schwache Stellung der Erzeuger und die Dominanz des LEH kritisiert. Zahlreiche Bemühungen des Europäischen Bauernverbandes COPA oder schon früher der CEA sind bisher weitgehend erfolglos geblieben.

Die europäische und die nationale Wettbewerbspolitik und das Kartellrecht sehen Möglichkeiten gegen Missbrauch der Marktmacht vor. In Einzelfällen ist es zu erheblichen Sanktionen gegen Marktmachtmissbrauch auch in Österreich gekommen. Es zeigt sich aber wieder, dass die befassten Behörden eine Mauer des Schweigens erleben, weil die Lieferanten ganz offensichtlich ständig mit der Auslistung bedroht werden, wenn sie die Handelspraktiken konkret benennen und Beweise liefern.

In der Ausgabe der Wochenzeitung „Die Zeit" Nr. 12 vom 15. 3. 2018 werden die Praktiken des deutschen LEH im Beitrag „Am Gängelband der Mächtigen" sehr konkret beschrieben. Der deutsche LEH ist ebenfalls stark konzentriert. Die vier größten Gruppen – Edeka, Rewe, Schwarz und Aldi – haben zusammen einen Marktanteil von 67 %. Der Artikel beschreibt, wie der LEH jeweils an der Grenze des Wettbewerbsrechtes Druck auf die Lieferanten aus der Lebensmittelindustrie und damit letztlich auch auf die landwirtschaftlichen Erzeuger ausübt. Die Drohung mit der Auslistung für den Fall, dass die Forderungen des Handels – es gibt eine breite Palette – nicht erfüllt werden, ist allgegenwärtig. Konkret genannt werden im Beitrag auf der Grundlage der Beschreibungen von Vertretern der Lebensmittelindustrie der Geburtstagsbonus, der Hochzeitsbonus, die Partnerschaftsvergütung oder der Sortimentserweiterungsbonus. Der LEH bestreitet die Auslistungsdrohung bei Nichterfüllen der Bonusforderungen natürlich regelmäßig und spricht von großer Fairness in der Zusammenarbeit mit den Lieferanten. Ein Bauernvertreter wird mit den Worten zitiert, „die Ketten hängen die Nachhaltigkeitsfahne hinaus, und auf der anderen Seite treiben sie uns Bauern systematisch in die Enge".

Der steigende Anteil der Eigenmarken des Handels führt dazu, dass die Lieferanten austauschbar werden und deren Abhängigkeit von den größten Kunden weiter ansteigt. Ganze Branchen ohne relevante Erzeugermarken, wie z. B. die Fleischverarbeiter, stehen wirtschaftlich außerordentlich schwach da. In manchen Marktsegmenten beträgt der Eigenmarkenanteil bereits mehr als drei Viertel des Volumens.

Das Europäische Parlament hat den Agrarkommissar Phil Hogan mit großer Mehrheit aufgefordert, Vorschläge für faire Wettbewerbsregeln auszuarbeiten. Der EU-Kommissar für Landwirtschaft Hogan ist davon überzeugt, dass der Handel seine starke Position oft missbraucht und hat entsprechende Vorschläge zur rechtlichen Stärkung der Erzeuger vorgelegt. Erwartungsgemäß hat der LEH unverzüglich negativ darauf reagiert.

Internationale Handelspolitik – Globalisierung des Agrarhandels

Im Rahmen der WTO und in zahlreichen Handelsverträgen ist die EU Verpflichtungen zum Abbau von Zöllen und von Exporterstattungen eingegangen. Die EU hat eine sehr bedeutende Stellung im Weltagrarhandel sowohl als Importeur als auch als Exporteur von Agrarprodukten und Lebensmitteln. Auch derzeit verhandelt die EU mit den Mercosur-Ländern über Handelserleichterungen, wobei die Länder Südamerikas mit ihrer sehr leistungsfähigen Landwirtschaft dem Marktzugang für Agrarprodukte sehr hohe Priorität einräumen. Österreich und einige andere EU-Länder sehen insbesondere Rindfleischlieferungen besonders kritisch. Der Abbau der Exporterstattungen und des Außenschutzes in der EU-Agrarmarktordnung geht auf die internationale Handelspolitik

zurück und erscheint unumkehrbar, auch wenn der US-Präsident neu-
erdings den Schutz des US-Heimmarktes entgegen den eingegangenen
Verpflichtungen massiv betreibt.

Überregulierung und Bürokratie

In Österreich beklagen Wirtschaft und Landwirtschaft völlig berechtigt
die Überregulierung und den damit verbundenen Aufwand für die Unternehmen und die Verwaltung. Am Beispiel der Agrarverwaltung kann
man zeigen, dass der Verwaltungsaufwand seit dem EU-Beitritt laufend
gestiegen ist und immer mehr Personal braucht. Die Agrarmarkt Austria
beschäftigt derzeit rund zweieinhalbmal so viele Mitarbeiter als zum
Zeitpunkt der Gründung als EU-Zahlstelle. Alle bisherigen Bemühungen
zur Verwaltungsvereinfachung haben wenig Erfolg gehabt. Die Akzeptanz der Regulierung bei den Bürgern leidet zunehmend darunter. Es ist
dringend notwendig, den Regelungsumfang und dessen Detaillierung
auf der EU-Ebene zu verringern. Es ist dies auch ein Anliegen der österreichischen EU-Ratspräsidentschaft.

Klimawandel und Wasserhaushalt

Der Klimawandel und dessen Auswirkungen auf den Wasserhaushalt
werden auch in der Land- und Forstwirtschaft in Österreich zu großen
Veränderungen führen. Die Klimaerwärmung verlängert die Vegetati-
onsperiode und verändert das Pflanzenwachstum über die Höhenstufen.
Die Wasserversorgung in den trockeneren Klimagebieten wird zuneh-
mend ein begrenzender Faktor für den Ackerbau. Künftig wird auch in
Österreich Bewässerung wichtiger werden. Dafür werden bedeutende
Investitionen notwendig sein.

Nachhaltiges Energiesystem dringend notwendig

Unsere Energiesysteme bauen zum überwiegenden Teil auf fossilen Energieträgern auf und sind damit keinesfalls nachhaltig. Die Land- und
Forstwirtschaft kann einen wesentlichen Beitrag zur Umgestaltung
und bei der Nutzung erneuerbarer Energieträger leisten. Der bisher in
Österreich beschrittene Weg erfordert viele Fördermittel und verzichtet
auf härtere Lenkungsmaßnahmen oder höhere steuerliche Belastungen

für den Verbrauch fossiler Energieträger. Zur Erreichung der Klimaziele sind nach Meinung vieler Experten wirksamere Maßnahmen notwendig.

Bodenverbrauch und Raumordnung

Österreich zählt zu den Ländern mit dem höchsten Bodenverbrauch. Die Österreichische Hagelversicherung widmet diesem Thema seit Jahren viel Aufmerksamkeit und Überzeugungsarbeit. Ein Vergleich mit unseren Nachbarländern zeigt, dass unsere Regeln für die Raumordnung ungenügend sind und keine wirkliche Trendumkehr erreicht werden konnte. In vielen Regionen in Österreich werden Agrarflächen bester Bonität weiterhin sorglos für Verkehrsflächen oder schrankenlose Ausweitungen von Gewerbegebieten zubetoniert.

Zukunftschancen der Bauern in Österreich – welche Vorteile und Chancen haben die Bauern

Die Bauern in unserem Land haben eine Reihe von guten Voraussetzungen, wie sie in dieser Kombination in anderen Regionen weniger anzutreffen sind. Besonders gilt das für die nachstehenden Kriterien:
- Landwirtschaftliche Fachausbildung – im internationalen Vergleich vorzüglich
- Breites Beratungsangebot der LK (Bildung, Betriebswirtschaft, Investitionen, Förderungen)
- Gesunde Umwelt und Lebensgrundlagen
- Wertschätzung der Konsumenten
- Marktnähe der regionalen Anbieter
- Erwerbsmöglichkeiten im Dienstleistungsbereich – besonders in Verbindung mit dem Tourismus
- Erneuerbare Energie als Chance
- Gute Absicherung der Familienbetriebe durch die bäuerliche Sozialversicherung
- Die Einkommensbesteuerung mit Pauschalregelung bietet für Betriebe mit höherer Wertschöpfung Vorteile.

RUDOLF ANSCHOBER
Landesrat für Umwelt, Wasserrecht,
Integration und Konsumentenschutz in
Oberösterreich, Linz

Nachhaltig gutes Leben möglichst für alle

Die Bedeutung der Ökosozialen Marktwirtschaft stand für mich als Grünen immer außer Streit, die Notwendigkeiten, die ich damit einhergehend sah und für die ich mich als Umweltpolitiker immer wieder einsetze, gingen und gehen von einem Global Marshall Plan bis zur dringend benötigten ökosozialen Steuerreform, die ich jetzt im Jahr 2018 bei einer österreichischen Klimastrategie schmerzlich vermisse.

Durch die Übernahme der Integrationsagenden vor wenigen Jahren bekamen für mich die Schlüsselsätze „Mehr Lebensqualität für alle. Heute und morgen." noch auf eine andere Art wesentlich mehr Gewicht. Denn nur gemeinsam lässt sich für uns alle ein gutes Leben etablieren, welches wir anstreben in ökologischer, wirtschaftlicher und sozialer Hinsicht. Und dieses gesamthafte nachhaltig gute Leben für möglichst alle ist doch auch das Ziel der Ökosozialen Marktwirtschaft. Auch wenn dieses Konzept nun mehr als ein Vierteljahrhundert alt ist, so ist die Idee dahinter aktueller denn je und gewinnt weiter rasant an Bedeutung – sie muss zu einer Prämisse heimischer Politik und staatsmännischen Handelns werden.

Eine Klimastrategie nach der anderen wurde und wird entworfen, und es werden Maßnahmen dargelegt, doch das Gleichgewicht zwischen Umwelt, sozialen Anliegen und der Wirtschaft ist weiterhin nicht in Sicht, sodass es ein nachhaltig gutes Leben für möglichst alle ermöglichen würde. Von dieser dringlich erforderlichen Balance sind wir heute weit entfernt – und das angesichts der Tatsache, dass Österreich zu den reichsten Ländern der Erde zählt.

Das Modell der Ökosozialen Marktwirtschaft von Vizekanzler a. D. Josef Riegler hat einen Weg hin zum Wirtschaften mit Verantwortung aufgezeigt, und dies bedeutet, zukunftsgewandt den Weg zu gehen und fossile Energie durch erneuerbare Energien zu ersetzen, den öffentlichen Verkehr auszubauen und moderne emissionsfreie Verkehrsformen zu etablieren, das Steuersystem ökosozial zu gestalten, den Standort zu einem nachhaltig verlässlichen und lebenswerten zu machen und Österreich in eine positive Zukunft zu führen – für uns und die nachfolgenden Generationen.

„Das Modell der Ökosozialen Marktwirtschaft von Josef Riegler hat einen Weg hin zum Wirtschaften mit Verantwortung aufgezeigt."

Rudolf Anschober

Für das Aufzeigen dieses ökosozialen Weges sei Josef Riegler nachhaltig gedankt.

Dr. Markus Marterbauer
Leiter der Abteilung Wirtschaftswis-
senschaft und Statistik der Arbei-
terkammer Wien, Vizepräsident des
Fiskalrates, Wien

Budgetpolitik heißt immer Prioritäten setzen

Das Budget ist in Zahlen gegossene Politik. Und so spiegeln sich die strategischen Schwerpunkte eines Regierungsprogrammes in den Anforderungen an die Budgetpolitik. In der Kreisky-Ära galt – auch aufgrund der Erfahrungen des Bundeskanzlers in der Zwischenkriegszeit – Vollbeschäftigung als wichtigstes wirtschaftspolitisches Ziel, und das Budget wurde als eines der Instrumente der Beschäftigungspolitik eingesetzt. Mit Erfolg, denn in Österreich blieb die Arbeitslosenquote bis Anfang der 1980er-Jahre, und damit länger als in fast allen anderen europäischen Ländern, unter zwei Prozent der unselbständigen Erwerbspersonen. Entgegen der öffentlichen Meinung übrigens nicht auf Kosten der Budgetzahlen: Unter Finanzminister Hannes Androsch wies Österreich von 1970 bis 1974 durchgehend erhebliche Budgetüberschüsse auf und das Defizit in der gesamten Vollbeschäftigungsperiode lag mit 1,5 Prozent des BIP niedriger als im EU-Durchschnitt und in Deutschland.

Beginnend mit den 1960er-Jahren und noch bis Mitte der 1990er-Jahre prägten Auf- und Ausbau des Wohlfahrtsstaates die Budgetpolitik. Die Sozialquote, also der Anteil der öffentlichen Ausgaben für Soziales und Gesundheit, stieg von 20 auf 30 Prozent des BIP. Inkludiert man die Ausgaben für Bildung, dann gehen heute sieben von zehn Euro an Staatsausgaben in diese drei Bereiche. Nahezu völlig parallel zum Anstieg der Sozialquote stieg auch die Abgabenquote, der Anteil von Steuern und Beiträgen am BIP, von 32 auf 42 Prozent. Denn der Politik und der Gesellschaft war klar, dass ein Ausbau des sozialen Sicherungssystems aus Steuern und Beiträgen finanziert werden muss und nicht aus Kreditaufnahmen. Die politischen Alternativen sind also recht eindeutig definiert: gutes Sozialsystem kombiniert mit hoher Abgabenquote oder niedrige Steuern verbunden mit schlechtem Sozialsystem. Österreich hat seinen Weg gewählt, nicht zum Schaden der Menschen und der Wirtschaft im Land.

Dennoch ist über die Jahrzehnte die Schuldenquote, also der Anteil der Bruttoschulden des Gesamtstaates am BIP, gestiegen, von 43 Prozent zu Ende der Ära Kreisky auf 65 Prozent im Jahr 2007 und 85 Prozent im Jahr 2015. Der sprunghafte Anstieg in der Finanzkrise nach 2007 ist das Ergebnis der umfangreichen Hilfen an das Bankensystem (30 Mrd. Euro) und des tiefen Wirtschaftseinbruchs, der die Staatseinnahmen nach unten drückte und die Ausgaben für Arbeitslosigkeit wachsen ließ. Doch selbst im Jahr 2015 überstiegen die öffentlichen Vermögenswerte die Schulden merklich. Staatliche Infrastruktur

„Der sprunghafte Anstieg der Bruttoschulden in der Finanzkrise nach 2007 ist das Ergebnis der umfangreichen Hilfen an das Bankensystem und des tiefen Wirtschaftseinbruchs."

Markus Marterbauer

(Schienennetz, Straßen, Wohnbau, Bildungseinrichtungen u. a.) staatliche Unternehmensbeteiligungen, Finanzvermögen und Grundstücke wurden mit Kreditaufnahme finanziert. Aus ökonomischer Sicht ist das vernünftig, weil dieser öffentliche Kapitalstock den künftigen Generationen zugutekommt. Doch kurioserweise wird das öffentliche

Vermögen in internationalen Vergleichen oder budgetpolitischen Analysen gar nicht berücksichtigt, ganz im Gegenteil zum Unternehmenssektor. Dort würde es niemals jemandem einfallen, die Solvenz eines Unternehmens nur anhand seiner Schulden und nicht anhand seines Anlagevermögens zu beurteilen.

Die Trendwende in den Zielsetzungen der Budgetpolitik ging von den EU-Vorgaben aus: Stabilitäts- und Fiskalpakt stellten die Erreichung von Budgetzielen – mittelfristiges strukturelles Nulldefizit und Schuldenquote von 60 Prozent des BIP – in den Mittelpunkt. Österreich hat diese Weichenstellung akzeptiert. Dadurch ist es zu einer Neuausrichtung der budgetpolitischen Strategie gekommen. Das strukturelle Defizit wurde durch einen ausgewogenen Maßnahmenkatalog aus Steuererhöhungen und Ausgabeneinsparungen von drei Prozent in der Finanzkrise 2009 auf 0,3 Prozent im Jahr 2015 zurückgeführt. Die Staatsschuldenquote reagiert träger, sie erreicht 2018 74 Prozent des BIP, wird 2021 das Vorkrisenniveau von 65 Prozent unterschreiten und 2023 die Marke von 60 Prozent des BIP erreichen.

Österreich erfüllt also die Fiskalkriterien der EU. Und jetzt, bei saniertem Budget und guter Wirtschaftslage, stellt sich die Frage nach den budgetpolitischen Prioritäten noch einmal sehr explizit: Strategie I stellt die Senkung der Abgabenquote unter 40 Prozent des BIP in den Mittelpunkt, mit Schwerpunkten der Steuersenkung für Besserverdiener (Ausschaltung der kalten Progression, Familienbonus nicht für das untere Einkommensdrittel der Familien), der Großunternehmen (Senkung des Körperschaftssteuersatzes, Begünstigung von nicht-entnommenen Gewinnen) und einzelner Lobbys (Mehrwertsteuersenkung im Tourismus, Abschreibungsregeln für Immobilienwirtschaft).

Strategie II stellt Investitionen in den sozialen Zusammenhalt und den ökologischen Umbau in den Mittelpunkt. Etwa in die aktive Arbeitsmarktpolitik durch Stärkung der Vermittlung und Qualifizierung der Arbeitslosen und prekär Beschäftigten für gute Jobs; in die Integration der Geflüchteten in das Bildungssystem, den Arbeitsmarkt und die Gesellschaft; in den weiteren Ausbau von Kindergärten und Krippen und die bessere Bezahlung der dort beschäftigten LeistungsträgerInnen; in Ganztagsschulen und Schwerpunktmaßnahmen nach dem Chancenindex; in den Ausbau des Pflegesystems, damit der soziale Unterschied zwischen Arm und Reich nicht im Alter nochmals schlagend wird; in den öffentlichen Verkehr, damit der Anteil des motorisierten Individualverkehrs verringert werden kann; in den sozialen Wohnbau, der die Zersiedelung der Bodenflächen vermeidet; in die Erneuerung der Energieerzeugung und der Energienetze; in die Entlastung der Arbeitseinkommen durch Abgaben, damit sich Leistung lohnt.

Strategie II muss übrigens nicht in Konflikt mit einem mittelfristig ausgeglichenen Staatshaushalt kommen: Die Milliardenbeträge, die dem Staat durch Steuerhinterziehung und -umgehung entgehen, und der geringe Anteil von vermögensbezogenen Steuern in Österreich eröffnen budgetäre Spielräume, die einen nachhaltigen Finanzierungssaldo mit einer ökologisch-sozialen Investitionsstrategie und einer Entlastung der Arbeitseinkommen kombinieren lassen würde.

Die Unterschiede in diesen unterschiedlichen politischen Strategien sind nicht nur Grundsatzfragen, sondern sie stellen sich in der konkreten Budgetpolitik jeden Tag auf's Neue. Im Budget 2018/19 kam der Unterschied zwischen Strategie I und II auf den Punkt: Wären Aktion 20.000 für ältere Langzeitarbeitslose (Nettokosten 220 Mio. Euro) oder Integrationsjahr für Asylberechtigte (100 Mio. Euro) oder zweites kostenloses Kindergartenjahr (90 Mio.) nicht wichtiger als eine Mehrwertsteuersenkung im Tourismus (120 Mio. Euro)?

Klima

„Die Preise müssen die ökologische Wahrheit sagen, nicht die Gerichte.“

Ernst Ulrich von Weizsäcker

Dr. Heinz G. Kopetz
Ehemaliger Präsident des Weltbiomasseverbandes und des Österreichischen Biomasseverbandes, Graz

Klimapolitik – vor und nach Paris

Kürzlich las ich das Buch „Der Seneca-Effekt" von Ugo Bardi (1). Das ist eine Abhandlung über den Aufstieg und Zusammenbruch von Systemen verschiedenster Art. Da wird die Geschichte des Römischen Reiches ebenso analysiert wie der Bau von Pyramiden und der Lebenslauf großer Persönlichkeiten. Die Quintessenz der Abhandlung lässt sich in der Aussage zusammenfassen, dass Aufbau und Aufstieg viel Zeit erfordern, der Zusammenbruch mitunter sehr schnell erfolgt.

Einleitung

Die Beispiele aus diesem Buch kommen mir in den Sinn, wenn ich hier versuche, einen Überblick über die Klimapolitik zu entwickeln. Der Klimawandel ist mittlerweile Realität, die wir überall auf der Welt beobachten können und die sich in unserem Lebensraum zwischen Donau und Adria, zwischen Rhein und Neusiedlersee durch wenige Stichworte beschreiben lässt: allgemeine Erwärmung, Zunahme von Unwettern mit Intensivniederschlägen, Überschwemmungen mit großen Sachschäden aber auch Todesfällen, Murenabgänge, immer

mehr Hitzetage und Tropennächte mit Beeinträchtigung des Wohl-
befindens, regionale Trockenperioden mit Ernteausfällen, Rückgang
der Gletscher, Schädlingsinvasion in den Wäldern, Bergstürze durch
Auftauen des Permafrostes usw. – in Summe erreichen die ökonomischen Schäden Milliardenhöhe, Tendenz steigend. Global gesehen, ist
der Befund noch dramatischer. Der Anstieg des Meeresspiegels, wegen
Hitze unbewohnbare Landstriche und Hungersnöte erhöhen den Migrationsdruck von Jahr zu Jahr.

Das alles ist schon bei einer globalen Erwärmung von 1° C wie aktuell
zu beobachten. Was aber steht uns in der Zukunft bevor, wenn die
Erwärmung auf 3 bis 5° C steigt, wie die aktuellen Trends vermuten
lassen? Das ist kaum auszumalen, es übersteigt teilweise unser Vor-
stellungsvermögen.

Das wirft die Frage auf, ob unsere auf Gewinn, Genuss und Konsum
ausgerichtete Gesellschaft überhaupt willens und fähig ist, mit Ent-
schiedenheit gegen den Klimawandel vorzugehen. Was ist für eine
erfolgreiche Klimapolitik im Sinne des Paris-Abkommens notwendig?
Ein Blick auf die physikalischen Zusammenhänge und ökonomischen
Gesetzmäßigkeiten liefert die Antwort.

Klimawandel bremsen – Ausflug in die Physik und Ökonomie

Die Erderwärmung steigt mehr oder weniger linear mit der Konzentration von CO_2 in der Atmosphäre. Daher ist die Menge an CO_2 in der
Atmosphäre der wichtigste Parameter für den Klimawandel. Im Jahre
1988, dem Jahr, in dem die erste große internationale Klimakonferenz
in Toronto stattfand, lag dieser Wert bei 350 ppm (parts per million)
– ein Wert, der mit dem Klimaverlauf der letzten Jahrhunderte ver-
einbar ist. Ein Anstieg der Konzentration auf über 420 ppm ist mit den
Klimazielen, wie sie 2015 in der Klimakonferenz von Paris formuliert
wurden, nicht mehr kompatibel. Wie hoch ist dieser Wert aktuell, im
Frühjahr 2018? Nun, im Mai 2018 lag die CO_2- Konzentration schon bei
411 ppm! (2).

Wenn die aktuelle Entwicklung anhält, wird dieser Schwellenwert von
420 ppm schon vor 2025 überschritten werden. Ab diesem Zeitpunkt

wird es praktisch unmöglich, die Erderwärmung in diesem Jahrhundert auf 1,5 bis 2° C zu beschränken, sie wird 3°, 4° C oder noch mehr erreichen! Eine alarmierende Aussage. Warum steigt dieser Wert so rasch?

Die Antwort ist einfach: weil die Menschheit durch die Verbrennung fossiler Energieträger wie Kohle, Öl und Gas jährlich weit mehr als 30.000 Millionen Tonnen CO_2 in die Luft bläst – Tendenz zuletzt wieder steigend. Die IEA (International Energy Agency) meldete im März 2018: „Globale CO_2- Emissionen auf Rekordhoch. Im vergangenen Jahr stieg der Ausstoß von Kohlendioxid (CO_2) im Zuge der wachsenden Energienachfrage rund um den Globus um 1,4 % und erreichte mit 35,2 Milliarden Tonnen das höchste Niveau aller Zeiten. IEA-Chef Fatih Birol kritisierte die Bemühungen zur Bekämpfung des Klimawandels als deutlich unzureichend" (3).

Die hohen Emissionen stehen im engen Zusammenhang mit den niedrigen Preisen von Öl und Gas. In einer Marktwirtschaft führen niedrige Preise zu einer steigenden Nachfrage und damit zu mehr Verbrauch. Im Falle von Öl und Gas bedeutet das auch einen Anstieg der Emissionen. Der Ölpreis fiel von 120 Dollar/Fass Mitte 2014 auf 40 bis 50 Dollar bis Mitte 2017. Dann erfolgte ein allmählicher Anstieg auf knapp 80 Dollar im Mai 2018 und seit damals sind die Preise wieder rückläufig (Juni 2018). Der starke Rückgang der Öl- und Gaspreise gegenüber 2014 ist der Hauptgrund für die zuletzt wieder steigenden Emissionen.

> *„Die hohen Emissionen stehen im engen Zusammenhang mit den niedrigen Preisen von Öl und Gas."*
>
> Heinz G. Kopetz

Solange die Industrieländer nicht dazu übergehen, Öl und Gas wesentlich höher zu besteuern und im Gegenzug andere Abgaben zu senken, bestimmen die Öllieferländer wie Saudi-Arabien oder Russland den wichtigsten Parameter der Klimapolitik. Und wie es aussieht, sind diese Lieferländer interessiert, einen Anstieg der Ölpreise auf über 100 Dollar zu verhindern, um den Vormarsch der erneuerbaren Energien zu bremsen und ihr Geschäftsmodell nicht zu gefährden.

Die höhere Besteuerung der fossilen Energien ist daher die Schlüssel-maßnahme für eine erfolgreiche Klimapolitik: Sie macht die nationale Klimapolitik nicht mehr so abhängig von der Preispolitik der Ölliefer-länder; sie erfasst alle Energieverbraucher – jene aus der Wirtschaft ebenso wie jene aus dem privaten Sektor, sie stellt ein wichtiges Len-kungsinstrument für den Wärme- und Transportsektor dar, Bereiche, die durch den Emissionshandel gar nicht erfasst werden. Die höhere Besteuerung der Fossilenergie schafft generelle Anreize für mehr Ef-fizienz, mehr Sparen, verhindert Fehlinvestitionen in fossile Struktu-ren und verbessert die Marktchancen der Erneuerbaren. Die höheren Steuereinnahmen können aufkommensneutral an Wirtschaft und Privathaushalte zurückgegeben werden: zum Beispiel durch einen Klimabonus je Person von 120 Euro im Jahr, durch Senkung der Lohn-nebenkosten. Da gibt es viele Möglichkeiten, man muss nur wollen und sich immer wieder vor Augen halten: Ohne Steuerumbau scheitert die Klimapolitik. Diese Fakten aus der Physik und Ökonomie dürfen bei der Suche nach Lösungen nicht ausgeblendet werden.

Von Kopenhagen bis Paris – die Verantwortung der Nationalstaaten

Die Klimakonferenz von Paris im Dezember 2015 (COP 21 = Conference of the Parties) wurde als Durchbruch in der globalen Klimapolitik, als letzte Chance zur Verhinderung einer globalen Klimakatastrophe gefeiert. Mittlerweile sind mehr als zwei Jahre vergangen, zwei Fol-gekonferenzen – in Marrakesch 2016 und in Bonn 2017 – fanden statt. Was bleibt von Paris und den euphorischen Berichten?

Hohe Beteiligung: 195 Länder der Welt haben dem Abkommen mit dem neuen Ziel, die Erwärmung deutlich unter 2° C zu halten, zuge-stimmt. Dies ist gegenüber dem Kyoto-Prozess ein gewaltiger Fort-schritt, weil nicht nur die OECD-Länder, sondern praktisch alle Länder in den Kampf gegen die Erderwärmung eingebunden sind und ein völkerrechtlich verbindliches Abkommen zum globalen Klimaschutz beschlossen haben. Damit entsteht für Unternehmen der Umwelttech-nologie ein riesiger globaler Markt!

187 Länder gaben freiwillige Reduktionsverpflichtungen ab. Schon Monate vor der Konferenz wurden alle Länder aufgefordert,

nationale Reduktionsverpflichtungen zur Verminderung der Treibhausgasemissionen (THG-Emissionen) zu melden (intended national
defined contributions – INDCs). Dieser Bottom-up-Vorgang, der auf
Freiwilligkeit basiert, wurde gewählt, weil seit Kopenhagen klar war,
dass verpflichtende von der UN vorgegebene Reduktionsziele keine
Chance auf breite Zustimmung finden. Die hohe Beteiligung bestätigt
die Richtigkeit der Vorgangsweise. 187 Länder haben solche Verpflichtungen abgegeben.

Neue Ziele: Überraschenderweise wurden auch neue Ziele beschlossen: die Temperaturerhöhung soll nicht nur deutlich unter 2° C bleiben,
sondern die Bemühungen sollen auf eine Erwärmung von höchstens
1,5° C gerichtet werden. Der globale Anstieg der Treibhausgas-Emissionen soll so bald wie möglich gestoppt werden, und in der Folge soll eine
rasche Reduktion der Emissionen erfolgen, in der Form, dass nach 2050
die Netto-Emissionen auf null sinken.

Der große Widerspruch: Ohne freiwillige Reduktionsverpflichtungen
würde die Temperatur um etwa 5° C steigen, mit diesen Verpflichtungen aber immerhin noch um etwa 3° C, während als Ziel eine Erwärmung von 1,5° C beschlossen wurde. Das ist ein riesiger Widerspruch.
Die abgegebenen Reduktionsverpflichtungen der Nationalstaaten sind
viel zu gering. Paris stellt den Beginn eines Prozesses dar, der zu wesentlich ehrgeizigeren Reduktionsverpflichtungen führen muss.

Der globale Rahmen und die Verantwortung der Nationalstaaten:
Das Paris-Abkommen bietet einen Rahmen mit Zielen ohne Sanktionen bei Nichterreichung – mehr ist von einer globalen Konferenz, bei
der alle Beschlüsse einstimmig gefasst werden, nicht zu erwarten. Die
Verantwortung für die Umsetzung liegt jetzt bei den Nationalstaaten.
Wie die Emissionsentwicklung 2017 zeigt – mit Steigerungen weltweit
und auch in Österreich –, nehmen bis jetzt viele Nationalstaaten ihre
Verpflichtung nicht ernst. Wenn das so bleibt, wird das Abkommen
von Paris scheitern.

Die Nationalstaaten allein haben die Zuständigkeit in Steuerfragen
und daher die Möglichkeit, eine höhere Besteuerung der fossilen Energien einzuführen. Einige Länder in Europa haben die Wichtigkeit
dieses Schrittes erkannt und Steuern auf fossile Energien erhöht – wie
Schweden, Dänemark, England, Frankreich und die Schweiz. Öster-

reich gehört nicht dazu. Doch nur wenn immer mehr Länder diesen Steuerumbau durchführen, wird Paris ein Erfolg werden.

Paris-Abkommen und Kohlenstoffbudget

In den letzten Jahren stellte sich die Wissenschaft die Frage: Wie viel Tonnen CO_2 darf die Menschheit insgesamt noch in die Luft blasen, um die Erwärmung auf 2° C zu beschränken. Diese Menge wird als das globale Kohlenstoffbudget bezeichnet. Es beträgt für den Zeitraum 2016 bis 2050 weltweit 700 Milliarden Tonnen. Ausgehend von diesem globalen Wert und dem Vertrag von Paris, in dem sich die Industrieländer zu einer Vorreiterrolle im Klimaschutz verpflichteten, hat Prof. Kevin Andersen von der Universität Uppsala bei der letzten Klimakonferenz in Bonn vorgetragen, wieviel CO_2 die Europäische Union im Rahmen des 2°-Celsius-Zieles noch emittieren darf. Das Ergebnis:

Das Kohlenstoffbudget der EU-28 beträgt 23 bis 32 Milliarden Tonnen. Das Budget reicht bei dem aktuellen Emissionsniveau noch für sechs bis neun Jahre. Das bedeutet, dass die EU ihre CO_2- Emissionen jährlich um mehr als 10 % senken muss (4).

Daraus folgt:

- Die aktuellen EU-Ziele zum Ausbau der erneuerbaren Energien (32 % bis 2030) und zur CO_2-Reduktion (minus 40 % bis 2030 zu 1990) reichen nicht, um das 2°-Celsius-Ziel zu erreichen.
- Die Förderung des Gasausbaus durch die Europäische Union führt zu riesigen Fehlinvestitionen – stranded investments – weil auch der Gaseinsatz gegen null zurückgefahren werden muss. Die Studie „The great gas lock in" liefert Informationen (5).
- Österreich darf sich daher in seiner Klimapolitik nicht an Brüssel ausrichten, sondern muss sich an den physikalischen Fakten orientieren.

Ausblick – Klimastrategie in Österreich und das Paris-Abkommen

In Österreich wurde im Mai 2018 eine neue Klima- und Energiestrategie beschlossen – mit dem Anspruch, das Paris-Abkommen hierzulande umzusetzen. „Mission 2030 – die österreichische Klima- und Energiestrategie", wie die offizielle Bezeichnung lautet, liefert eine umfangreiche Beschreibung des notwendigen Wandels im Energiesystem und enthält viele positive Vorschläge (6).

Zu Beginn (Seite 6) heißt es unmissverständlich: „Österreich bekennt sich zu den internationalen Klimazielen und zu einer aktiven Klimaschutz- und Energiepolitik. Zentrales Ziel der Klimapolitik der Bundesregierung ist die Reduktion von Treibhausgasemissionen."

> *„Die Ziele in der österreichischen Klimastrategie reichen allerdings nicht, um das Paris-Abkommen zu erfüllen."*
>
> Heinz G. Kopetz

Die Ziele in dieser Strategie reichen allerdings nicht, um das Paris-Abkommen zu erfüllen. Auch die Dringlichkeit der raschen CO_2-Reduktion wird nicht ausreichend erklärt und angesprochen; ebenso fehlen konkrete Zeitpläne und Verantwortlichkeiten. Besonders bedauerlich ist es, dass ein Steuerumbau als unabdingbare Schlüsselmaßnahme für eine Senkung der Emissionen nicht vorgeschlagen wird. Stattdessen setzt man auf Anreize und Motivation. Damit wird es aber nicht gelingen, die Kräfte des Marktes auszuhebeln und die Ziele der Strategie, wie vorhin dargestellt, zu erreichen. So vermittelt die Strategie den Eindruck, die Politik versuche durch den Verzicht auf Verbote und Steuermaßnahmen, die Verantwortung für die Senkung der Emissionen den Bürgern auf Basis der Freiwilligkeit zu übertragen. Dieser Ansatz ist sympathisch, aber er wird angesichts der Größe der Herausforderung scheitern. Das zeigt sich konkret an der Entwicklung der Emissionen seit 2015. Tabelle 1 zeigt die aktuelle Entwicklung und jene, die gemäß dem Paris-Abkommen notwendig wäre (Spalte „SOLL", aus den Vorgaben des Paris-Abkommens abgeleitet).

Tabelle 1: Treibhausgasemissionen in Mio. t CO_2e, Österreich

Jahr	IST	SOLL
1990	78,7	
2015	78,9	
2016	79,6*	79
2017	82,1*	76
2018	82,5**	73
2019		70

*Quelle: Umweltbundesamt, * Wegener-Institut, **eigene Schätzung*

Die Tabelle zeigt, dass die Diskrepanz zwischen den Reduktionserfordernissen (SOLL) und der Realität (IST) immer größer wird. Der rasche Rückgang der Emissionen kann nur erreicht werden, wenn sofort ein strategischer Ausstieg aus den fossilen Energien einsetzt – ein Kulturwandel im Umgang mit Energie ist gefragt. In manchen Kreisen der Wirtschaft werden diese Fakten noch nicht zur Kenntnis genommen, wie eine Aussendung der Wirtschaftskammer Steiermark vom 19. Juni 2018 zeigt (7), in der die bescheidenen Ziele der Klimastrategie als zu hoch kritisiert werden. Wer so argumentiert, zeigt, dass er noch im Denken des fossilen Zeitalters verhaftet ist und die Chancen, die der Aufbau einer solaren Energiewirtschaft für die Wirtschaft bringen wird, noch nicht erkennt. Denn um die Vorgaben des Paris-Abkommens zu erfüllen, sollten zumindest folgende Vorschläge in eine überarbeitete Fassung der Regierungsstrategie eingebaut werden:

1. Neuformulierung der Ziele im Sinne des Paris-Abkommens: jährliche Reduktion der THG- Emissionen um mindestens drei Millionen Tonnen zwischen 2016 und 2030 bzw. um vier Millionen Tonnen je Jahr zwischen 2020 und 2030.
2. Ausarbeitung und Umsetzung eines ökologischen Steuerumbaus nach schwedischem Vorbild in den Jahren 2018 und 2019 mit der schrittweisen Einführung einer zusätzlichen CO_2-Abgabe von 100 Euro/Tonne CO_2 und Rückführung der Einnahmen an Wirtschaft und Gesellschaft
3. Ausarbeitung und Umsetzung eines neuen Ökostrom-(Energie-) Gesetzes in den Jahren 2018 und 2019, das sicherstellt, dass jährlich

1200 MW in die Stromerzeugung aus erneuerbaren Quellen investiert werden (Wind, PV, Wasser, Biomasse/Biogas) und bestehende Anlagen weiter betrieben werden.

4. Generelle Einführung von E10 als Treibstoff ab 2019 und gesetzliche Sicherstellung, dass in Österreich nur Diesel mit 7 % Biodieselbeimischung verkauft werden darf.

5. Bereitstellung eines jährlichen Budgets von einer Milliarde Euro für Wärmedämmung, Umbau von Heizsystemen auf erneuerbare Wärme, Ausbau der Fernwärme.

Die Umsetzung dieser Vorschläge erfordert ein breites Umdenken im Umgang mit Energie – in Kreisen der Wirtschaft ebenso wie in der Bevölkerung insgesamt. Wie dramatisch die Situation schon ist, hat erst am 12. April 2018 ein Beitrag des Klimaforschers Prof. Stefan Rahmstorf im Morgenjournal gezeigt, der über das beginnende Erlahmen des Golfstroms – als Folge der Erwärmung – mit nicht absehbaren Konsequenzen für die Klimaentwicklung in Nord- und Mitteleuropa berichtete.

Schlusswort

Im Frühjahr 2018 ist die Welt unterwegs auf eine Erwärmung von 3 bis 5° C. Österreich trägt überdurchschnittlich stark zu dieser Entwicklung bei. Die Chancen, dass sich das noch ändert, bestehen, aber sie sind sehr klein. Ohne einen tiefgreifenden Umbau des Steuersystems mit einer wesentlich höheren Besteuerung der fossilen Energien lässt sich diese Fahrt in die Klimakatastrophe nicht mehr stoppen. Doch wer will schon höhere Steuern auf Öl und Gas, auf Benzin und Diesel? Die Bürger wollen das nicht, und die Politik folgt hier den Präferenzen der Gesellschaft. Viele neh-

„Ohne einen tiefgreifenden Umbau des Steuersystems mit einer wesentlich höheren Besteuerung der fossilen Energien lässt sich die Fahrt in die Klimakatastrophe nicht mehr stoppen.“

Heinz G. Kopetz

men die zunehmenden Schäden aus dem Klimawandel wie ein Schicksal hin und interessieren sich weder für die physikalischen Fakten noch für wirksame Gegenmaßnahmen – eine lähmende Gleichgültigkeit legt sich über die Gesellschaft. Daran kann das Paris-Abkommen nichts ändern, denn es liefert nur den Rahmen – die Verantwortung und die Umsetzung liegen jetzt auf nationaler Ebene. Wenn die Zivilgesellschaft in dieser Gleichgültigkeit verharrt und auf schöne Worte statt unangenehme Maßnahmen setzt, dann wird Seneca mit seiner Analyse über den langsamen Aufstieg und das rasche Kollabieren von Systemen wohl recht behalten.

Quellen:
(1)   Bardi, Ugo, Der Seneca-Effekt. Oekom Verlag-München. 2017.
(2)   https://www.esrl.noaa.gov/gmd/ccgg/trends 24. Juni 2018
(3)   https://diepresse.com/home/wirtschaft/economist/5393303/Globale-24., Juni 2018
(4)   Andersen, Kevin, Universität Uppsala
(5)   Gas lock in the report „ The great gas lock in" by Corporate Europe Observatory, October 2017 https://corporateeurope.org/climate-and-energy/2017/10/great-gas-lock
(6)   Mission 2030 – Die österreichische Klima- und Energiestrategie. www.mission2030.bmnt.gv.at. Juni 2018
(7)   Wirtschaftskammer Steiermark. Presseinformation. Industrie fordert realistische nationale Energie- und Klimaziele. Graz. 19. Juni 2018

em. O. Univ.-Prof.
Dr. Helga Kromp-Kolb
Leiterin des Zentrums für globalen Wandel und Nachhaltigkeit der Universität für Bodenkultur Wien

Innerhalb der ökologischen Grenzen gut leben?

1. Ökologische Grenzen

Der Bericht an den Club of Rome „Die Grenzen des Wachstums" 1972 legte dar, dass in einem begrenzten System exponentielles Wachstum zunächst zum Überschießen und dann zum Kollaps des Systems führt. Nicht die Ressourcenverknappung per se führt zum Kollaps, sondern die Folgen der steigenden Extraktionskosten. Die mehr als 40 Jahre seit 1972 zeigen einen Verlauf, der erschreckend nahe dem damals berechneten Referenzszenarium liegt. Der Weckruf hat demnach nichts gefruchtet. Bedauerlicherweise ist die Nähe des Kollapses nicht leicht zu erkennen. Sobald er sich aber erkennbar manifestiert, ist es wesentlich schwerer, notwendige Maßnahmen zu setzen, weil der Spielraum nicht mehr verfügbar ist, der vorher noch vorhanden war.

Mittlerweile formt der Mensch die Natur in nie gekannter Weise, er ist zur größten gestaltenden Kraft in der Natur geworden (Paul Crutzen). Die Bezeichnung der gegenwärtigen geologischen Epoche als „Anthropozän" trägt diesem Umstand Rechung. Für neun Eingriffe des Menschen in die Natur wurden kürzlich als zwei konzentrische Kreise jene Grenzen dargestellt, innerhalb derer die Menschheit nach derzeitigem Verständnis, ohne Sorge das globale Ökosystem zu gefährden, agieren kann, und jene, ausserhalb derer das Risiko für Mensch und Natur gefährliche Entwicklungen auszulösen, hoch ist – ein Bereich, in den der Mensch nicht vorstoßen sollte. Dazwischen liegt ein Bereich der Unsicherheit, in dem die Wissenschaft nicht sagen kann, ob die Resilienz der Natur bereits überschritten ist oder nicht. Biodiversitätsverlust und Eingriffe in die Stickstoff- und Phosphorflüsse bewegen sich bereits im roten Bereich, die Ozeanversauerung noch im grünen, der Klimawandel in der Unsicherheitszone, denn es ist nicht eindeutig feststellbar, ob das Klima noch stabilisierbar ist oder nicht.

Nach Naom Chomsky ist der Klimawandel eine der beiden größten Gefahren für die organisierte menschliche Existenz[1]. Weder Warnungen noch die täglichen Katastrophenberichte oder die Projektionen zu erwartender Veränderungen, wie sie z. B. vom IPCC weltweit oder vom APCC für Österreich in Sachstandsberichten zusammengefasst werden, haben zu Minderungsmaßnahmen im notwendigen Ausmaß geführt.

> *„Der Klimawandel ist eine der beiden größten Gefahren für die organisierte menschliche Existenz."*
>
> Helga Kromp-Kolb

Das Klimaabkommen von Paris, das 2016 völkerrechtlich verbindlich wurde, wird vor diesem Hintergrund zu Recht als großer Durchbruch gefeiert. Es begrenzt den globalen Temperaturanstieg mit 2° C und sieht Bemühungen vor, 1,5° C nicht zu überschreiten. Konkret bedeutet das z. B., dass von den bekannten Kohle-, Öl- und Gasvorkommen 89 %, 63 % und 64 % nicht gefördert werden dürfen, denn die Menge an Treibhausgasen, die noch in die Atmosphäre gelangen darf, ist begrenzt. Das Gesamtbudget an Treibhausgasemissionen ist also vorgegeben. Je höher der Gipfelpunkt der Emissionen und je später er auftritt,

---

1   Die zweite ist ein Nuklearkrieg, dem wir heute näher sind als je.

desto drastischer müssen die nachfolgenden Reduktionen sein. Das Abkommen ist allerdings bisher lediglich eine Absichtserklärung, deren Umsetzung noch aussteht.

Was heißt das Pariser Ziel für Österreich? Wenn nicht mehr als die der Bevölkerungszahl Österreichs entsprechende Treibhausgasmenge in Anspruch genommen wird, dann ist das Budget bei den derzeitigen jährlichen Emissionen in 12 Jahren, d. h. bis 2030 aufgebraucht. Aber jeder zweite Haushalt in Österreich heizt derzeit noch fossil, über 80 % der Mobilität sind auf fossile Energie aufgebaut. Der verfügbare Zeitraum kann gedehnt werden, wenn die Emissionen sehr rasch reduziert werden. Die Herausforderung ist aber jedenfalls enorm, und es stellt sich die Frage, ob das Ziel überhaupt erreichbar ist.

Im Jahr 2015 wurden von der UNO 17 Ziele für eine nachhaltige Entwicklung (SDGs) einstimmig verabschiedet, die alle Staaten dazu verpflichten, zwei zentrale Agenden synergistisch zu betreiben und nicht gegeneinander auszuspielen: Ein „Gutes Leben für Alle" zu erreichen und innerhalb der ökologischen Grenzen zu bleiben. Das Klimaproblem ist als SDG13 in diese Bemühungen eingebettet und darf daher auch nicht isoliert gesehen werden, sondern als Teil der größeren Problematik der Übernutzung der natürlichen Ressourcen.

2. Neues Denken

In der „Doughnut Economy" (Kate Raworth) werden die beiden eingangs beschriebenen Grenzen für menschliche Eingriffe durch eine weitere ergänzt: Sie ist definiert durch die für ein „gutes Leben" unumgänglichen Eingriffe in die Natur. Je mehr Menschen und je höher ihre Ansprüche, desto weiter schiebt sich diese – im Unterschied zu den beiden anderen von Menschen definierte – Grenze, der innere Kreis, hinaus. Die Fläche zwischen Bedarf und zulässigem Eingriff in die Natur stellt den Handlungsspielraum der Wirtschaft dar. Diese Darstellung zeigt auf, dass eine ständig wachsende Wirtschaft entweder die natürlichen Grenzen überschreiten, oder die sozialkulturellen Barrieren zurückdrängen muss, oder beides.

Kürzlich wurden Analysen publiziert, die zeigen, dass kein Staat sich derzeit innerhab der „Doughnut" befindet, d. h. beide Grenzen einhält.

Bedeutet das, dass ein gutes Leben für alle innerhalb der ökologischen Grenzen nicht möglich ist?

Ein Blick in die Geschichte lehrt, dass es sehr wohl Epochen gegeben hat, in denen beides erfüllt war – friedliche, florierende Epochen. Aber inzwischen hat die Zahl der Menschen signifikant zugenommen und die Bedürfnisse und Ansprüche der Einzelnen ebenfalls. Ist das globale Ökosystem überhaupt in der Lage, die Grundbedürfnisse von 7,8 Milliarden Menschen zu bedienen?

Eine Stabilisierung oder, noch besser, ein allmähliches Schrumpfen der Weltbevölkerung würde es zweifellos erleichtern, innerhalb der Doughnut zu bleiben. Die Weltbevölkerung ist ein wesentlicher Faktor, dem mehr Aufmerksamkeit geschenkt werden sollte.

Aber ganz unterschiedliche Analysen zeigen auf, dass die Lebensqualität nach Deckung der Grundbedürfnisse mit zunehmendem Einkommen, Ressourcen- und Energieverbrauch etc. nur mehr vergleichsweise wenig ansteigt. Auf diesen zusätzlichen Verbrauch könnte daher ohne wesentliche Einbuße an Lebensqualität verzichtet werden. Konkret werden z. B. 50 % der globalen Treibhausgasemissionen von nur 10 % der Bevölkerung verursacht. Würden diese 10 % ihre Emissionen nur auf das Durchschnittsniveau Europas reduzieren, würden die globalen Emissionen schon um ein Drittel sinken.

Internationale Entwicklungen geben Hoffnung: Die pro Jahr neu installierten Leistungen an elektrischer Energie aus erneuerbaren Energiequellen haben die aus fossilen bereits überholt; sie steigen, während jene fallen, obwohl Letztere in sechs- bis zehnfacher Höhe subventioniert werden. Die Schwellen- und Entwicklungsländer investieren bereits gleichviel in Erneuerbare wie die OECD-Länder – erneuerbare Energien sind also kein Wohlstandsphänomen mehr. Jene, die Energie am dringendsten brauchen, haben erkannt, wo die Zukunft liegt. Die Divestmentbewegung führt dazu, dass dem fossilen Sektor systematisch Investitionsmittel entzogen werden: In den USA waren es 50 Milliarden $ im September 2014 und im September 2015 bereits 2.600 Milliarden.

Aber um die Gesellschaft von der ihr von einem auf Wachstum angewiesenen Wirtschafts- und Finanzsystem anerzogenen Sucht nach Konsum und damit nach Rohstoffen und Energie zu heilen, bedarf es mehr als techologischer Innovation. Eine Rückbesinnung auf intrinsische Werte, wie Gemeinschaftssinn und Suffizienz, und ein Blick auf Resilienz statt ausschließlich Effizienz sind Voraussetzungen für die notwendige, tiefgreifende Transformation der Gesellschaft. Diese wird erstritten und erkämpft werden müssen – sie stellt sich nicht von selbst ein. Nicht zuletzt wegen des Klimawandels ist dies ein Wettlauf mit der Zeit, dessen Ausgang ungewiss ist.

PROF. DKFM. ERNST SCHEIBER
Publizist und Herausgeber, Mauerbach

Pyrrhussieg gegen das Klima

Auch wenn sie davon heute nichts wissen wollen: Wissenschaftler des Öl- und Gasriesen Exxon, immerhin der weltgrößte Fossil-Energiekonzern, warnten schon ab 1977 vor den dramatischen Gefahren des Klimawandels. Doch die damalige Führungscrew des Energiemultis verheimlichte diese Informationen mit Konsequenz. Statt zu agieren, waren Täuschen und Verunsichern angesagt. Das brachten Untersuchungen des Nachrichtenmagazins „InsideClimateNews" zutage. Beispielgebend für diese Vorgangsweise war die Tabakindustrie, die jahrzehntelange Lügen über die gesundheitlichen Auswirkungen des Rauchens verbreitete. Eine Chuzpe par excellence, es wurden sogar dieselben Berater engagiert, um in der Öffentlichkeit gezielt Zweifel am Faktum des Klimawandels zu säen. Denn Exxon hatte „Handlungsbedarf": Der Konsens in Wissenschaft und Gesellschaft, dass der Mensch via Freisetzung des Kohlendioxids – durch das Verbrennen fossiler Energieträger – das Klima beeinflusst, sollte unbedingt bekämpft werden. Die „Bedrohung" für die Fossil-Energieindustrie ergab sich aus der Tatsache einer möglichen veränderten Energienutzungsstrategie der Bevölkerung. Die Zielsetzung der

Koalition von Öl- und Gasfirmen bestand nun darin, mit Kommunikationsoffensiven dafür zu sorgen, dass der Durchschnittsbürger Zweifel an der Klimaforschung und damit dem Klimawandel bekommen sollte.

Ronald Reagan – vorerst Klimaschützer

1988/89 beginnt sich die Sorge vor dem von den Menschen verursachten Klimawandel konkret zu akzentuieren. Wissenschaftler, „Grün-Bewegte" und erstmals auch die Politik „plakatierten" vor der Weltklimakonferenz in Toronto die Gefahren der Erderwärmung. Bis dahin hatte die Angst vor einer weltweiten nuklearen Auseinandersetzung zwischen Ost und West vorgeherrscht. Die Information und Diskussion der Ursachen und Folgen des Klimawandels rückten damit in den Mittelpunkt des öffentlichen und politischen Interesses. Die Pikanterie: Just die republikanische Regierung von Ronald Reagan forcierte die Gründung des UN-Weltklimarates mit derzeit 3000 führenden Klimaexperten. Hoffnung auf eine breite Informationswelle und einen fairen Diskurs machte sich nicht nur in der Wissenschaft breit. Außer Diskussion stand damals, dass die Erderwärmung menschengemacht sei. Es folgte die Weltklimakonferenz in Rio, mit der Verpflichtung, die Treibhausgase zu verringern. Die Regierung von Bill Clinton versuchte 1993 sogar, eine Steuer auf fossile Energien einzuführen. Genau das passierte aber nicht, ganz im Gegenteil. Öl- und Kohlekonzerne stiegen in der Folge mit ihren PR- und Werbemilliarden „in den Ring". Sie fühlten sich primär nicht vom Klimawandel bedroht, die Klimaschutzmaßnahmen zur Reduktion der CO_2-Emissionen lehrten sie das Fürchten. Genau diese Maßnahmen sollten mit allen verfügbaren Instrumenten bekämpft werden, hatte doch Exxon bereits 1981 den Zusammenhang zwischen Erderwärmung und CO_2-Ausstoß präzise beschrieben: Bis 2100 werde es zu einer Verdoppelung der CO_2-Konzentration in der Atmosphäre kommen und die weltweite Temperatur werde sich um drei Grad Celsius erhöhen. Gegen jede Vernunft reagierte Exxon nicht mit Zukunftssicherung und mit dem dynamischen Ausbau erneuerbarer Energien, die Konzernbosse pumpen ab dem Ende der 1980er-Jahre mit anderen Fossil-Energiemultis Milliarden von Dollar in Politkampagnen, um den in den USA durchaus gegebenen Konsens über den von den Menschen verursachten Klimawandel aufzubrechen und die

Erfordernisse sofort einzuleitender Maßnahmen zu unterlaufen. Das „probate" Mittel dafür – die gezielte Falschinformation.

Gegenorganisation zum Weltklimarat

Dann ging es Schlag auf Schlag. Zuerst wurde eine Gegenorganisation zum Weltklimarat geschaffen. In der Global Climate Coalition vereinigten sich alle Unternehmen, um unter Verschleierung der Geldgeber Klimawandelskepsis zu schüren. Ergänzt wird diese Arbeit durch einen Zusammenschluss von Exxon mit dem American Petroleum Institute. Seine Zielsetzung: die Information der Öffentlichkeit über die „Unsicherheiten" der Klimawissenschaft.

Thinktanks und pseudowissenschaftliche Institute „komplettieren" mit ihren Aussendungen das Instrumentarium der Desinformation. In der New York Times „punkten" Exxon und dann ExxonMobile an prominenter Stelle mit 36 Adventorials – redaktionelle Aufmachungen von Werbeaussagen, die den Eindruck von wissenschaftlich erhärteten Informationen vermitteln sollen. Aufgebaut wird ein Programm einer redaktionellen Scheinwelt, „natürlich" mit dabei Medien-Tycoon Rupert Murdoch mit seinem Wall Street Journal und weiteren Print-Erzeugnissen. Der TV-Sender Fox News und zahllose Radio-Kommentatoren potenzieren die gezinkten Informationen der „Klimaexperten" querfeldein in den USA. Geld spielt offensichtlich keine Rolle in der wohlbestückten Fossil-Energieindustrie.

Sieben Stufen

James L. Powell von der Universität Kalifornien in Berkeley ortet mehrere Stufen der Klimawandelleugnung. Er verweist darauf, dass sich Klimawandelleugner wie bei der militärischen Verzögerungstaktik stufenweise zurückfallen lassen, sobald ihre jeweiligen Behauptungen von den Wissenschaftlern zerpflückt werden.

Ihre „Informations-Abfolge" lautet: Die Erde erwärmt sich nicht. – Ok. Sie erwärmt sich, aber Ursache ist die Sonne. – Also gut, die Menschen sind die Ursache, aber das macht nichts, weil die Erderwärmung keine Schäden verursachen wird. Mehr CO_2 wird tatsächlich sogar vorteilhaft sein. – Zugegeben, die globale Erwärmung könnte sich durchaus als gefährlich erweisen, aber wir können nichts gegen sie tun. – Sicher, wir können etwas gegen die globale Erderwärmung tun, aber die Kosten sind zu hoch. Außerdem haben wir derzeit dringendere Probleme wie zum Beispiel Aids und Armut. – Wir könnten durchaus in der Lage sein, es uns zu leisten, irgendwann etwas gegen die globale Erderwärmung zu tun, aber wir müssen auf „solide" Wissenschaft, sprich neue Technologien und Geoengineering warten. – Und von Neuem: Die Erde erwärmt sich. Verbreitet werden die pseudowissenschaftlichen Fakten der Klimaleugner und Klimaskeptiker mit informellen „Handreichungen". Bisheriges Highlight der abstrusen Falschinformation, von den Republikanern via Donald Trump im Wahlkampf serviert: die Demokraten würden quasi als Klimaschutzmaßnahme das Grillen im Freien verbieten.

Die Gebrüder Koch – Besitzer des Koch-Fossilenergie-Imperiums – haben in den vergangenen Jahren 400 Mio. Dollar „gespendet", um Klimaskepsis zu verbreiten. Ihr Gebernetzwerk hatte allein 2016 ein Budget von sagenhaften 900 Mio. US$ aufgestellt, um die Republikaner und ihre Abgeordneten mit einschlägiger PR zu unterstützen. Im Internet kursieren Tausende von Propaganda-Websites und -Videos mit dem Tenor der Klimawandelleugnung und der Verunglimpfung von Klimaforschern. Alles finanziert mit dem Geld der Fossil-Energieindustrie.

> *„Jeder zweite Amerikaner misstraut nunmehr bereits den Klimawissenschaftlern."*
>
> Ernst Scheiber

Die Attacken der Fossilenergieriesen und ihrer Handlanger hatten schon in den 1990er-Jahren Wirkung gezeigt: Die USA traten dem Kyoto-Klimaabkommen nicht bei, es konnte nicht ohne Wirkung bleiben, dass die Ölindustrie pro Jahr 100 Mio. Dollar für Lobbyarbeit zahlt … Jeder zweite Amerikaner misstraut nunmehr bereits den Klimawissenschaftlern.

Erschütternd und beunruhigend zugleich, an Dummheit nicht zu überbieten: „Green is the new red" lautet mittlerweile der Slogan eines Teils der Republikaner, für sie sind Klimaschützer und Grüne die neuen innenpolitischen Gegner, die linken Ersatzkonkurrenten. Idealer Partner der USA und ihrer Klimawandelleugner ist Russland. Nichts würde die Interessenslage der Russen auch nur annähernd stärker gefährden als weitreichender Klimaschutz und eine daraus resultierende Baisse auf den Ölmärkten.

Nur Energiewende kann helfen ...

Wie kann daher die sogenannte offene Gesellschaft diesen Meinungsterror überstehen? Indem die Politik einfach die Dramatik der Gefährdung des Planeten durch den Klimawandel erkennt. Darüber hinaus wäre es an der Zeit, den längst begonnenen Cyberkrieg ernster zu nehmen. Damit verbunden wäre eine Finanzierung und Professionalisierung der Zivilgesellschaft mit dem Ziel, Fake News zu erkennen und ihren Produzenten das Handwerk zu legen. Ohne Aufstand der Zivilgesellschaft in den sozialen Medien wird nichts gehen, ein weiterer Knackpunkt liegt aber genau bei ihnen. Netzwerke wie Facebook und Twitter müssen vermehrt zur Verantwortung gezogen werden, auch für sie haben journalistisches Ethos und redaktionelle Standards zu gelten. Der alles entscheidende Schritt ist jedoch der, die Energiewende weltweit mit Dynamik voranzutreiben. Nur sie stopft der Fossil-Energie-Industrie und den Klimawandelleugnern die Geldquellen. Das jedoch müsste schneller gehen ...

PS: Der immense Schaden, den die Täuschungskampagnen von Exxon-Mobile & Co anrichten, stellt sie in eine Reihe mit den Lügnern der Tabakindustrie. Beide Industriekomplexe haben aus reinem Eigennutz Zweifel an wissenschaftlichen Grundlagen gesät, beide haben mit denselben Beratern verlogene Kommunikationsstrategien ausgearbeitet. Sie unterscheiden sich aber vor allem auf die Art des angerichteten Schadens: Während Tabakkonzerne die Gesundheit der Menschen bedrohen, geht es bei den Ölriesen darüber hinaus um die Gesundheit des Planeten. Denn diese Bedrohung erreicht längst globale Ausmaße.

Erfahrung

„Die Erde hat genug für jedermanns Bedürfnisse, aber nicht für jedermanns Gier.“

Mahatma Gandhi

Dr. Cornelius Grupp
Unternehmer, Marktl bei Lilienfeld

Wunderwaffe Biomasse

Der nunmehr spürbare Klimawandel avancierte in den letzten Jahren zum allgegenwärtigen Dauerthema. Die zur Rettung unseres Planeten eingeforderte Energiewende – also der Umstieg von fossiler Energie auf erneuerbare Energie – führt auf allen Kontinenten zu tiefgreifenden Umwälzungen und damit unweigerlich auch zu Konfliktsituationen aufgrund unterschiedlicher wirtschaftlicher Interessen. Die Geschwindigkeit der Energiewende hängt von vielen Faktoren ab – das gebundene Kapital in den alten Strukturen ist jedenfalls eine wesentliche Bremskraft. Ohne entsprechende politische Impulse und Meinungsbildung in unserer Gesellschaft sowie weltweiten Schulterschluss bei der Umsetzung entsprechender Maßnahmen ist es nur schwer vorstellbar, dass die Menschheit in den nächsten 30 Jahren tatsächlich eine Energiewende erleben wird.

Gerade aufgrund der vielen offenen Fragen und Probleme beim Umstieg auf erneuerbare Energieträger sind erfolgreiche Strukturänderungen oder konkrete technische Lösungen in einzelnen Regionen als Beispiel und Impuls für positive Maßnahmen auch in anderen Ländern ebenso wichtig wie weltweite Initiativen. Entsprechend der geografischen Lage und Rahmenbedingungen hat die Nutzung der erneuerbaren Energieformen unterschiedliche Bedeutung. Solaranlagen in Regionen mit wenig Sonnenstunden und Windräder in windarmen Gebieten machen wenig wirtschaftlichen Sinn. Ebenso wird man Biomasse nur in waldreichen Ländern vernünftigerweise für die energetische Nutzung einsetzen. Nicht nur das Ausmaß des Energieangebots, sondern auch die zeitliche Übereinstimmung zwischen Energieangebot und Energiebedarf spielt eine wesentliche Rolle. So hat z. B. die Solarenergie als Energiequelle für die Raumkühlung sehr gute Zukunftschancen, da eben dieser Energiebedarf genau dann entsteht, wenn auch die Sonneneinstrahlung am höchsten ist. Umgekehrtes Beispiel: Der Energiebedarf für die Fernwärmeversorgung einer Stadt in Österreich ist während der Wintermonate am höchsten, und die Sonneneinstrahlung ist in diesen Monaten am kleinsten. Das heißt, man müsste die im Sommer anfallende Solarenergie bis zum Winter speichern, dies ist aber leider nach derzeitigem Stand der Technik nicht wirtschaftlich. Die Energiespeicherung ist also ein wesentliches Thema, das vor allem die wirtschaftliche Nutzung der Sonnen- und Windenergie einschränkt. Das „Energiespeicherproblem" beschäftigt seit jeher die Forschung – die bisherigen wissenschaftlichen Erkenntnisse stoßen aber bei der technischen Umsetzung meist auf wirtschaftliche Schranken.

Ein Lösungsansatz „vom lieben Gott" für das Energiespeicherproblem ist die „Wunderwaffe" Biomasse, denn letztendlich ermöglicht die Sonnenenergie das Wachstum der Bäume während des Sommerhalbjahrs und die zuwachsende Biomasse kann dann nach Bedarf während des Winters verfeuert werden. Die Sinnhaftigkeit der energetischen Nutzung von Biomasse hängt von der Waldfläche und vom „Waldvorrat" in der jeweiligen Region ab. Der österreichweite Waldanteil liegt im europäischen Spitzenfeld, und die Nutzung des Rohstoffes Holz ist in Österreich eine uralte Tradition sowie ein wesentlicher Wirtschaftsfaktor. Es wächst in Österreich mehr Holz nach als genutzt wird – das heißt, die Waldfläche bzw. der Waldanteil wird stetig größer. Die Forst- und Holzwirtschaft ist in Österreich mit ca. 280.000 Beschäftigten einer der wichtigsten Wirtschaftszweige bzw. Arbeitgeber. Die Fichte ist dabei mit 60 % der „Brotbaum der Forstwirtschaft". Das sägefähige Fichtenholz ist die wichtigste Einnahmequelle der österreichischen Forstwirtschaft. Hauptabnehmer für die Forstwirtschaft sind die Sägewerke, denn diese verarbeiten das Holz mit dem größten

Wert, und dies ist das sägefähige Rundholz. Die „Nebenprodukte" der Forstbewirtschaftung sind Faserholz, Energieholz, Waldhackgut und Brennholz (meist Scheitholz). In den letzten 20 Jahren hat sich jedenfalls die energetische Nutzung von Holz als wesentliche Alternative zur stofflichen Nutzung in der Papier-, Zellstoff- und Plattenindustrie etabliert. Der Bedarf für Heiz- und Heizkraftwerke ist sehr gleichmäßig bzw. gut planbar, und es können genau jene Produkte der Forstbewirtschaftung werthaltig für Heizzwecke verkauft werden, welche früher aufgrund zu geringer Qualität oder keiner mangels Verwendungsmöglichkeit unverkäuflich waren.

Das heißt zusammenfassend: Durch die nunmehr höheren Kapazitäten für die energetische Nutzung des Holzes konnten die Forstwirtschaft und die Sägewerke große zusätzliche Einnahmequellen erschließen. Es besteht keine Rohstoff-Konkurrenz zwischen Sägewerken und energetischer Verwertung, da das sägefähige Rundholz = Blochholz aufgrund des mehrfach höheren Preises niemals für die energetische Verwertung wirtschaftlich in Frage kommt. Holzstämme, welche zu Schnittholz verarbeitet werden können, sind für Heizzwecke immer wirtschaftlich uninteressant.

> *„Durch die höheren Kapazitäten für die energetische Nutzung des Holzes konnten die Forstwirtschaft und die Sägewerke große zusätzliche Einnahmequellen erschließen."*
>
> Cornelius Grupp

Gleichzeitig profitieren nicht nur die Forstbetriebe, sondern auch die Sägewerke von der verstärkten energetischen Nutzung von Holz – denn die alternativen Absetzmöglichkeiten zur Papier-, Zellstoff- und Spanplattenindustrie haben auch den Wert der Sägenebenprodukte (Sägespäne, Hackgut, Rinde) massiv gesteigert und erhöhte Preisstabilität für diese generiert.

Aufgrund des Österreichischen Ökostromgesetzes und der damit verbundenen garantierten Ökostrom-Einspeisetarife sind in den letzten 15 Jahren zahlreiche Biomasse-Heizkraftwerke errichtet worden

– diese Heizkraftwerke sind die Ursache für den massiven Ausbau der Schnittholz- und Spänetrocknungskapazitäten auf den meisten österreichischen Holzindustriestandorten – da auf diese Weise die Abwärme der Ökostromerzeugungsanlagen werthaltig genutzt werden kann. In weiterer Folge wurden dadurch zahlreiche Investitionen in die Schnittholzweiterverarbeitung und in Pelletswerke ausgelöst. Die Ökostromförderungen waren also jedenfalls ein wesentlicher Impuls für die erfolgreiche Entwicklung des österreichischen und italienischen Pelletsmarktes sowie für den nunmehrigen Holzbauboom in der Baubranche.

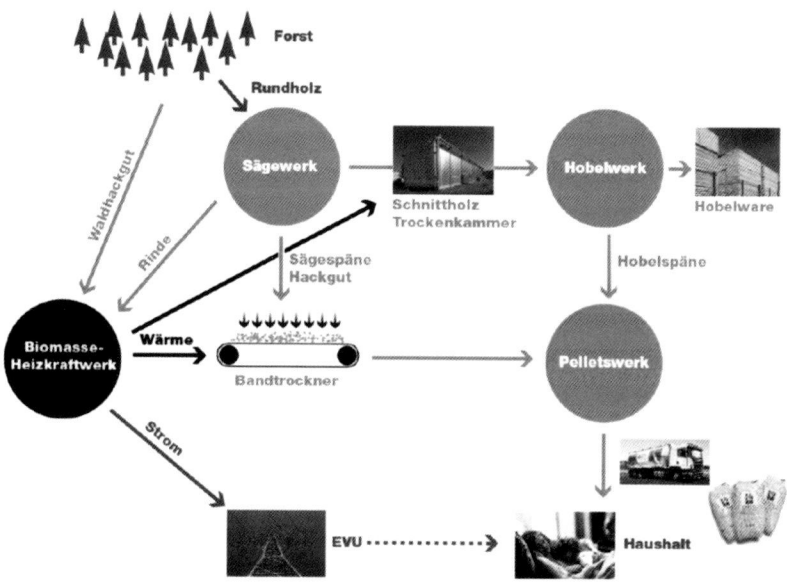

Das Zusammenspiel von Forstbetrieben, Sägewerken, Biomasse-Heizkraftwerken und Pelletswerken ist eine Symbiose, da alle gegenseitige Vorteile aus der Zusammenarbeit generieren (siehe Schaubild).

MMAG. MARTIN SCHALLER
Generaldirektor der Raiffeisen-Landes-
bank Steiermark, Graz

Genossenschaftsbanken am Ende oder als Modell der Zukunft?

2018 ist in vielerlei Hinsicht ein Gedenkjahr. Es ist auch für Raiffeisen ein besonderes Jahr, denn der Gründer Friedrich Wilhelm Raiffeisen wurde vor 200 Jahren geboren. Seine Idee ist in Österreich rasch auf fruchtbaren Boden gefallen, und Raiffeisen ist heute die größte Bankengruppe in diesem Land. Ein solches Jubiläum gibt einen guten Anlass zum Feiern, aber durchaus auch zur Reflexion. Denn der Erfolg von gestern ist zweifelsohne eine sehr bedeutende Basis, aber noch kein Garant für den Erfolg von morgen. Dies wird umso deutlicher, wenn wir einen Blick auf die gegenwärtigen und kommenden Herausforderungen werfen.

Die Umwälzungen seit der sogenannten Finanzkrise ab 2008 haben das Umfeld für Banken enorm verändert. So wurden die regulatorischen Anforderungen Schritt für Schritt verschärft und ein Ende ist noch nicht in Sicht. Die Zielsetzung, Banken allgemein krisenresistenter zu machen, ist zu unterstützen, doch die Vorgaben belasten Regionalbanken - die nicht Auslöser der Krise waren - nachweislich unverhält-

255

nismäßig hoch. Für eine einzelne Raiffeisenbank wären diese hohen Anforderungen ohne Zusammenarbeit im Sektor nicht zu bewältigen. Im Sog der Verwerfungen ab 2008 wurden auch die Leitzinsen mittlerweile auf ein – davor undenkbares – Negativzinsniveau gesenkt, womit auch die Margen im Kreditgeschäft auf ein Minimum gefallen sind. Auch dies trifft Genossenschaftsbanken stärker als zum Beispiel große Investmentbanken, denn das Kerngeschäft der Raiffeisenbanken ist die Hereinnahme von Spareinlagen als Basis für die regionale Kreditvergabe. Die geltende Rechtsprechung hat die wirtschaftliche Situation zusätzlich verschärft, wonach Spareinlagen immer mit einem positiven Zinssatz ausgestattet sein müssen, hingegen ein negativer Referenzzinssatz bei variabel verzinsten Krediten an die Kunden weiterzugeben ist. Diese Rahmenbedingungen bringen besonders Genossenschaftsbanken wirtschaftlich unter Druck. Denn aufgrund ihres Geschäftsmodells werden die Erträge gemindert, während die Kosten aufgrund der neuen Anforderungen nur mit großen Anstrengungen reduziert werden können.

Auch die Digitalisierung ist als weitere Herausforderung längst Realität. Aus Banksicht zeigt sie sich darin, dass aktuell nur mehr 5 Prozent aller Kontobewegungen am Schalter in der Bankstelle beauftragt werden, persönliche zugunsten digitaler Kundenkontakte abnehmen und der Wettbewerbsdruck aufgrund neuer Marktteilnehmer steigt. Vermeintlich ist damit der „persönliche Kundenkontakt" als besonderer USP von Genossenschaftsbanken in Gefahr. Neben der „digitalen Völkerwanderung" gibt es auch eine, die sich in der regionalen Bevölkerungsdichte manifestiert. Strukturschwächere Regionen werden weiter ausgedünnt, während die Speckgürtel um die urbanen Gebiete zunehmend Menschen anziehen.

Sind Genossenschaftsbanken in Anbetracht dieser umfassenden Herausforderungen also am Ende? Für die Antwort möchte ich ein Zitat von Friedrich Wilhelm Raiffeisen voranstellen: „Der Erfolg fußt nicht nur auf einer genialen Idee, sondern auf dem Geist, den die Menschen in sich tragen." Die Antwort hängt also davon ab, wie gut es uns gelingt, die genossenschaftlichen Prinzipien wie Subsidiarität, Regionalität und Solidarität in der Gegenwart zu interpretieren und uns permanent weiterzuentwickeln. Dazu gilt es die Erträge durch das beste Preis-Leistungs-Verhältnis zu stabilisieren bzw. auszubauen und gleichzeitig die Kosten durch sinnvolle und wohldurchdachte strukturelle Maßnahmen zu reduzieren. Dazu wiederum braucht es ein gut überlegtes Bild von der Zukunft, schlüssige Strategien und die Entschlossenheit zur Umsetzung.

Dem Raiffeisensektor ist es in den vergangenen zehn Jahren – die sicher zu den anspruchsvollsten generell für Banken zählen – sehr gut gelungen, neue Wege einzuschlagen. Dazu konkrete Beispiele:

Die „Digitale Regionalbank" ist unsere strategische Antwort auf die Digitalisierung. Wir sind überzeugt, dass nicht digitale Services alleine, sondern die perfekte Kombination mit der persönlichen Betreuung stimmig für Raiffeisen ist und den meisten Erfolg bringen wird.

> *„Pixel, Bytes und Apps sind ersetzbar, doch Menschen sind einzigartig, und diese Qualität gilt für uns auch in der Bankberatung."*
>
> Martin Schaller

Pixel, Bytes und Apps sind ersetzbar, doch Menschen sind einzigartig, und diese Qualität gilt für uns auch in der Bankberatung. Als Pionier im digitalen Bereich hat sich Raiffeisen mit aktuell über 1,8 Millionen Online-Kunden und 1,1 Millionen App-Nutzern zur Nummer 1 in Österreich entwickelt. Nun wird österreichweit gezielt in neue Banking-Systeme, App-Entwicklungen, aber auch Beratungs-Lösungen investiert, wobei ein besonderer Fokus auf die Sicherheit gelegt wird. Unsere Kunden sollen alltägliche Bankgeschäfte komfortabel digital erledigen können, gleichzeitig wollen wir mehr persönliche Beratungsgespräche vor Ort in den Bankstellen führen, wenn es um wichtige finanzielle Kundenentscheidungen geht.

Die Digitale Regionalbank ist zudem ein gutes Beispiel, wie das Raiffeisen-Subsidiaritätsprinzip zeitgemäß interpretiert werden kann. So werden technische Lösungen einheitlich für alle auf Bundesebene unter Einbindung der Experten aus den Raiffeisen-Landesbanken entwickelt, die Schulung und Vertriebsunterstützung erfolgt durch die Landesbanken und die Marktsteuerung und persönliche Kundenbetreuung ist und bleibt in der regionalen Raiffeisenbank verankert. Das Subsidiaritätsprinzip besagt, dass jede Ebene das erledigt, was sie am besten kann. Die klare Aufgabenteilung fördert Effizienz und spart Kosten. Dies zeigt sich in vielfältigen und schon lange gelebten Aufgaben und neu hinzugekommenen – etwa in der Erfüllung der enormen rechtlichen Vorgaben wie Compliance, Datenschutz oder Meldewesen. Diese Aufgaben übernimmt die Raiffeisen-Landesbank Steiermark für die Raiffeisenbanken. Die Reduktion von Kosten wird weiterhin eine wichtige Stellschraube sein, somit werden Fragen der künftigen Arbeitsteilung im Raiffeisenverbund weiter auf unserer Agenda bleiben. Die schon angesprochene Kundenbetreuung durch die Raiffeisenbank bzw. Raiffeisen-Landesbank in der Region hat bei Raiffeisen seit jeher zentrale Bedeutung. Doch regionale Präsenz alleine wäre zu wenig. Unser Sektor hat sich daher als Finanzdienstleister mit hoher Kompetenz positioniert. Konkretes Beispiel ist die Wohnberatung bei Privatkunden: Hier ermöglicht Raiffeisen Steiermark aktuell rund 60 Prozent aller neuen Wohnkredite. Im Firmenkundenbereich haben wir spezielle Kompetenzen aufgebaut, etwa im Export- oder Förderungsbereich, die zusammen mit der regionalen Nähe einen USP ergeben. Gerade für Unternehmen kommt noch ein weiterer regionaler Aspekt zum Tragen: Unternehmen brauchen rasche Entscheidungen und sprechen am liebsten auf Augenhöhe mit einem Unternehmer. Aufgrund unserer regionalen Struktur können wir beides bieten. Dies bleibt auch für die Zukunft ein wertvoller Wettbewerbsvorteil.

Neue Wege ist die Raiffeisen-Bankengruppe Steiermark in den letzten Jahren in Kernbereichen wie Risiko- und Eigenmittel gegangen, und sie hat das Solidaritätsprinzip auf die aktuellen Anforderungen angepasst. Solidarität bedeutet, dass man füreinander einsteht und – in letzter Konsequenz – füreinander haftet. Daher wurde nach dem Liquiditätsverbund auch ein Risiko- und Eigenmittelverbund gegründet und mit klaren Regeln und Instrumenten ausgestattet. Damit wird ein gemeinsames Verständnis als Basis für die Geschäftspolitik geschaffen, was gerade in einem föderalen Verbund wichtig ist. Das verantwortungsvolle Handeln der Raiffeisen-Funktionäre und -Geschäftsleiter ist ein wichtiges Fundament für die Zukunft. Die vereinbarten Modelle sind auf „gesundes Wachstum" und langfristig ausgerichtet, zeigen aber bereits jetzt positive Effekte.

Wenn es ums Geld geht, geht es schließlich um Vertrauen. Es ist erfreulich, dass Raiffeisen im Vergleich zum Durchschnitt aller Banken deutlich positiver bewertet wird. Raiffeisen Steiermark bietet laut Finanzmarktdatenservice die beste Beratung, die freundlichsten Mitarbeiter und ist zudem die führende Bank, wenn es ums Vertrauen geht. Diese hervorragenden Zahlen bestätigen den eingeschlagenen Weg, der heißt: Prinzipien treu bleiben, aber sich ständig weiterentwickeln, um am Puls der Zeit zu bleiben. So werden Genossenschaftsbanken ein erfolgreiches Modell für die Zukunft sein.

PS: Friedrich Wilhelm Raiffeisen hat mit seiner Idee die damaligen Defizite in der Gesellschaft erkannt und die Bedürfnisse der Menschen erfüllt. Er hat wirtschaftliche und soziale Aspekte verbunden, das war eine Besonderheit seiner Idee. Auch Josef Riegler hat die Erfordernisse der Zeit analysiert, zu den wirtschaftlichen und sozialen Aspekten die Ökologie als wichtiges Element ergänzt und daraus die „Ökosoziale Marktwirtschaft" als Wirtschafts- und Gesellschaftsmodell vorgestellt. Sowohl Friedrich Wilhelm Raiffeisen als auch Josef Riegler haben mit einer nachhaltigen Lebens- und Wirtschaftsweise einen konkreten Weg gezeigt, Verantwortung für die nächsten Generationen zu übernehmen. Ganz in diesem Sinne hat Josef Riegler auch als Obmann der Raiffeisen-Landesbank Steiermark auch unsere Bankengruppe geprägt. Wir sind stolz darauf und danken für die werthaltigen Impulse, die er für Raiffeisen gesetzt hat.

PROF.
DR. RUDOLF BRETSCHNEIDER
Marktforschungsunternehmen
GfK Austria, Wien

Ökosoziale Marktwirt- schaft – ein Phantom?

Mehr denn je sind die Menschen einer Begriffsflut ausgesetzt. Die Bedeutung vieler Begriffe bleibt dabei – unvermeidlicherweise – vage. Sie sollen zwar rasche Orientierung ermöglichen – und stiften doch häufig beunruhigende Verwirrung; selbst dort, wo es nicht politische Kampfworte sind (wie „Neoliberalismus" es geworden ist). „Globalisierung", „Digitalisierung", „Nachhaltigkeit", „Resilienz": es sind alte neue Worte – und ihr Gehalt scheint in ständigem Wandel begriffen. Meist dehnt er sich aus, bläht sich auf, sodass alles Mögliche darin Platz hat.

Aber auch wenn Begriffe schon eine lange Geschichte haben, kann ein eindeutiges Verständnis nicht vorausgesetzt und stillschweigend angenommen werden. Der Begriff „Soziale Marktwirtschaft" ist rund einem Fünftel der österreichischen Bevölkerung (16 Jahre und älter) so gut wie unbekannt. Man hat davon weder gehört noch gelesen. [1]

---

1   Die zitierten Daten stammen aus Untersuchungen der GfK Austria aus den Jahren 2005, 2009 und 2013.

Die Mehrheit jener, die ihn kennen, bewertet ihn positiv – doch scheint das Urteil zu schwanken: es fiel nach der Finanzkrise 2007/08 deutlich weniger gut aus als 2013. Wirklich gefestigt scheint die Einstellung zu diesem Begriff, der immerhin jenes Wirtschaftssystem bezeichnet, das für die Wohlstandsentwicklung nach 1945 maßgeblich war, nicht zu sein.

Der Begriff „Ökosoziale Marktwirtschaft" hat eine weniger lange Karriere in der Öffentlichkeit. 2005 und 2009 – das waren die beiden ersten Messpunkte, glaubten rund zwei Drittel der Befragten, davon schon gehört bzw. gelesen zu haben. Die letzten verfügbaren Daten (aus 2013) zeigen allerdings einen Rückgang in der Vertrautheit mit diesem Begriff. Dafür sind vielfältige Ursachen denkbar: geringerer Gebrauch in der medialen Öffentlichkeit, Überlagerung durch andere Themen, Differenzierung des Begriffs, mangelnde Auffrischung und Aktualisierung.

Bei jenen Menschen, die den Begriff kennen, hat er jedoch im Lauf der Jahre an Attraktivität (Sympathie) gewonnen.

Sympathie für Ökosoziale Marktwirtschaft

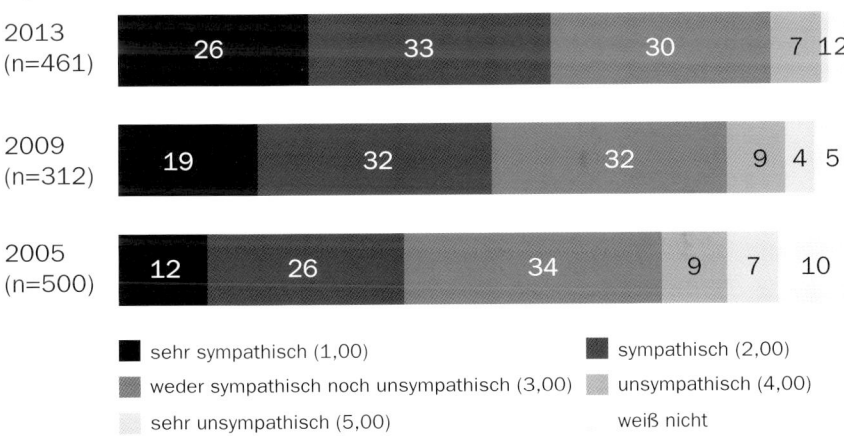

Frage 2: Wie sympathisch ist Ihnen der Begriff? Verwenden Sie eine 5-stufige Skala, wobei 1 „sehr sympathisch" und 5 „sehr unsympathisch" bedeutet. Dazwischen können Sie Ihr Urteil fein abstufen.
Basis: 2013: hat von Ökosozialer Marktwirtschaft gehört/gelesen; 2009 Begriff „ökosoziale Marktwirtschaft" bekannt; 2005/1991: Total
Angaben in %, Mittelwerte
© Gfk Sozial- und Organisationsforschung I Soziale und Ökosoziale Marktwirtschaft I Mai 2013

Die Einbeziehung von „Öko", die Integration ökologischer Zielsetzungen in marktwirtschaftliche Konzepte, scheint sich also zunehmender Akzeptanz zu erfreuen – auf abstrakter Ebene.

Das scheint dem geringeren Stellenwert, der (im sehr langfristigen Zeitvergleich) Umweltthemen in Relation zu anderen politischen Anliegen (Arbeitsplätze, Sicherheitsfragen, Pensionen, Migration, etc.) eingeräumt wird, zu widersprechen. Aber man muss bedenken: das Umweltthema ist ein verhältnismäßig altes Thema. Viel ist bei Teilaspekten geschehen (Wasser, Müll, Recycling, etc.). Auf vielen politischen Ebenen (Bund, Länder, Gemeinden) wurden Institutionen geschaffen, die sich verschiedenster Umweltprobleme erfolgreich annehmen. Umweltanliegen sind „selbstverständlich" geworden, was freilich noch keinen nachhaltigen Erfolg sichert.

Der Begriff der Ökosozialen Marktwirtschaft verweist auf wirtschaftliche Handlungen, bei denen die Akteure – aus unterschiedlichsten Gründen „Umwelt" (Energie, Wasser, Boden, Luft, etc.) in ihren Entscheidungen mitberücksichtigen.

„Akteure" sind sowohl (staatliche) Institutionen, Länder und Gemeinden, Unternehmen, Vereine und Konsumenten. Von Letzteren soll im Folgenden die Rede sein, selbst wenn ihr unmittelbarer Einfluss auf Entstehung bzw. Reduktion von Umweltproblemen für sich genommen gering erscheinen mag.

Ein Bewusstsein für Umweltprobleme bei der Bevölkerung (= Wählerschaft) begünstigt aber nicht nur relevante politische Entscheidungen; es ist auch eine notwendige – wenn auch nicht hinreichende – Bedingung für ein „umweltschonendes" Konsumentenverhalten.

Man kann für Österreich davon ausgehen, dass (sehr) viele Konsumenten den Eindruck haben, durch ihr Ver- und Entsorgungsverhalten, durch die Art ihrer Mobilität, durch ihren Energieverbrauch „etwas tun zu können". Die öffentliche Diskussion der letzten „Jahrhunderte" hat Spuren hinterlassen, die in sozialwissenschaftlichen Untersuchungen erkennbar sind (und eine positive Entwicklung zeigen).

Als Beispiel mögen einige wenige Daten aus demoskopischen Studien dienen.

Einzelstatements (I)

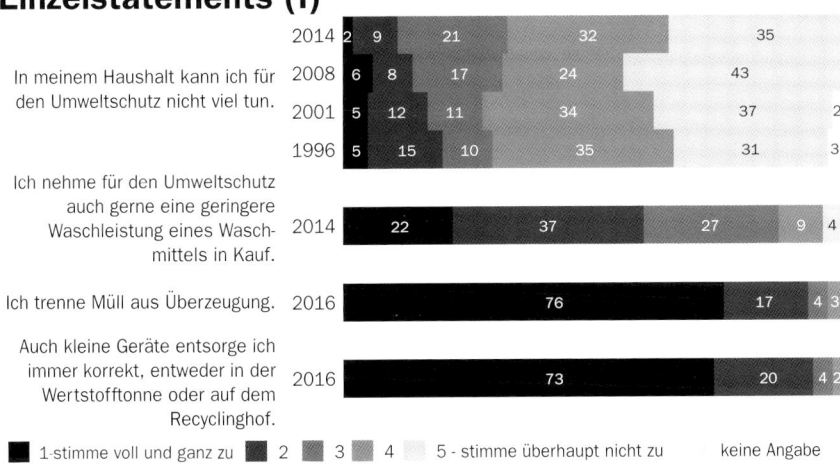

In meinem Haushalt kann ich für den Umweltschutz nicht viel tun.

	1	2	3	4	5	ka
2014	2	9	21	32	35	
2008	6	8	17	24	43	
2001	5	12	11	34	37	2
1996	5	15	10	35	31	3

Ich nehme für den Umweltschutz auch gerne eine geringere Waschleistung eines Waschmittels in Kauf. — 2014: 22 | 37 | 27 | 9 | 4

Ich trenne Müll aus Überzeugung. — 2016: 76 | 17 | 4 | 3

Auch kleine Geräte entsorge ich immer korrekt, entweder in der Wertstofftonne oder auf dem Recyclinghof. — 2016: 73 | 20 | 4 | 2

■ 1-stimme voll und ganz zu ■ 2 ■ 3 ■ 4 5 - stimme überhaupt nicht zu   keine Angabe

Frage 5: Im Folgenden finden Sie eine Reihe von Feststellungen. Geben Sie bitte zu jeder Feststellung an, wie sehr Sie mit ihr übereinstimmten. „1" bedeutet, dass Sie voll und ganz zustimmen, „5" bedeutet, dass Sie überhaupt nicht zustimmen Dazwischen können Sie Ihr Urteil fein abstufen!
Frage A03: Zum Abschluss bitten wir Sie noch um Ihre Einschätzung zu den Themenfeldern „Touristik", „Recycling" und „Engagement für Umweltschutz".
Basis: Total (n=494/1.000)
Angaben in %, Mittelwerte
© Gfk I 141.395 BMLFUW – Umwelt &Landwirtschaft – Österreich I August 2014

Einzelstatements (II)

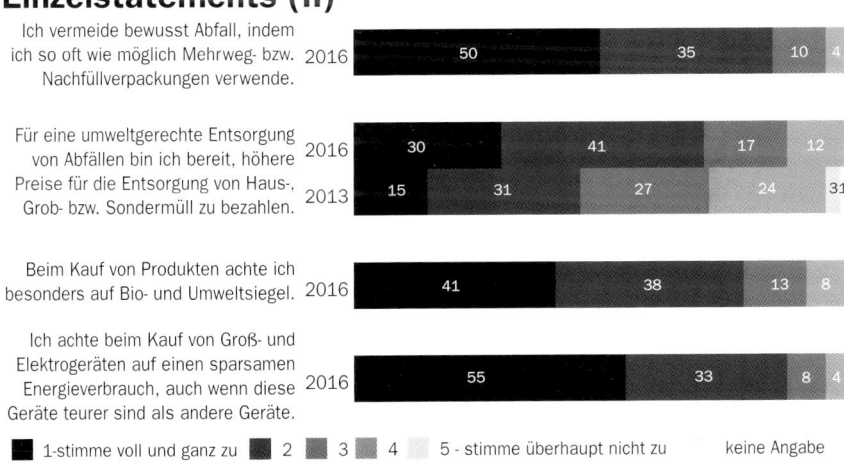

Ich vermeide bewusst Abfall, indem ich so oft wie möglich Mehrweg- bzw. Nachfüllverpackungen verwende. — 2016: 50 | 35 | 10 | 4

Für eine umweltgerechte Entsorgung von Abfällen bin ich bereit, höhere Preise für die Entsorgung von Haus-, Grob- bzw. Sondermüll zu bezahlen.
2016: 30 | 41 | 17 | 12
2013: 15 | 31 | 27 | 24 | 3 1

Beim Kauf von Produkten achte ich besonders auf Bio- und Umweltsiegel. — 2016: 41 | 38 | 13 | 8

Ich achte beim Kauf von Groß- und Elektrogeräten auf einen sparsamen Energieverbrauch, auch wenn diese Geräte teurer sind als andere Geräte. — 2016: 55 | 33 | 8 | 4

■ 1-stimme voll und ganz zu ■ 2 ■ 3 ■ 4 5 - stimme überhaupt nicht zu   keine Angabe

Frage A03: Zum Abschluss bitten wir Sie noch um Ihre Einschätzung zu den Themenfeldern „Touristik", „Recycling" und „Engagement für Umweltschutz". Basis: Total (n=494/1.000)
Frage A02: Und wie stehen Sie zu den Themen „Konsum und Produktion" sowie „Mobilität"? Bitte sagen Sie uns wieder, inwieweit Sie persönlich folgenden Aussagen zustimmen. Basis: Total (n=494/1.000)
Angaben in %, Mittelwerte
© Gfk I 141.395 BMLFUW – Umwelt &Landwirtschaft – Österreich I August 2014

Einzelstatements (III)

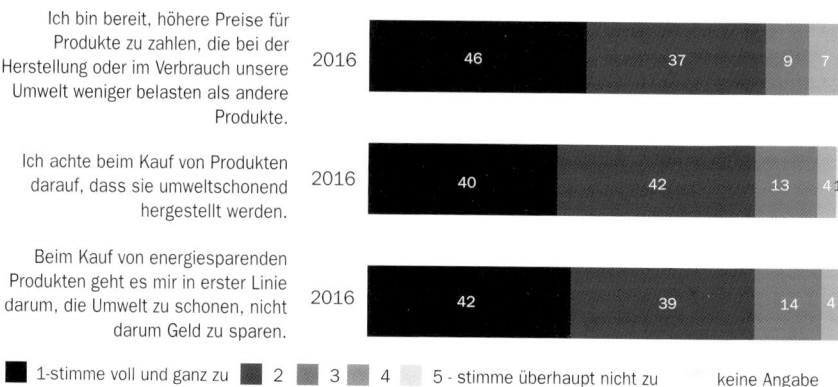

Ich bin bereit, höhere Preise für Produkte zu zahlen, die bei der Herstellung oder im Verbrauch unsere Umwelt weniger belasten als andere Produkte.
2016 — 46 | 37 | 9 | 7

Ich achte beim Kauf von Produkten darauf, dass sie umweltschonend hergestellt werden.
2016 — 40 | 42 | 13 | 4 1

Beim Kauf von energiesparenden Produkten geht es mir in erster Linie darum, die Umwelt zu schonen, nicht darum Geld zu sparen.
2016 — 42 | 39 | 14 | 4

■ 1-stimme voll und ganz zu ■ 2 ■ 3 ▒ 4 ░ 5 - stimme überhaupt nicht zu   keine Angabe

Frage A02: Und wie stehen Sie zu den Themen „Konsum und Produktion" sowie „Mobilität"? Bitte sagen Sie uns wieder, inwieweit Sie persönlich folgenden Aussagen zustimmen. Basis: Total (n=494/1.000)
Frage A01: Im Folgenden geht es um Ihre persönliche Einschätzung bezüglich einzelner Fragen zu Umwelt, Natur und grüne Themen. Bitte sagen Sie uns wieder, inwieweit Sie persönlich folgenden Aussagen zustimmen. Basis: Total (n=494/1.000)
Angaben in %, Mittelwerte
© Gfk I 141.395 BMLFUW – Umwelt &Landwirtschaft – Österreich I August 2014

Die angeführten Daten zeigen Einstellungen. Sie geben Einblicke in die Akzeptanz von Normen - sie erlauben keine Rückschlüsse auf tatsächliches Verhalten. Nichtsdestoweniger zeigen sie eine theoretische Bereitschaft, auch als Konsument mit Rücksicht auf Umweltprobleme zu reagieren. Wenn, ja wenn bestimmte Voraussetzungen erfüllt sind. Das geforderte/erforderliche Verhalten darf nicht zu schwer (oder zu teuer) erkauft sein; es muss eine Erfolgswahrscheinlichkeit bestehen - und wenn der Erfolg nicht in einem individuellen Nutzen liegt (materiell oder immateriell), dann sollte der kollektive Nutzen absehbar sein; dies ist er nur, wenn die Aussicht besteht, dass sich (sehr) viele Menschen in gleicher Weise verhalten. Das ist am ehesten garantiert, wenn gesetzliche Maßnahmen einen entsprechenden Lenkungseffekt haben und keine großen „Trittbrettfahrereffekte" auftreten. Gerade im Umweltbereich hat man aber auch erste Erfolge mit „Nudging"-Techniken erzielt, die von der Verhaltensökonomie inspiriert sind.

264

Gerade für Menschen, die an Ökosozialer Marktwirtschaft interessiert sind, lohnte ein Studium der „Nudge-Ansätze" zur Förderung eines nachhaltigen Konsums. [2]

Die Menschen „schubsen"?

Die Einbeziehung des Konsumenten bei der Erreichung von Umweltzielen mittels derartiger Ansätze setzt eine genaue Kenntnis der gängigen Konsumentenentscheidungen voraus. Nur auf dieser Basis kann man sich erfolgreich um die Schaffung umweltfreundlicher Konsumgewohnheiten bemühen. Man „schubst" die Menschen, so zu handeln, wie sie eigener Auffassung zufolge handeln sollten.

Es ist viel Detailarbeit nötig. Aber es gibt schon viele Vorarbeiten und Initiativen, aus denen man lernen kann. Neben dem großen Plan einer Ökosozialen Marktwirtschaft bedarf es jenseits notwendiger Gesetze und institutioneller Maßnahmen der vielen kleinen Strategien für das Alltagshandeln, das die Konsumenten nach- und mitvollziehen können.

Die „Proponenten" einer Ökosozialen Marktwirtschaft haben noch viel zu leisten.

---

2   Siehe den Bericht „Nudging im Bereich Umwelt und Nachhaltigkeit", Stiftung Risiko – Dialog St. Gallen, Juli 2016, unterstützt durch die Mercator Stiftung Schweiz und den Abschlussbericht im deutschen Umweltforschungsplan des Bundesministeriums für Umwelt und Naturschutz 2016.

CHRISTOPH STARK
*Abgeordneter zum Nationalrat, Bürger-
meister der Gemeinde Gleisdorf, Steiermark*

Leben und wirtschaften mit der Natur

Welche regionalpolitischen und energiewirtschaftli-
chen Voraussetzungen braucht ein Land, um
dem Anspruch des nachhaltigen und naturorientierten Wirtschaftens
gerecht zu werden?

Die Stadtgemeinde Gleisdorf, für die ich nun seit dem Jahr 2000 politische Verantwortung tragen darf, ist eingebettet in das Raabtal inmit-
ten des oststeirischen Hügellandes, die Stadt Graz ist in Sichtweite – an
sich ein idealer Platz zum Leben, ein Ort, der von großer Dynamik vor
dem Hintergrund der demografischen Veränderungen geprägt ist. Im
Gegensatz zu anderen österreichischen und europäischen Gegenden
zeichnet die Oststeiermark eine wohl einzigartige Zersiedelung aus,
der seit dem Bestehen der Zweiten Republik nie wirklich Einhalt geboten wurde. „Jetzt ist es halt so" ist ein Zitat, das man aus so manch ratlo-
sem Munde hört und das einen kleinen Eindruck davon verschafft, wie
unumkehrbar diese Entwicklung der letzten 70 Jahre offenkundig ist.
Dass wir dem Naturraum und seinem Erhalt verpflichtet sind, lässt
sich an zwei Projekten festmachen, die in ihrer Dimension, ihrer politischen Bedeutung und in ihren Auswirkungen sehr unterschiedlich,

266

aber für die Steiermark und ihre naturräumliche Ausprägung mit Sicherheit bedeutsam sind.

Gemeindestrukturreform 2015

Es war ein vielbeachteter Auftritt der beiden Landesspitzen – Landeshauptmann Franz Voves und sein Stellvertreter Hermann Schützenhöfer – Ende des Jahres 2010, als sie der Steiermark verkündeten, die Zukunft des Landes vor Parteiinteressen zu stellen und dass die Diskussion über die Zusammenführung von Gemeinden keine verbotene mehr sei. Viele BürgermeisterInnen waren sich damals sicher, dass sich dieses Ansinnen wohl wie eine Schlechtwetterfront verziehen würde. Sie irrten. Mit dem 1. Jänner 2015 reduzierte sich die Zahl der steirischen Gemeinden von 542 auf 287. Es war einer der größten, komplexesten und energieraubendsten Prozesse dieses Landes.

Damit einher geht nun aber auch die Anforderung an die neu geschaffenen Gemeinden, ihre Raumordnung auf neue Beine zu stellen. Die neuen Flächenwidmungspläne 1.0 sind weit mehr als die Summe der Bestandspläne, die Orts- und Stadtentwicklungskonzepte sind ebenfalls neu und von Grund auf zu denken. Die rechtlichen Rahmenbedingungen dieses raumordnerischen „Reset-Knopfes" erlauben es auch, das, was immer schon so war, weil es eben so war, auf seine inhaltliche, örtliche, planerische und gesellschaftliche Bedeutung hin neu zu bemessen. Ein Vorgang, der nur der Gemeindestrukturreform geschuldet ist und der es den Kommunen ermöglicht, sich von Altlasten zu befreien, Räume neu zu denken und im Prozess der eigentlich unliebsamen fortschreitenden Zersiedelung einen echten Anker zu setzen. Die Auswirkungen dieser neuen Planungen werden wohl erst in Jahren sichtbar und vieles ist de facto nicht unumkehrbar. Die Gemeindestrukturreform war aber ein wichtiger und bedeutender Schritt, diese Zäsur herbeizuführen, die auch betreffend Bodenverbrauch und Grünraumversiegelung eine Trendwende einleiten kann und wird.

Energiekataster

Spätestens seit den 1990ern stand die Region rund um Gleisdorf, wie viele andere österreichische und europäische Gebiete auch, im Zeichen der Etablierung der erneuerbaren Energie. In der Stadt Gleisdorf wurden hier viele herzeigbare Erfolge erzielt, die erfreulicherweise zu einigen nationalen und internationalen Auszeichnungen führten. Dennoch wird bei ganz realistischer Betrachtung klar, dass die Jahre davor von anderen energiepolitischen Aspekten angetrieben waren – und auch das mit großem Erfolg. So ist es ein Faktum, dass die Mehrzahl der Objekte in der Region mit fossilen Energieträgern versorgt wird, in manchen Bereichen ist es noch der Strom, der für die Wärmeversorgung so manch schlecht gedämmter Häuser sorgt.

Die Stadt und die „Energieregion Weiz-Gleisdorf" versuchen auch hier, eine Art Schubumkehr zu verursachen. Um Menschen bzw. HauseigentümerInnen zu einem nachhaltigen Umdenken zu bewegen, braucht es vorher das lokale bzw. regionale Wissen darüber, wie die Region energietechnisch aufgestellt ist. „Weiß man das nicht ohnedies?", könnte der externe Betrachter meinen. Mitnichten. Auch die vorhandene Datenlage gibt keine gesamthaften Auskünfte darüber, wie eine Stadt, ein Stadtteil, eine Kleinregion oder ein Bezirk energetisch versorgt werden. Dementsprechend kann es auch keine effektiven und effizienten politischen Regulierungsmaßnahmen geben, die den Energieeinsatz in eine nachhaltige Richtung bringen.

> *„Um Menschen zu einem nachhaltigen Umdenken zu bewegen, braucht es vorher das lokale bzw. regionale Wissen darüber, wie die Region energietechnisch aufgestellt ist."*
>
> Christoph Stark

Mit dem Projekt „Energiekataster" versucht die Region erstmals, alle zur Verfügung stehenden Informationen in eine Datenlage zu bündeln. Und hierfür werden unmittelbare Begehungen und Erhebungen in den Gebäuden, Daten aus dem Österreichischen Statistischen Zentralamt, Befliegungen mit Wärmebildkameras zur Kategorisierung der Beschaffenheit der Gebäudedämmungen und vieles mehr herangezogen, um daraus mehrere Aspekte und Handlungsschritte abzuleiten.

So orientiert sich beispielsweise die Energieraumplanung an diesen Erkenntnissen und legt per Verordnung Vorrangzonen für Fern- und/oder Nahwärme fest. Gleichzeitig werden Fördermaßnahmen der Regionsgemeinden harmonisiert, denen die Informationen aus dem Energiekataster zugrunde liegen. Dadurch ist auch klar, in welchen Gegenden welche Fördermechanismen Sinn machen, um eine nachhaltige Veränderung der Energiesituation herbeizuführen.

Wie immer brauchen große Entwicklungen viel Zeit und Energie, bis sie zu jenen Zielen führen, die VerantwortungsträgerInnen im besten Fall mit einer umfangreichen Bürgerpartizipation definiert haben. Persönlich weiß ich es sehr zu schätzen, dass ich bei diesen Prozessen dabei sein darf und mich im Sinne einer konstruktiven Politik für unsere Region, die Menschen und ihren Natur- und Lebensraum mit vielen anderen Menschen einbringen darf. So können unsere gemeinsamen Spuren vielleicht auch einmal jene Sichtbarkeit erlangen, wie es die des Jubilars Josef Riegler tun.

Das Leben ist ein wertvolles Geschenk. Vizekanzler a. D. Josef Riegler ist ein Vorbild in dem, wie man mit diesem Geschenk zum Wohle der Gesellschaft umzugehen hat.

ING. RAINER SIEGELE
Obmann des Umweltverbandes Mäder,
Vorarlberg

Allianz in den Alpen & Vorarlberger Umwelt- verband – eine Symbiose für die Zukunft

Im September 1997 gründeten 27 Gemeinden in Bovec, Slowenien, das Gemeindenetzwerk Allianz in den Alpen (AIDA, www.alpenallianz.org). Ziel dieses Netzwerkes war und ist es, die Alpenkonvention, ein von den Alpenstaaten und der Europäischen Union ratifiziertes Abkommen, zum Leben zu erwecken. Aufgrund des Designs der Alpenkonvention, von den Staaten getragen und auf Einstimmigkeit ausgelegt, konnte sie in der Bevölkerung nicht Fuß fassen. Mittlerweile ist das Netzwerk auf rund 250 Gemeinden alpenweit angewachsen. Der Erfahrungsaustausch über ein enkeltaugliches Leben in den Alpen findet über Projekte, ein Betreuernetzwerk und regelmäßige Tagungen statt. Neben dem Austausch über die durchaus differenzierten Probleme im Alpenraum (zwischen Übernutzung und Abwanderung, Verödung), lebt das Gemeindenetzwerk auch die Solidarität mit anderen Gebirgsregionen. Das Gemeindenetzwerk AIDA ist eine der 16 offiziellen Beobachterorganisationen der Alpenkonvention. Das Netzwerk bringt sich regelmäßig in den Gremien der Alpenkonvention ein und ist dort eine starke Stimme der Alpengemeinden, indem es die Wünsche und Ideen der Gemeinden thematisiert.

Abfallentsorgung als erster Schritt

Der Vorarlberger Umweltgemeindeverband (UGV, www.umweltverband.at) wurde 1993 vom Vorarlberger Gemeindeverband zum Zweck der Abfallentsorgung für die Vorarlberger Gemeinden gegründet. Bei einer Klausur des Vorstandes des UGVs im Jahre 1997 wurde beschlossen, dass dieses „End of Pipe" nicht der alleinige Zweck des Umweltverbandes sein kann. Nach einer nicht unumstrittenen Satzungsänderung schrieb sich der UGV die Nachhaltigkeit ins Stammbuch. Gemeinsam mit den 96 Vorarlberger Gemeinden wurden Leitfäden zur ökologischen Beschaffung und zum ökologischen Bauen entwickelt. Das Problem mit Leitfäden dieser und anderer Art ist, dass sie im besten Falle in den Regalen verstauben.

Um diesem Problem zu begegnen, musste ein Mehrwert für die Nutzer geschaffen werden. 2000 wurde der Ökobeschaffungsservice (ÖBS, www.oebs-shop.at) für die Vorarlberger Gemeinden gegründet. Auf der Internetplattform werden mittlerweile über 500 Produkte angeboten. Die Idee dahinter ist folgende: Die Gemeinden geben an, welche Produkte sie benötigen. Die Mitarbeiter vom ÖBS suchen sich die richtigen Fachleute für das jeweilige Produkt, definieren ökologische Rahmenbedingungen und schreiben die Produkte vergaberechtskonform aus. Der Verband vergibt die Leistungen, die Gemeinden und mittlerweile auch andere öffentliche Einrichtungen (Land, Krankenhausbetriebsgesellschaft, Stromversorger, Kammern …) können über die Onlineplattform bestellen, der Händler liefert das Produkt direkt und stellt die Rechnung an den Kunden. Der Verband bekommt vom Händler die Mitteilung über die Lieferung. Am Jahresende stellt der Verband dem Kunden 1,5 Prozent des Umsatzes für die Leistung in Rechnung. Bei verschiedenen Produkten, wie zum Beispiel PCs oder LED-Beleuchtungskörper, liegt das Vergabekriterium Preis bei unter 50 % Prozent. Der Rest sind ökologische (wie Wiederverwendbarkeit, Recycling, Energieverbrauch) qualitative, ergonomische und soziale

(Ausschluss von Kinderarbeit, gerechte Löhne, Arbeitsbedingungen) Vergabekriterien. Im Jahr 2017 wurden in Vorarlberg Waren um über sechs Millionen Euro über den ÖBS-Shop umgesetzt.

Der zweite Schwerpunkt des Umweltverbandes ist das „Nachhaltig:Bauen in der Gemeinde". Gemeinden bauen viel, und das hauptsächlich für die schwächsten Mitglieder unserer Gesellschaft, nämlich Kinder und Senioren. Dabei wird den Gemeinden eine modular aufgebaute Beratung angeboten. Vom Beratungsmodul Vorplanung bis zum Modul Erfolgskontrolle wird der gesamte Bauverlauf von einem Beratungsteam, bestehend aus Prozessmoderator, Energiefachmann und Bauökologen, begleitet.

Die mittlerweile über 70 gebauten öffentlichen Gebäude zeichnet ein Gemeinsames aus: Sie alle haben einen unterdurchschnittlichen Energieverbrauch, eine weit über dem Durchschnitt liegende Innenluftqualität und geringere Lebenszykluskosten.

> *„Vom Beratungsmodul Vorplanung bis zum Modul Erfolgskontrolle wird der gesamte Bauverlauf von einem Beratungsteam begleitet."*
>
> Rainer Siegele

Den dritten Schwerpunkt des Umweltverbandes stellt die ökologische Beratung der Mitgliedsgemeinden dar. Von der Abfallberatung über den richtigen Umgang mit Lebensmitteln bis zur optimalen, umweltverträglichen „Grünraumpflege" reicht das Angebot. So wird auch das Programm „Naturvielfalt in der Gemeinde", das heuer sein 10-jähriges erfolgreiches Bestehen feiert, unterstützt.

Über EU-Projekte und von Alpenstaaten geförderte Projekte werden vom Gemeindenetzwerk Allianz in den Alpen und dem Umweltverband Ideen im gesamten Alpenraum verbreitet und weiterentwickelt. Zwei Beispiele mögen dies illustrieren.

Nachhaltiges Bauen

In „MoutEE" (www.moutee.eu/de/) ging es um die Implementierung von nachhaltigem Bauen in den Berggebieten. 36 Gemeinden aus den Alpen, den Pyrenäen und Skandinavien probierten das vom Umweltverband entwickelte Beratungsprogramm „Nachhaltig:Bauen" aus und adaptierten es auf ihre Bedürfnisse. Der Umweltverband entwickelte im Zuge des Projektes das Modul Erfolgskontrolle.

Im Projekt „spezialps", das vom deutschen Bundesministerium für Umwelt, Naturschutz, Bau und Reaktorsicherheit gefördert wird, werden die Erfahrungen aus dem Vorarlberger Projekt „Naturvielfalt in der Gemeinde" auf den Alpenraum übertragen. Französische, italienische und slowenische Gemeinden stehen in Kontakt mit Vorarlberger Gemeinden, um die Naturvielfalt in den Gemeinden zu stärken und Naturerlebnisse als Alltagserfahrung zu ermöglichen.

Für eine enkeltaugliche Entwicklung unserer Zukunft brauchen wir viele solcher kleinen Schritte in allen Lebensbereichen. Mich freut es, als kleiner Netzwerkknoten zu dieser Entwicklung beitragen zu dürfen. Als langjähriger Vorsitzender des Gemeindenetzwerks Allianz in den Alpen (1999-2013) und seither als Vorstandsmitglied sowie als Obmann des Umweltgemeindeverbands von 1995 bis heute ist mir der internationale Austausch auf der Ebene der Gemeinden ein sehr großes Anliegen, weil ich überzeugt bin, dass nur die vielen Initiativen auf Gemeindeebene eine zukunfts- und tragfähige Entwicklung ermöglichen.

HARALD KRAXNER
Geschäftsführer der „Holzwelt Murau",
Murau

Gut Holz!

Es war eine regionale Urknall-Serie, die die Holzwelt Murau erstehen ließ. Etwa Mitte der 1980er-Jahre begann es zu „brodeln" in den Wäldern des Bezirkes Murau. Danach „spuckten die Holz-Geysire": 1988 das Holzmuseum, 1989 die Steirische Holzstraße, 1993 die Errichtung der Holzeuropabrücke, 1995 die Landesausstellung, 1999 die Entstehung der Firma KLH, 2007 die Leaderregion Holzwelt Murau und 2013 die Eröffnung der Holzwelt-Touren.

Und diese Holzwelt Murau ist es, die den Zusammenhalt des Bezirkes Murau ausmacht – ein Zitat des Rantener Bürgermeisters Johann Fritz, einer, der bereits viel mitentschieden hat. Besonders stolz ist er darauf, unter jenen gewesen zu sein, die mitgeholfen haben, dass Ortsperspektiven verlassen werden, um Regionsperspektiven aufzuspüren.

Ein Blick in die Vergangenheit

Am Beginn steht das Holzmuseum Murau, eröffnet im Jahr 1988 durch Gründungsobmann Johann Edler. Danach wird die Steirische Holzstraße unter Prof. Reinhard Graf gegründet und Holz wird mehr als nur eine „idealistische Idee". Schließlich die Landesausstellung „Holzzeit", die erstmals aufzeigt, welch enorme Wirtschaftskraft in Holz steckt. Danach kommen zahlreiche ökonomische Initiativen rund ums Holz, eine der großen ist das höchstgelegene Biomasseheizwerk Österreichs auf der Turracher Höhe, initiiert von Heimo de Monte. Zwischen 1998 und 2018 liegen dutzende Bioenergie-Projekte, zahlreiche Firmengründungen, innovative Holzinitiativen – und die Murauer Bier-Apotheke als vorläufig „süffigste Station" in der Bilanz der Holzwelt Murau.

Die Rolle der Holzwelt Murau

Die Holzwelt Murau also. Sie hat aktuell den dritten Obmann, den Holz-Bau-Unternehmer Gottfried Guster, und seit ihrer Gründung denselben Geschäftsführer, Harald Kraxner. Die Holzwelt Murau ist eine Leaderregion und damit die Regionalentwicklungs-Plattform für den politischen Bezirk Murau. Über die Holzwelt Murau werden sämtliche EU-Förderungen und weitere nationale Förderprogramme abgewickelt. Hier – in der Holzwelt Murau – ist das Entwicklungs- und Fördermanagement beheimatet.

Apropos Projekte: Welche sind es, die das Team der Holzwelt Murau abwickelt? Hier ein Auszug, alphabetisch gereiht: Der sinnliche 3-Seen Weg, Forschungsprojekt für die Verwertung von Asche aus Bioheizanlagen, Forschungsprojekt „Murauer Holzbau", HolzweltKultur, Innovierung der Handwerksmuseen, Interkommunale Standortentwicklung zur Ansiedelung von Betrieben, Klima- und Energiemodellregion, Lokal/Global – Weggezogene für die Heimat wiedergewinnen, Meisterwelten Steiermark, Murauer Lärche, Murauer Bier-Apotheke, Murauer Energiecamp, Murauer Energiezentrum, Naturlese-Region und Naturpark-Auszeit im Naturpark Zirbitzkogel-Grebenzen, Stubenrein – die Kulturinitiative für den gesamten Bezirk, Tourismusprojekt „Erlebnisraumdesign und Kooperation Bezirk Murau", Wald – Holz und Wir.

Das Holzmuseum und die Holzwelt Murau

Diese beiden sind nicht eins, wiewohl sich deren Protagonisten eins sind. Nun, das Holzmuseum Murau wird von einem eigenständigen und von der Holzwelt Murau unabhängigen Verein geführt. Als Obfrau agiert seit 2014 Michaela Seifter, vor ihr führten den Verein Klement Knapp und eben Gründer Hans Edler. Dieses Museum ist das erfolgreichste zum Thema Holz im europäischen Raum, dieses Museum hat eine Struktur, die ihresgleichen sucht – wenige fixe und viele freiwillige Mitarbeiter. Und dieses Museum, das jährlich rund 20.000 Besucher empfängt, um über zahlreiche Facetten des Holzes zu informieren, ist – ungewöhnlich für ein Museum – stets in den schwarzen Zahlen.

Hier, im Holzmuseum, wird Wissen vermittelt, hier wird Holz spielerisch nähergebracht, hier hat Holz seine kreativen Räume. Apropos Räume – vom Holzmuseum aus spüren abertausend Interessierte auch die Murauer Holzwelttouren auf. Ein Gruppenangebot der Holzwelt Murau, gestaltet für den Murauer Tourismus.

Was, wenn es in Murau das Holz nicht gäbe?

Holz ist jenes „grüne Gold", das den an Infrastruktur bis heute schütteren Bezirk stärkt. Entsprechend forstwirtschaftlich ist diese im Herzen von Österreich beheimatete Region orientiert. Bäume, wohin man schaut, davon überwiegend Fichten, zunehmend Lärchen, landstrichweise duftende Zirben, da und dort Laubbäume. Holz hat man in früheren Jahren im Wald geerntet und stämmeweise verkauft. Die erste Innovation war schließlich ein „Holzaufschnitt" und der Bretterexport nach Italien. Heute ist der Ursprung der Produktion nach wie vor im Wald, klar. Danach gibt es mittlerweile zahlreiche Produktionen, die Holz nicht einfach und bretterweise exportieren, vielmehr in der Holzwelt Murau weiter verarbeiten. Etwa Restholz in Fernwärmeheizungen, für die man tonnenweise Hackgut benötigt, um beinahe alle Orte mit Energie zu versorgen. Oder in dutzenden Zimmereien, auch Tischlereien, in denen heimisches Holz für Fenster- und Möbelbau qualitativ hochwertig verwendet wird. Und dann gibt es noch die KLH, jener Industrie- und Leitbetrieb, der „Kreuzlagenholz" produziert. Liegende und stehende Holzteile, die aneinandergefügt Bauelemente für Häuser ergeben, auch für Hochhäuser. Das erste und höchste davon wurde in der City von London erbaut.

Holz im Bezirk Murau bedeutet aber nicht ausschließlich direkte Wertschöpfung aus dem Natur-Stoff. Holz ist jedenfalls auch eine relevante Größe für den ständig wachsenden Tourismus der Region. Als sehenswerte Höhepunkte für an Geschichte und Architektur interessierte Gäste gelten dabei romanische und gotische Kunstwerke in zahlreichen Kirchen, aber auch Bauwerke der Gegenwart, entwickelt von großen Architekten und Holzbautechnikern. Als namhafte und preisgekrönte Beispiele dafür gelten die Abbundhalle in Murau, ebenso der Mursteg an der Einmündung der Ranten in die Mur und der Domenig-Pavillon im Murauer Stadtpark. Dazu die Holz-Europabrücke in St. Georgen am Kreischberg und der preisgekrönte Zubau zum Holzmuseum in St. Ruprecht.

„Holz im Bezirk Murau bedeutet aber nicht ausschließlich direkte Wertschöpfung aus dem Natur-Stoff. Holz ist jedenfalls auch eine relevante Größe für den ständig wachsenden Tourismus der Region."

Harald Kraxner

Insgesamt sind es rund 90 Holzwelt-Objekte, die der Gast, erholt nach Waldspaziergängen, Almwanderungen, Schitouren oder einer Runde auf den Golfplätzen, genießen kann. Auch zu diesem Thema ist es die Leaderregion Holzwelt Murau, die dem Tourismus dafür Themenhefte zur Verfügung stellt.

Themenhefte, die das Holz in sinnstiftenden „Touren" aufbereitet – Ausflüge, die Murauer Gäste oft in Begleitung von Holzweltbotschaftern machen.

Die saubere Energie der Murauer

Die Bäume sind es und auch die vielen Bäche, die in Murau das Thema Energie zu einem wesentlichen Wirtschaftsfaktor machen. Es ist um die Jahrtausendwende gewesen, als wenige Murauer die Vision formulierten, demnächst energieautark sein zu wollen. Heißt: Kein Öl zum Heizen, kein Strom aus fremden Quellen. Heute ist dieses Ziel nahezu erreicht, Murau ist eine Region der erneuerbaren Energie, 75 % der Haushalte werden aus eigenen Wärmequellen gespeist. Rang 1 in Österreich! Dazu wird Ökostrom bereits exportiert. Das neueste Projekt dazu ist ein 5-stufiger virtueller Murauer Bezirksspeicher, der den Bezirk Murau in eine echte Stromautarkie bringen wird.

Dem Gedanken einzelner Energie-Pioniere – deren Namen: Klement Knapp, Heide Zeiringer, Karl Hager, Ing. Kurt Woitischek – und Harald Kraxner, ich war damals ILE-Geschäftsführer – folgten Dutzende

Nachahmer und Hunderte Arbeitsergebnisse. Im Bezirk Murau, auch Klima- und Energiemodellregion, entstehen binnen kurzer Zeit 60 ökologisch verträgliche Wasserkraftwerke, 60 Biomasse-Heizkraftwerke, 600 Photovoltaikanlagen und vier Blockheizkraftwerke.

Gemeinsam – das haben die Politiker erkannt

Dass in der Holzwelt Murau drei von vier Gebäuden mit erneuerbarer Energie beheizt werden – dazu auch Großbetriebe wie die Brauerei Murau und das Landeskrankenhaus Stolzalpe – ist auch den Bürgermeistern und Gemeinderäten, allen voran Bezirksbürgermeister Thomas Kalcher, zu verdanken. Sie haben sich entschlossen, ihren Bezirk gemeinsam zu entwickeln, und nicht Dorf für Dorf mit Kirchturmpolitik zu brillieren. Das gilt für Fragen der Energie, aber auch bei weiteren Infrastrukturfragen der Wirtschafts- und Tourismusentwicklung.

DR. ROMAN BUCHTA
*Priester an der Theologischen Fakultät
der Schlesischen Universität in
Katowice, Kattowitz*

Neue Wege der Nachhaltigkeit in Polen

Die fortschreitende Vereinigung Europas und die damit verbundene volle Mitgliedschaft in der Europäischen Union schafft viele neue Möglichkeiten und gibt neue Rechte. Sie zieht aber gleichzeitig neue Verpflichtungen nach sich, mit denen ein verbreiteter Bereich der Verantwortung für das Gemeingut verbunden ist[1]. Eine der wichtigsten Herausforderungen ist die Sorge darum, dass neue Generationen von Kindern und Jugendlichen auf eine solche Art und Weise gebildet werden, sodass sie den Anforderungen ihrer Zeit vollends nachkommen können. Hierbei spielt neben dem familiären auch das schulische Umfeld eine signifikante Rolle. Die Verwirklichung dieses angegebenen Ziels soll durch die Reform des Bildungssystems in Polen ab dem Jahr 2017 erreicht werden. Die Hauptvoraussetzungen

---

1   M. Pienkowski, Wielka Europa – wielkie wezwanie dla Kosciola, „Pastores" 2005, Heft 1, S. 115.

und der Richtungswechsel im Sinne der Nachhaltigkeit wurden im polnischen Kernlehrplan für Allgemeinbildung festgesetzt[2].

In der Präambel des Dokuments wird sehr deutlich zum Ausdruck gebracht, dass das wichtigste Ziel der Allgemeinbildung in der Grundschule darauf beruht, die Sorge für die integrale biologische, kognitive, emotionale, soziale und moralische Entwicklung des Schülers zu tragen. Als ein privilegiertes Verfahren wird in dieser Hinsicht die Einführung von Kindern und Jugendlichen in die Welt der weithin verstandenen Werte angegeben. Diese sind grundlegend sowohl für die Erziehung zur Selbstlosigkeit, Zusammenarbeit, Solidarität, zu Altruismus, Patriotismus und dem Respekt vor der Tradition als auch zur Deutung von Verhaltensmustern und dem Aufbau zwischenmenschlicher Beziehungen, die eine sichere Entwicklung des Schülers im familiären Umfeld und in Peergruppen begünstigen. Nicht weniger von Belang ist die Stärkung der Selbstachtung des Schülers und die Wertschätzung seiner Mitmenschen. Die Entwicklung kritischer und logischer Denk-, Versteh-, Argumentations- und Schlussfolgerungsfähigkeiten steht im engen Zusammenhang mit der Gestaltung der Offenheit der Schüler gegenüber der Welt und anderen Personen, was sie auch auf zukünftige Tätigkeiten im sozialen Leben vorbereitet und ein Verantwortungsgefühl für die Gemeinschaft, in der sie sich befinden, entwickelt. Die Schule sollte auch zu einem Impuls für organisierte und bewusste Selbsterziehung werden, die auf der Befähigung basiert, sich seinen eigenen Arbeitsworkshop vorzubereiten.

Als die wichtigsten Kompetenzen im Rahmen der allgemeinen Grundschulbildung – im Kontext des Weges zur Nachhaltigkeit – sollte man auf die Fähigkeit zur Gruppenarbeit, zu sozialer Tätigkeit und aktiver Teilnahme am kulturellen Leben der Schule, der lokalen Umgebung und des Landes hinweisen. Nicht weniger wichtig ist die effiziente Kommunikation in der polnischen und in modernen Fremdsprachen. In den Klassen 1 bis 6 fangen die Schüler an, eine moderne Fremdsprache zu lernen, in den Klassen 7 und 8 kommt eine zweite dazu. Ab der

---

2   Ministerium für Nationale Bildung, Kernlehrplan für Allgemeinbildung, abgerufen am 11. Januar 2018 aus: https://men.gov.pl/pl/zycie-szkoly/ksztalcenie-ogolne/podstawa-programowa.

7. Klasse wird ihnen auch ein bilingualer Unterricht angeboten, falls in der Schule so eine Art von Bildung organisiert wird. Die angegebene Möglichkeit sollte immer mehr an Bedeutung gewinnen, da sie gegenwärtig in Bezug auf die fortschreitenden soziokulturellen Veränderungen im vereinigten Europa immer wichtiger ist.

Im Geiste der Akzeptanz

Eine wesentliche Rolle in der Bildung und Erziehung von Schülern spielt die Gesundheitspädagogik. Daher besteht die Aufgabe der Schule nicht nur darin, die gesundheitsfördernde Haltung der Schüler zu gestalten und diese in einer hygienischen Verhaltensweise umzusetzen, die sowohl für die eigene als auch für die Gesundheit der Anderen sicher ist, als auch das Bewusstsein über die gesunde Ernährung, den Nutzen körperlicher Aktivität und die Vorbeugungsmaßnahmen zu festigen.

Bildung und Erziehung in der Grundschule fördern die Entwicklung der bürgerlichen, patriotischen und sozialen Einstellungen der Schüler. Deswegen beruhen die Aufgaben der Schule darauf, einerseits das Gefühl der nationalen Identität, die Geschichtskenntnis und die Verbundenheit mit den nationalen Traditionen zu stärken, andererseits werden die Schüler dazu vorbereitet und ermutigt, die sozialen Tätigkeiten für die Schule und das lokale Umfeld zu ergreifen, wodurch

> *„Bildung und Erziehung in der Grundschule fördern die Entwicklung der bürgerlichen, patriotischen und sozialen Einstellungen der Schüler."*
>
> Roman Buchta

sie sich auch häufiger dem ehrenamtlichen Engagement widmen. Es wird deutlich hervorgehoben, dass die Schule die Erziehung von Kindern und Jugendlichen im Geiste der Akzeptanz und des gegenseitigen Respekts fördert, den Respekt gegenüber der Umwelt prägt, das Wissen über die Prinzipien der nachhaltigen Entwicklung verbreitet,

die Menschen zum Umweltschutz anregt und ein Interesse an der Ökologie weckt.

Erwerb sozialer Kompetenz

Von großer Bedeutung für die nachhaltige Entwicklung eines jungen
Menschen und seine Erfolge im Erwachsenenleben ist der Erwerb von
sozialen Kompetenzen wie Kommunikationsfähigkeit und Zusammenarbeit in einer Gruppe, in sozialen Netzwerken, die Teilnahme an
Team- oder Einzelprojekten sowie die Organisation und das Management von Projekten. Die Anwendung der Projektmethode hilft nicht
nur beim Erwerb der genannten Kompetenzen, sondern entfaltet auch
den Unternehmergeist und die Kreativität der Schüler und ermöglicht
den Einsatz innovativer Lehrplan-, Organisations- oder Methodenlö-
sungen im Bildungsprozess. Die Projektmethodik geht von einer signi-
fikanten Eigenständigkeit und einer Verantwortung der Teilnehmer
aus, welche jedem einzelnen Projektteilnehmer die Möglichkeit bietet, den Lernprozess individuell zu steuern. Es unterstützt den Klas-
senzusammenhalt, in dem Schüler durch Gruppenarbeit lernen, wie
man Probleme lösen, aktiv zuhören, effektiv kommunizieren und das
Selbstwertgefühl stärken kann. Die Projektmethode führt die Schüler
in die Planung und Durchsetzung von Arbeiten ein und lehrt sie, wie
man eine Selbsteinschätzung bewerkstelligt. Der Themenbereich solcher Projekte kann ein oder mehrere Schulfächer umfassen. Zusätzlich
ermöglichen sie der Schule, mit der lokalen Gemeinschaft zusammen-
zuarbeiten und die Eltern in das Schulleben einzubeziehen.

Kernlehrplan für Allgemeinbildung

Zusammenfassend kann man davon ausgehen, dass die schulischen
Bildungsmaßnahmen zu den grundlegenden Zielen der staatlichen Bil-
dungspolitik zählen. Die nachhaltige Entwicklung der jungen Generation ist nicht nur die Aufgabe der Familie und der Schule, die in ihrer
Tätigkeit den Willen der Eltern berücksichtigen muss, sondern auch
des Staates, dessen Pflichten es sind, angemessene Bedingungen für die
Erziehung zu schaffen. Die Aufgabe der Schule – wie es im polnischen
Kernlehrplan für Allgemeinbildung geschrieben steht – besteht darin,
den Bildungsprozess auf solche Werte zu konzentrieren, die sowohl die

Bildungsziele als auch die Bewertungskriterien von vornherein festlegen. Eine wertorientierte Erziehung als Conditio sine qua non setzt voraus, dass der Schüler von Beginn an als Individuum behandelt wird. Nur eine authentische Internalisierung der von Kindern und Jugendlichen erlernten Werte kann dazu führen, dass sie in der Zukunft gute Entscheidungen treffen und die rechten Wege einschlagen. Umso erforderlicher scheint deswegen eine nachhaltige Entwicklung in Polen zu sein, damit die erwähnten Sachlagen auch mit der Zeit erreicht werden können.

DIPL.-ING.
HERMANN PENNWIESER
Landwirt in Schwand im Innkreis,
Oberösterreich

Am Boden bleiben!

„Eure Nahrungsmittel sollen eure Heilmittel sein, und eure Heilmittel sollen eure Nahrungsmittel sein", sagte Hippokrates schon vor zweieinhalbtausend Jahren.

Im Rückblick auf die Geschichte der Menschheit zeigt sich: Hochkulturen entwickeln sich immer dort, wo fruchtbarer Boden so viele und so gesunde „Lebens-Mittel" hervorbringt, dass neben der täglichen Nahrungssuche Zeit für andere Tätigkeiten bleibt. Durch die daraus folgende Entstehung verschiedenster Berufe wächst der Wohlstand. Für eine zunehmende Anzahl von Menschen ist es dann in einer solchen arbeitsteiligen Gesellschaft nicht mehr nötig, sich über die Lebensmittelversorgung Gedanken zu machen, weil Essen ausreichend oder sogar im Überfluss vorhanden ist. Die vielen neuen, nicht unmittelbar existenznotwendigen Tätigkeiten und Errungenschaften verselbstständigen sich allmählich und nehmen immer größeren zeitlichen und finanziellen Raum ein. Um den zunehmenden Wohlstand mit seinem hohen Verbrauch an Ressourcen aufrechtzuerhalten, ergibt sich aber auch die Notwendigkeit, diese Ressourcen zunehmend zu beanspruchen und letztendlich auch zu plündern.

Ministerium für Nachhaltigkeit und Tourismus – ein Symbol

In unserer derzeitigen abendländischen Hochkultur zeigt sich dies beispielsweise an der Tatsache, dass viele Menschen monatlich mehr Geld für Mobilität oder für digitale Kommunikation als für Ernährung ausgeben – und weil es halt so schwer ist, sich von Annehmlichkeiten auch wieder zu trennen und sich im „Weniger" und „Langsamer" zu üben, wird gerne beim vermeintlich so selbstverständlichen Grundbedürfnis Essen gespart. Auch politisch sinkt die Bedeutung der Landwirtschaft deshalb sukzessive, symbolhaft beispielsweise zu einem „Ministerium für Nachhaltigkeit und Tourismus".

Die dadurch weltweit unter starken Druck geratenden Bauern zahlen einen hohen Preis dafür, da sie in unsere sogenannte „freie" Marktwirtschaft eingebettet sind, die zum Dogma erhebt, dass Güter dort hergestellt werden sollten, wo die Produktionskosten am geringsten sind. Notgedrungen müssen die Landwirte ihre Betriebe sehr stark auf die finanzielle Ebene fokussieren, um „wettbewerbsfähig" zu bleiben. Dies führt nicht nur zu seelischem Stress, sondern zu einem existenziellen Verdrängungswettbewerb, in dem jene übrigbleiben, die am meisten „herausholen". Die weltweite Degradation der Böden in unserer Kultur spiegelt diese Entwicklung genauso, wie sie auch in der rückblickenden Beobachtung zum Niedergang anderer Hochkulturen geführt hat. Ein Schlüssel für diese zunehmende Bodenverarmung lag und liegt in der zunehmenden Verstädterung, da es in einer hoch differenzierten Gesellschaft nicht mehr notwendig ist, dort zu leben, wo die Nahrung wächst. Dies hat zur Folge, dass die wichtigste Grundlage für hohe Bodenfruchtbarkeit schwindet, und zwar die Rückführung der verdauten Lebensmittel in den Boden, um den Kreislauf des Lebens geschlossen zu halten. Zumal die leider auch heute noch gelehrte Theorie, diese Nährstoffe durch Mineraldünger ersetzen zu können, einen Irrglauben darstellt, weil dabei nur wenige Elemente berücksichtigt werden. Ganz zu schweigen von der Störung dieses Kreislaufs durch ein Herbizid namens Glyphosat, das als Antibiotikum patentiert ist.

Vorzüge der kleinbäuerlichen Landwirtschaft

Eine bahnbrechende aktuelle Studie belegt, dass Exkremente von Kühen, die auf jener Fläche ausgebracht werden, von der ihr Futter stammt, dort eine höhere Bodenfruchtbarkeit aufbauen, als wenn dieser Kreislauf unterbrochen ist. Viele Eiweißbausteine und sogar Mikroorganismen werden von den Pflanzenwurzeln aus dem „Gewebe" Humus direkt aufgenommen. Wenn Tiere oder auch wir Menschen diese Pflanzen essen, findet der gleiche Vorgang in unserm Darm statt, indem sich die Darmzotten ausstülpen und diese sogenannten „Mikro-RNAs" aufnehmen und auch wieder ausscheiden. Der wissenschaftliche Fachausdruck dafür heißt „Homefield Advantage" – Heimvorteil – weil diese dann wieder in den Boden zurückgeführten Stoffe schon mit dem dortigen Milieu vertraut sind. So wie auch wir uns dort leichter zurechtfinden, wo jemand unsere Sprache versteht. Deswegen haben in unserem derzeitigen System der entkoppelten und globalisierten Stoffkreisläufe so viele Menschen eine Sehnsucht nach Lebensmitteln aus der Region.

Wir wissen mittlerweile auch, dass Eiweißbausteine unserer Nahrung direkt in unsere Körperzellen eingebaut werden und dort beispielsweise nach dem Essen bestimmter Heilkräuter die Abwehr von Erregern bewirken. Die sogenannten „sekundären Pflanzeninhaltsstoffe" – ätherische Öle, Salvestrole, Gerbstoffe – sind ein Schlüssel für unsere Gesundheit, sie wirken immunstärkend, entzündungshemmend und krebsvorbeugend. Diese Stoffe haben durch die Intensivierung des Ackerbaues in den letzten hundert Jahren in unseren Lebensmitteln zwischen 50 und 90 Prozent abgenommen, ebenso schwinden die Gehalte an Mineralstoffen und Spurenelementen signifikant. Und der Stickstoff in unserem Körper stammt mittlerweile zu etwa 40 Prozent aus großtechnisch gespaltenem Luftstickstoff. Unser Mikrobiom – die Gesamtheit der uns Menschen besiedelnden Lebewesen, insbesondere die Darmflora – interagiert direkt mit dem Gehirn. So beeinflusst die Nahrung unsere Stimmungslage, das kognitive Denken und die Anfälligkeit für Stress und psychische Störungen, ja steuert sogar die Aktivität von Genen über Generationen hinweg. „Du bist, was du isst."

Fruchtbarer Boden und sein Humus ist ein lebendiges Gewebe aus eiweißartigen Verbindungen. Neueste Forschungen belegen, dass Eiweiß durch Wellen von Licht oder Musik in seiner Form und Funktionalität verändert werden kann. Deshalb ist auch beim Boden - so wie bei uns Menschen - nicht nur eine gute Versorgung mit Nährstoffen, Wasser und Luft lebensnotwendig, sondern auch Zuwendung, Kommunikation und Empathie. Die in die Pflanzen aufgenommenen Eiweißverbindungen spiegeln dies wider und so ist auch unser Körper ein Abbild jenes Bodens, aus dem wir kommen und ernährt werden.

> *„Deshalb ist auch beim Boden – so wie bei uns Menschen – nicht nur eine gute Versorgung mit Nährstoffen, Wasser und Luft lebensnotwendig, sondern auch Zuwendung, Kommunikation und Empathie."*
>
> Hermann Pennwieser

Es gibt die Theorie, dass die zunehmende Gier nach materiellen Gütern und der damit einhergehende zunehmende Egoismus nichts anderes sind als der - unbewusste - Versuch, den Hunger zu stillen, den unsere minderwertige Ernährung verursacht.

Im Kreislauf wirtschaften

Im Gegensatz zu unserem exponentiell wachstumsorientierten Wirtschaftssystem funktioniert die Natur in Regelkreisen, die beispielsweise Bodenlebewesen in einem Wechselspiel zwischen Wachstum und Schrumpfung gegenseitig im Gleichgewicht halten. Diese Fähigkeit zur Selbstregulation, Resilienz genannt, sollte uns ein Vorbild in der Betriebswirtschaft werden. Denn das derzeit erwünschte stetige Wachstum hat uns eine der größten schlummernden agrarpolitischen Bomben beschert, und zwar in Form der immer schwerer werdenden Maschinen. Die dadurch verursachten Bodenverdichtungen verringern Fruchtbarkeit und Grundwasserneubildung sowie verstärken Hochwasser. Die Brisanz liegt in der Unterbodenverdichtung, denn hier helfen keine breiteren und größeren Reifen, sondern es zählt alleine das Gewicht.

Wir brauchen also einen politischen Paradigmenwechsel und Lenkungsinstrumente mit der Zielformulierung, die landwirtschaftlichen Betriebsstrukturen wieder kleiner zu machen. Das folgert: leichtere Maschinen, einen kleineren ökologischen Fußabdruck, mehr Arbeitsplätze, mehr Zeit, mehr Zuwendung und eine zunehmende Qualität der Lebensmittel. Der Schlüssel für eine gedeihliche Zukunft liegt in der kleinbäuerlichen Landwirtschaft, die im Kreislauf wirtschaftet.

Ein abschließender Rückblick in die Geschichte lehrt: Die Menschheit hat immer dann Kurswechsel vorgenommen, wenn entweder der Leidensdruck zu groß wurde, oder wenn Einsicht eingesetzt hat. Ich wünsche mir Letzteres.

Ausblick

„Lasst uns unsere Zeit so gestalten,
dass man sich an sie erinnern wird
als eine Zeit,
in der eine neue Ehrfurcht
vor dem Leben erwachte,
als eine Zeit, in der nachhaltige
Entwicklung entschlossen
auf den Weg gebracht wurde,
als eine Zeit, in der das Streben nach
Gerechtigkeit und Frieden
neuen Auftrieb bekam.“

Laudato si; Zitat aus der „Erd-Charta“

PROF.
DR. HEINZ WOHLMEYER
Generaldirektor a. D., Industrie-
und Forschungsmanager sowie
Regionalentwickler,
Marktl bei Lilienfeld

Zukunftskompetenz vorausschauende Beharrlichkeit

Wenn ich die Vita des Freundes und Jubilars an mir vorbeiziehen lasse, dann sind es das beharrliche Festhalten an einer für richtig erkannten Idee durch alle Höhen und Tiefen des politischen Lebens und der ebenso beharrliche Mut, den oft unangenehmen Rückblick aus der Zukunft zu wagen, die ihn auszeichnen. Ich möchte dies als Kompetenz der zukunftsorientierten Beharrlichkeit benennen.

Aus dieser Kompetenz ist das Konzept der Ökosozialen Marktwirtschaft entstanden. Diese ist inzwischen ein anerkanntes gesellschaftspolitisches Desiderat geworden. Wenn es aber zu seiner Umsetzung kommt, dann versteifen sich die Denkschulen, die sich rund um handfeste Interessen gebildet haben. Vor allem werden die insbesondere durch internationale Verträge und Institutionen unter „gesellschaftspolitischen Naturschutz" gestellten und von den vorherrschenden ökonomischen Schulen verteidigten Haupttriebkräfte für unerwünschte, nicht nachhaltige Entwicklungen ausgeklammert. Dies führt dazu, dass viele sinnvolle ökosoziale Initiativen einem verzweifelten Schwimmen gegen den abtreibenden Hauptstrom gleichen.

Ich möchte daher als Wissenschaftler und Praktiker sowie Mitbegründer der Faktor-10-Initiative den Finger auf einige in der Regel zu wenig angeleuchtete Rahmenbedingungen legen, die als vorgegeben hingenommen werden – aber Haupttriebkräfte für nicht nachhaltige Entwicklungen sind.

Das Diktat der Finanzmärkte über die Realökonomie und die Staaten

Beginnend mit dem Code of Liberalisation of Capital Movements der OECD (1961), konnte die US- und UK-dominierte Finanzwelt, deren Interessen in den Verträgen rund um den internationalen Währungsfonds und die Weltbankgruppe unter Schutz stehen, dank der vollen Liberalisierung der Kapitalflüsse in den letzten Jahrzehnten ihren Griff auf die Wirtschaft so stark verfestigen, dass wir von einer internationalen Finanzdiktatur sprechen müssen.[1]

Wenn die Rückführung der Finanzwirtschaft, die „parasitär-dominierenden Charakter" angenommen hat[2], in ihre dienende Funktion nicht gelingt, dann werden alle ökosozialen Ansätze konterkariert. Im sogenannten Standortwettbewerb entziehen sich nämlich die Eigner von Großkapitalien eines ihrer Leistungsfähigkeit entsprechenden, angemessenen Beitrages zur Finanzierung der Gemeinwesen und borgen diesen dann gegen Zins und Zinseszins jenes Geld, das man ihnen vorenthält. Hierzu kommt noch in Europa, dass es seit dem Maastrichtver-

---

[1] Diese wird zwar auf globaler Ebene brüchig, weil die asiatischen und südamerikanischen Staaten eigene, unabhängig machende Währungsfonds und Entwicklungsbanken gegründet haben; aber in Europa ist die westliche Finanzarchitektur voll wirksam. Diese dient auch geopolitischen Zielen, wie es beispielhaft der Ausschluss des Iran aus dem internationalen Zahlungsverkehr zeigt, weil dieser energie-, regional- und währungspolitisch nicht den Wünschen des ‚Noch-Hegemons' (USA) entspricht.

[2] Formulierung des erfahrenen, emeritierten Ökonomen und Wirtschaftsprüfers Dkfm. Günther Robol.

trag den Nationalbanken untersagt ist, Staaten zu finanzieren.[3] Daher müssen sich die europäischen Staaten ausschließlich über die internationalen Kapitalmärkte finanzieren.[4] Wenn der Ausbruch aus dieser institutionellen Falle nicht gewagt wird und gelingt, dann öffnet sich nicht nur die Schere zwischen Arm und Reich weiter, sondern es sind auch keine Mittel für die ökosoziale Um-Gestaltung der Gesellschaft vorhanden.

Daher habe ich in meinem jüngsten Buch „Empörung in Europa – Wege aus der Krise"[5] die Auswege skizziert. Günter Grass hat die Situation poetisch wie folgt zusammengefasst: „Das Auseinanderdriften in eine Klassengesellschaft mit verarmender Mehrheit und sich absondernder Oberschicht, der Schuldenberg, dessen Gipfel mittlerweile mit einer Wolke aus Nullen verhüllt ist, die Unfähigkeit und dargestellte Ohnmacht frei gewählter Parlamentarier gegenüber der geballten Macht der Interessenverbände und nicht zuletzt der Würgegriff der Banken machen aus meiner Sicht die Notwendigkeit vordringlich, etwas bislang Unaussprechliches zu tun, nämlich die Systemfrage zu stellen."[6]

Die ökologische und soziale Unterschiede ausklammernde Handelsordnung

Die etablierte internationale Handelsordnung drückt in die gleiche negative Richtung. Solange in der WTO (und den Abkommen um sie) die ökologischen und sozialen Schutzabkommen Nachrang haben und die Herstellungsbedingungen von Waren und Dienstleistungen[7] nicht

---

3　Die von einem Vertrauten und Adepten der Globalplutokraten geleitete EZB tut dies jedoch unter Bruch der Lissabonner Verträge und der Statuten der EZB. Ebenso wurden die EFSF und der ESM unter Umgehung der Lissabonner Verträge und der nationalen Verfassungen via Staatsvertrag institutionalisiert. Hierdurch verschulden sich aber die haftenden Staaten indirekt wiederum.

4　So hat Deutschland die bewährte Herausgabe von Bundesschatzscheinen eingestellt und nimmt dafür Kredite über internationale Bankenkonsortien auf.

5　IBERA-European University Press, Wien, 2012 und 2014

6　Grass, G., Die Steine des Sysiphos, Süddeutsche Zeitung 4. 7. 2011

7　Es sind dies die PPMs, die Process and Production Methods.

hinterfragt werden dürfen, wird es weiter zu einem Wettbewerb nach unten (race to the bottom) kommen. Jene, die Mensch und Natur am „effizientesten" (brutalsten) ausbeuten, sind beim derzeitigen Freihandelsregime im Vorteil. Was wir brauchen, ist das Bestimmungslandprinzip. Eine Ware und Dienstleistung darf nur freien Marktzutritt haben, wenn die Herstellungsbedingungen den verpflichtenden Standards des Bestimmungslandes entsprechen. Ist dies nicht der Fall, dann werden ökosoziale Standards unterfahren. Dies merken wir in Europa im Verlust ganzer Branchen und in steigender Arbeitslosigkeit.

Eine allen ökosozialen Grundsätzen widersprechende Energiepolitik

Die internationale Energiepolitik wird nach wie vor vom fossilen und atomaren Hauptstrom dominiert. Um Erdöl- und Erdgasvorkommen werden nach wie vor erbarmungslose Kriege geführt (zuletzt in Afghanistan, im Irak, in Libyen und in Syrien) und vorbereitet (Iran) sowie im Atombereich unverantwortbare Risiken in Kauf genommen. Letzteres gilt auch für den gegenwärtigen Hype bezüglich Schieferöl und Schiefergas sowie der Ölsande. Bei diesen „Gewinnungen" werden enorme Naturzerstörung und die Gefährdung von Wasserressourcen in Kauf genommen.

Unter dem Konkurrenzdruck der Länder, die mit billigen fossilen Energieträgern zum Plünderungstarif der Erde arbeiten, ruft die europäische Industrie nach billigem Erdöl- und Erdgas und die EU installiert Battle Groups zur Sicherung ihrer Rohstoffinteressen. Wenn wir aber die unterschiedlichen Energiekosten in der Handelspolitik berücksichtigten (siehe oben), dann könnte Europa zukunftsweisendes internationales Vorbild für eine nachhaltige Gestaltung der Energieversorgung und eine zukunftsorientierte Ausrichtung der Industrie werden, denn das Ende der fossilen Periode und ihre unerwünschten Folgen sind absehbar. Außerdem könnten wir den Abfluss von Kaufkraft und den Ausverkauf unserer Industrien an die Öl- und Gaslieferanten stoppen sowie nicht zuletzt dezentrale ökologisch und sozial angepasste Arbeitsplätze schaffen. Dies gilt vor allem auch für eine zukunftsfähige Landbewirtschaftung und Versorgung mit Lebensmitteln. Derzeit setzen wir rund zehn fossile Kilokalorien für die Herstellung einer Nahrungskalorie ein. Wir maximieren die Arbeitsproduktivitäten mittels hohen Einsatzes von fossiler Energie und fossil basierten Hilfsstoffen sowie durch Reduzierung der ökologischen Vielfalt (Monokulturen), statt alle natürlichen Synergien zu nutzen, um eine optimale Nettoernte an Sonnenenergie in für den Menschen nutzbarer Form zu erzielen. Durch die offenen ungeschützten Grenzen ohne fairen Kostenausgleich zwingen wir unsere Bauern quasi auf den „Ökostrich", um dann ihr Verhalten lauthals zu kritisieren und eine Bauern-Bienen-Verfolgung zu veranstalten. Wollen wir weitermachen wie bisher, schleichende Naturzerstörung in Kauf nehmen und verhungern, wenn die fossilen Energiezufuhren und die Fernzufuhren von Lebensmitteln ausfallen?

*„Durch die offenen ungeschützten Grenzen ohne fairen Kostenausgleich zwingen wir unsere Bauern quasi auf den ‚Ökostrich',
um dann ihr Verhalten
lauthals zu kritisieren. "*

Heinz Wohlmeyer

Ökologisch geordnete Ernährungssouveränität muss in der Handelspolitik beharrlich als Menschenrecht thematisiert werden! Das fehlt bisher. Vielmehr sehen wir zu, dass in den letzten Jahren noch immer alle Tage bis zu sechs vielfältig wirtschaftende Kleinbetriebe, die angepasst und arbeitsintensiv produzieren könnten, aufgeben müssen. In meinem Heimatbezirk Lilienfeld sind in den letzten 50 Jahren 50 % der Agrarflächen wildgefallen ...

Menschen ohne Arbeit bei genug anstehender Arbeit

Die wohl asozialste Gesellschaftsentwicklung ist jene, die Menschen an den Rand stellt und zu sinnlosem Dahinvegetieren verurteilt. Bei europäischen Jugendarbeitslosenraten von über 50 % und Gesamtarbeitslosigkeiten von 25 % ist für ökosoziale Gestaltung kein Platz mehr;

vielmehr wird sie zum verlachten und verachteten Lippenbekenntnis. Was ist also zu erkennen, einzufordern und zu tun: Die vorstehenden drei einzufordernden Rahmenänderungen geben bereits zum Gutteil Antwort. Wenn wir diese verwirklichen und die Budgets einnahmenseitig sanieren[8], dann können wir die menschliche Arbeit zusätzlich abgabenseitig entlasten und die gegenwärtige Dynamik zum Ersatz menschlicher Arbeit durch hohen Energie-, Kapital- und Materialeinsatz brechen.

Ein Beispiel: Einer der besten Biobauern, die ich kenne, Dipl.-Ing. Hermann Pennwieser, hat mir mitgeteilt, dass er weit vielfältiger und mit höherer Flächenproduktivität produzieren könnte, wenn die Kosten der Fremdarbeit nicht so hoch wären.[9] Gegenwärtig muss er notgedrungen den Spagat zwischen der erwünschten biologischen Vielfalt und der notwendigen Kostendeckung vollführen. Solches gilt mutatis mutandis für die Pflegeberufe, die Bildung, die Forschung und Entwicklung sowie kulturelle Aktivitäten.

Bei einnahmenseitig sanierten Budgets wären wir überdies in der Lage, den sogenannten „informellen Sektor"[10] zu dotieren und eine Grundsicherung (Grundeinkommen) zu finanzieren. Außerdem wäre die Schwarzarbeit nicht mehr attraktiv. Das Grundeinkommen würde es möglich machen, dass junge Menschen, um zu überleben, nicht jedwede Arbeit annehmen müssen (siehe „modernes Prekariat"), sondern

---

8   Ich verweise hier auf die anstehende, handels- und finanzpolitisch zu flankierende Strategische Steuerreform, die ich in meinem obzitierten Buch skizziert habe (insbesondere Kapitalumsatzsteuer auf alle geldwerten Transaktionen, Besteuerung der Großvermögen und des Ressourcenverbrauchs, Internetabgabe auf alle „Spams", und ihre Aufteilung gemäß dem Anteil am Weltbruttoprodukt).

9   Da das soziale Netz derzeit weitgehend über Beiträge und Regelungen, die auf der menschlichen Arbeit lasten, aufrecht erhalten wird, muss ein Arbeitgeber in seiner Kalkulation mit dem Doppelten des Betrages kalkulieren, den der Arbeitnehmer ausbezahlt bekommt.

10 Hierher gehören vor allem die ehrenamtlichen Tätigkeiten im Sozialbereich und im Kulturbetrieb sowie nicht zuletzt die Haushaltsarbeit und familiäre Kindererziehung; aber auch die Pflege vielfältiger, Wohlbefinden spendender Kulturlandschaften und der Naturschutz wären wieder leistbar.

ihre individuellen Beiträge zum Gemeinwohl und ihre individuellen Einkommenskombinationen gestalten können. Dass dies flankierend der Wiederentdeckung der nicht mehr gelehrten gesellschaftlichen Tugenden und vor allem einer internationalen Absicherung bedarf, soll nicht unerwähnt bleiben, damit die Grundsicherung nicht von vornherein als nicht realisierbare Utopie abgetan wird. Insbesondere muss den Staaten die Regelung des Zuganges zum sozialen Netz vorbehalten bleiben, solange es keine ausreichenden supranationalen und internationalen Regelungen gibt; ansonsten würde es zum Sozialtourismus kommen, der die wünschenswerten nationalen Maßnahmen unfinanzierbar, ja sogar sinnlos macht.

Was gegenwärtig in der Arbeitsmarktpolitik abläuft, nämlich einerseits Geld drucken und über die Banken der Wirtschaft anzubieten und andererseits vor allem auf qualifizierte Ausbildung zu setzen, ist zumindest unzureichend – ja zum Großteil sinnlos oder kontraproduktiv. Die Ausrüstungsinvestitionen haben nämlich in der Regel einen höheren Rationalisierungs- als Kapazitätserweiterungseffekt und führen daher zu erhöhter Arbeitslosigkeit. Die beste Ausbildung genügt nicht, wenn nicht genügend Arbeit angeboten werden kann.

Fazit: Der ökosoziale gesellschaftliche Umbau bedarf der beharrlichen Einforderung jener Rahmenbedingungen, die bewirken, dass ökosoziale Politik und ökosoziales Handeln nicht zu einem erfolglosen Schwimmen gegen den reißenden Hauptstrom werden.

Ich wünsche dem Jubilar, dass ihm Gott die Kraft gibt, in der Einforderung ökosozialer Rahmenbedingungen nicht zu ermüden und weiterhin das Gewicht seiner Persönlichkeit einzusetzen. Das, was er bereits bewegt hat, gibt Mut für die Zukunft.

PROF. DKFM. ERNST SCHEIBER
Publizist und Herausgeber, Mauerbach

Postwachstums-Ökonomie mit Fragezeichen

Die erste umfassende Kritik des Wirtschaftswachstums mit weltweiten Schlagzeilen war die Studie über „Die Grenzen des Wachstums", die 1972 als Bericht an den Club of Rome publiziert wurde. Die Autoren warnten vor den möglichen Auswirkungen eines unbeschränkten Wachstums für Wirtschaft, Ökologie und Gesellschaft. Die Club-of-Rome-Experten verwiesen in ihren Analysen auf die begrenzten Ressourcen und den Raubbau an den vorhandenen Naturschätzen. In einer Überarbeitung der Studie, präsentiert 2004, wurde in einer Reihe von Szenarien ein wirtschaftlicher Zusammenbruch zwischen 2030 und 2100 prophezeit. Nicht zu leugnen ist, dass, interdisziplinär betrachtet, ein quantitatives Wachstum in der Natur physikalischen Grenzen unterliegt. Eine unbegrenzte, rein quantitative Steigerung führt zu einer Destabilisierung des betreffenden Systems.

In die ökologische Sackgasse?

Für jeden denkenden Menschen muss klar sein, dass die Menschheit sonst mit voller Kraft in die ökologische Sackgasse marschiert. So ist endlich zur Kenntnis zu nehmen, dass nicht die begrenzten Vorräte fossiler Energieträger, sondern ihre zügellose Nutzung die größte Gefahr für unseren Wohlstand, für die Armutsbekämpfung und das Klima darstellen. Waldsterben, Energiekrisen, Klimawandel, Währungs-, Finanz- und Schuldenkrisen – nichts von all dem hat in den vergangenen Jahrzehnten den Glauben der Politiker, Eliten wie der Massen an immerwährendes Wachstum echt erschüttert. Ganz im Gegenteil: die Renaissance des Glaubens an bedingungsloses Wachstum hat sich noch verstärkt. „Wachstum muss es geben", lautet die Devise. 1989 wurde die radikale Marktphilosophie zum neuen weltweiten Zeitgeist. Ihre Methoden waren Liberalisierung, Deregulierung und Privatisierung, ihre Folgen: die Globalisierung mit scharfem Wettbewerb zwischen den Staaten, mit wenigen Gewinnern und vielen Verlierern. Die Menschheit steht zum Teil vor verheerenden Auswirkungen dieser Wachstumsökonomie. Wissenschaftler machen sich Sorgen um eine Postwachstumsgesellschaft der Zukunft. Wollen wir die Erde erhalten, muss sich einiges ändern. Einfach deswegen, weil die Menschen die Ressourcen der Erde jedes Jahr schneller verbrauchen. Für den Rest des Jahres lebt die Menschheit auf Pump. Voriges Jahr war der „Overshoot-Day" – Welterschöpfungstag – am 2. August. Für den Rest des Jahres agiert die Menschheit im ökologischen Defizit und vernichtet wertvolles Naturkapital. Das Abholzen der Urwälder, die Plünderung der Meere, das Auslaugen der Böden und der lebensbedrohende Klimawandel sind die „Visitenkarte" dieser Übernutzung. 2017 war der österreichische Anteil durch seinen ressourcenverschwendenden Lebensstil bereits am 11. April aufgebraucht. Würde die Menschheit nach dem Vorbild der USA leben, bräuchte sie dafür fünf Erden. Dass die Welt bzw. wir in Österreich diese ohnehin fatalen Daten überhaupt noch erreichen, ist nur den ökonomisch Schwachen zu verdanken. Es darf daher nicht verwundern, dass diese zunehmende Ungleichheit letztlich zu globalen Flucht- und Wanderbewegungen führt.

Die Unmöglichkeit von unbegrenztem Wachstum lässt sich unschwer illustrieren, trotzdem negieren fast nahezu alle verantwortlichen Politiker und Wissenschaftler die vorgegebenen Fakten. Wie ist es sonst möglich, dass unter den Teppich gekehrt wird, dass ein Wachstum von nur einem Prozent eine Verdoppelung der Wirtschaftsleistung der Menschheit in nur 72 Jahren bedeuten könnte? In den 1970er- und 1980er-Jahren waren Wachstumsraten von 4 % keine Seltenheit. Dann reichen schon 18 Jahre, um zu „verdoppeln". Wirtschaftswissenschaftler verweisen zwar darauf, dass exponentielles Wachstum im Trend unrealistisch ist, denn die Wachstumsraten in höher entwickelten Gesellschaften gingen aufgrund von konjunkturellen Einflüssen zurück. Sättigungseffekte und demokratische Entwicklungen seien neben anderen Faktoren auch zu berücksichtigen.

Gesellschaft des „Weniger"

Die Fragen aller Fragen sind heute: Wie sind unter den Bedingungen sinkender Wachstumsraten Arbeitsplätze, Renten, Bildung und medizinische Versorgung insgesamt abzusichern? Haben unsere Mobilitätsgewohnheiten Zukunft? Wie schaut es mit unserer Ernährung aus? Wie schauen die Lehrpläne für die Gesellschaft des „Weniger" aus? Was bedeutet „gute Arbeit" im Zeitalter der Digitalisierung? Fragen, die derzeit kaum gestellt werden. Die Wiederkehr des Wachstums ist die allein seligmachende Wunschvorstellung, sie wird jedoch scheitern an den ökologischen Kapazitäten. Gleichsam muss bedacht werden, dass

> *„Die Wiederkehr des Wachstums ist die allein seligmachende Wunschvorstellung, sie wird jedoch scheitern an den ökologischen Kapazitäten."*
>
> Ernst Scheiber

eine Drosselung des Wachstums in China, Indien, Afrika und Lateinamerika an den Wohlstandswünschen der dortigen Massen scheitern wird. Was heißt Wohlstand, dort geht es um das nackte Überleben. Können nur die moralischen Zwänge, die Notlagen und die Katastrophen die Gesellschaften auf Dauer verändern? Nur Jimmy Carter hatte den Mut und zeigte Wege zur Lösung der Energie- und Umweltkrise auf – und scheiterte. Die Basis für gesundes Wachstum sind bessere Rezepte und nicht immer größere Mengen derselben Zutaten. „Ingredienzien" können sein der Umstieg vom quantitativen zum qualitativen Wachstum in Form von hochwertigeren, langlebigen und natürlich umweltfreundlicheren Produkten, eine weitere Dominante bietet sich im Beschreiten des Weges vom qualitativen zum selektiven Wachstum. Soll heißen: einige Bereiche wachsen, andere stagnieren. Letztlich bildet sich als Leitbild einer neuen Wirtschaftspolitik nur die Nachhaltigkeit an.

Orientierung an einer Suffizienzstrategie

Wirtschaftlich definiert bedeutet Nachhaltigkeit, nicht Gewinne zu erwirtschaften, die in der Folge in Umwelt- und Sozialprojekte fließen, sondern die Gewinne sollten bereits umwelt- und sozialverträglich erwirtschaftet werden. Ökologisch interpretiert bedeutet Nachhaltigkeit, das Niveau der Abbaurate erneuerbarer Ressourcen darf ihre Regenerationsrate nicht übersteigen. Die Höhe der Emissionen darf nicht größer sein als die Assimilierungskraft der Natur.
Die Postwachstums-Ökonomie – vor allem in Deutschland rege diskutiert – grenzt sich von diesen auf Ausgleich zu steuernden Nachhaltigkeitsvisionen ab. Qualitatives, nachhaltiges, grünes, dematerialisiertes oder dekarbonisiertes Wachstum dadurch zu rechtfertigen, dass dessen ökologische Entkoppelung durch technische Innovation möglich sei, wird den Ansprüchen radikaler Postwachstumsexperten nicht gerecht. Sie orientieren sich vielmehr an der Suffizienzstrategie und dem teilweisen Rückbau industrieller, vor allem global arbeitsteiliger Arbeitsprozesse zugunsten der Forcierung und Stärkung lokaler und regionaler Selbstversorgungsmuster. Weitere Akzente liegen in einer neuen Geldpolitik und Bodenreform. Eine Postwachstumsökonomie beginnt laut Niko Paech, früher Universität Oldenburg, daher mit einer Genügsamkeitsstrategie. Der zweite Schritt besteht in einer Reaktivierung nichtkommerzieller Versorgung wie Eigenarbeit, Tauschringe, Forcierung der regionalen Kreisläufe etc. Würden diese Strategien mit einer Halbierung der durchschnittlichen Erwerbsarbeit kombiniert,

bräuchte der auf Geldwirtschaft und industrieller Arbeitsteilung basierende Komplex nur noch halb so groß zu sein. Eine solche Postwachstumsökonomie wäre genügsamer, stabiler, sozialer und ökologisch weitaus verträglicher. Bleiben ihre Ideen bestenfalls fromme Wünsche?

Reduktion des Naturverbrauches

Sollten ökologische Grenzen nicht überschritten werden und an Generationengerechtigkeit festgehalten werden, können alternative Strategien den Naturverbrauch auch nicht stoppen, dann kann diese Suffizienzstrategie eine legitime, weil erforderliche, Maßnahme sein. Quantitativ zielt die Suffizienzstrategie auf eine deutliche Reduktion des Naturverbrauches ab – vor allem durch eine Verringerung des Konsumniveaus über den Eigenbedarf, das vor allem in wohlhabenden Ländern. Qualitativ ist damit die Idee verbunden, dass sich die Lebensqualität trotz reduzierten Konsums nicht verschlechtert. Das sei vollkommen unrealistisch, meinen Kritiker der Suffizienzstrategie. Einfach deswegen, weil man weder vom Einzelnen noch von der Gesellschaft solche Einschnitte erwarten könne. Dem halten die Suffizienzstrategie-Befürworter entgegen, dass sich zuvorderst die Nachfrage „nur" auf die umweltintensivsten Produkte und Aktivitäten beziehen müsste. Jene Branchen müssen primär schrumpfen, von denen die größten ökologischen Querschläger ausgehen. Wachsen sollen jene Bereiche, die den Verbrauch von Energie und Ressourcen senken. Dazu die „Suffizienzler": Letztlich werden wir auf Vieles verzichten müssen, wenn wir auf Weniges nicht verzichten wollen.

Neoliberale Politiker sabotieren Ökosoziale Marktwirtschaft

Die Konturen einer Postwachstumsgesellschaft bedingen ökologische Pioniertaten in Politik und Gesellschaft. Die Politisierung der ökologischen Aktivitäten muss in allen politischen Parteien Platz greifen. Es kann nicht sein, dass eine ökologische Steuerreform an der Mutlosigkeit neoliberaler Politiker zerschellt.
Eines der Hauptmerkmale der neuen Aufklärung soll nach Ernst Ulrich von Weizsäcker Gleichgewicht sein, zwischen Mensch und Natur,

zwischen Kurz- und Langfristigkeit, zwischen Geschwindigkeit und Stabilität, privat und öffentlich, Frauen und Männern, Gleichheit und Leistungsanreiz und zwischen Staat und Religion.

Optimismus kommt auf, wenn auf der Reise zur Nachhaltigkeit Erfolge wie der Umstieg auf dezentrale und erneuerbare Energien beschrieben werden, wenn nachhaltige Landwirtschaft praktiziert wird, regenerative Urbanisierung und Kreislaufwirtschaft Bedeutung gewinnen.

Stehen wir vor unlösbaren Problemen? Ohne Wachstum geht es nicht, grünes Wachstum wie im Bilderbuch gibt es nicht, mit dem normalen Wachstum fahren wir gegen die Wand, das aus ökologischen Gründen. Wie auch immer, derzeit gibt es nur einen logischen Weg: Die Marktwirtschaft hat uns Reichtum und technischen Fortschritt gebracht, nun gilt es, mit ihr soziale und ökologische Flanken zu etablieren und das Konzept der Ökosozialen Marktwirtschaft konsequent umzusetzen.

Prof. Kurt Ceipek
Journalist und Publizist, Wien

Die Ökosoziale Marktwirtschaft und ihre mächtigen Feinde

Wohin steuert unser Planet Erde? Mit dieser Frage ist nicht die Bahn unseres Planeten durch das Weltall, sondern der Entwicklungsweg von Mensch, Natur und Umwelt gemeint. Dass Klimawandel und Verschmutzung von Wasser, Boden und Atmosphäre eine Bedrohung darstellen, lässt sich selbst von notorischen Schönfärbern nicht mehr wegleugnen. Die Erde steht offensichtlich knapp davor, aus der Balance zu geraten. Davon ist nicht nur die überwältigende Mehrheit der einschlägigen Wissenschafter überzeugt, sondern auch viele Menschen mit einer gesunden Portion Hausverstand erkennen oder spüren wenigstens die Veränderungen.

Nun geht es für die Entscheidungsträger an den Schalthebeln der Macht – vor allem aus der Wissenschaft und der Politik, aber auch aus Medien und Meinungsbildung – darum, das Boot, in dem wir alle gemeinsam sitzen, in zunehmend stürmischer See in Balance zu halten und vor dem Untergang zu bewahren. Das wird nicht möglich sein, wenn die Menschen die Dinge so laufen lassen wie bisher, ohne gezielt gegenzusteuern.

Meist sind es nicht so sehr echte Optimisten, die treuherzig beteuern, es sei uns noch nie so gut gegangen wie in diesem Jahrzehnt, sondern Lobbyisten und Interessenvertreter mächtiger Wirtschaftsbranchen und Industrien, die letztlich durch einen Kurswechsel einen Teil ihrer üppigen Gewinne und damit an Macht und Einfluss verlieren würden. Vielen Menschen in Ländern der westlichen Welt geht es gut, aber selbst hier klafft die Schere zwischen den immens Reichen und jenen, die gerade noch genug zum Leben haben, immer weiter auseinander. Weltweit betrachtet, ist der Abstand zwischen Reich und Arm so groß, dass sich daraus zwangsläufig enorme Spannungen entwickeln. Die werden zwingend über kurz oder lang zur explosiven Entladung kommen.

Wege aus der Krise gesucht

Die klügsten Köpfe aus Wissenschaft und Forschung, Gesellschaft und Politik sind mittlerweile schon seit Jahrzehnten intensiv darum bemüht, Wege aus den herrschenden oder drohenden Krisen zu finden und die Menschheit vor dem Niedergang zu bewahren.

Viele sind überzeugt davon, das perfekte Rezept für die Lösung der Probleme zu kennen. Je punktueller solche Leute denken, desto einfacher scheinen ihre Ergebnisse und Rezepte. Maßgebliche Vertreter der Wirtschaft beispielsweise sind überzeugt, dass eine völlig freie Ökonomie, die ausschließlich den Kräften des Marktes gehorcht, die Lösung aller Probleme darstellt. Schrankenloser Neoliberalismus könnte der Welt eine Fülle von neuen Produkten, Dienstleistungen und Ideen bescheren. Das würde unzählige neue Arbeitsplätze schaffen und den Wohlstand der gesamten Menschheit wesentlich steigern. Dass bei diesem System nur die Reichsten immer reicher werden, wird von solchen Ökonomie-Fundamentalisten entweder bestritten oder bedenkenlos in Kauf genommen.

Ethisches Handeln sichert die Balance

Tatsächlich bringt ein uneingeschränktes Wirtschaftsdiktat, in dem rücksichtslose Unternehmer alles dürfen, unsere Welt noch mehr aus ihrer empfindlichen Balance. Die ist nur dann zu halten, wenn Ökonomie, Ökologie und Soziales in einem vernünftigen Gleichgewicht gehalten werden können. Dazu kommt, dass nur ethisches Handeln vor gefährlichen Auswüchsen bewahrt.

Eine völlig freie Wirtschaft ist also nicht die Lösung, sondern wesentlicher Teil der Probleme. Das Gegenmodell einer zentral gelenkten Wirtschaft, die jedem einen Arbeitsplatz verheißt (und sei es nur als Parteifunktionär), jedem genug zum Leben und eine Behausung verspricht, funktioniert noch viel weniger. Das beweist aktuell die Entwicklung im ölreichen südamerikanischen Land Venezuela, das trotz seines Rohstoffreichtums in eine unvorstellbare Wirtschaftskrise geschlittert ist, wie schon viele sozialistische und kommunistische Funktionärs-Diktaturen davor. Staaten, in denen der Sozialbereich überstrapaziert ist und die notwendige Wirtschaftlichkeit vernachlässigt wird, sind in relativ kurzer Zeit zum Scheitern verurteilt.

Dass in ausgeprägten Sozialstaaten dieselbe Gier vieler Menschen regiert wie in kapitalistischen Ländern, hat sich in der Geschichte mehrfach erwiesen. Die Korruption ist in sogenannten linken Staaten zumindest ebenso stark ausgeprägt wie in allen anderen Regionen. In Diktaturen wird wesentlich ungenierter in die eigene Tasche gewirtschaftet als in einigermaßen funktionierenden Demokratien. Ein alter Witz aus DDR-Zeiten bringt das auf den Punkt. „Was ist der Unterschied zwischen sozialistischen und kapitalistischen Staaten? – Im Kapitalismus wird der Mensch durch den Menschen ausgebeutet, im Kommunismus ist es genau umgekehrt."

Plötzlich kippt das System

Die Hauptrolle in einem ausbalancierten Weltmodell übernimmt immer mehr das Thema Umwelt. Permanente Umweltsünden werden von der Natur relativ lange toleriert bzw. kompensiert. Doch irgendwann kippt das System, wie der von vielen noch immer geleugnete, aber dennoch deutlich spürbare Klimawandel zeigt. Wer jahrzehntelang Kohlendioxid und andere schädliche Gase in die Atmosphäre und zugleich gigantische Mengen an Müll und Gift in die Meere pumpt, bekommt dafür die Rechnung serviert. Diese Erkenntnis ist schon in vielen Menschen gereift und auch schon von einigen Politikern erfasst worden.

Dass für soziale Ausgewogenheit in einer schrankenlos wirtschaftsliberalen Gesellschaft kein Platz ist, versteht sich von selbst. Auch Schonung und Schutz der Umwelt, also des Wassers, des Bodens oder der Atmosphäre, hat in einem radikal wirtschaftsliberalen System keinen Platz.

> *„Wer jahrzehntelang Kohlendioxid und andere schädliche Gase in die Atmosphäre und zugleich gigantische Mengen an Müll und Gift in die Meere pumpt, bekommt dafür die Rechnung serviert."*
>
> Kurt Ceipek

Auch eine fundamentalistische Öko-Diktatur wäre ein verhängnisvoller Irrweg. Mit kompromisslosen Verboten und strikten Vorschriften wäre vielleicht der Umwelt gedient, der Menschheit aber wohl kaum, weil sich die Menschen gegen unklare Restriktionen besonders vehement wehren.

Fundamentalismus führt zum Kollaps

Es sind fast immer Fundamentalisten, die dem menschlichen Zusammenleben die entscheidenden Schäden zufügen. Fundamentalismus bedeutet immer sehen und denken mit Scheuklappen und einem eingeschränkten Horizont. Es sind immer die mühsam erarbeiteten und erstrittenen Kompromisse, die der Menschheit die Balance sichern – auch das Gleichgewicht zwischen Mensch und Natur.

Ein zuverlässiges Modell, die notwendige Balance zwischen Mensch und Umwelt zu schaffen und zu erhalten, haben einige Vordenker schon vor einigen Jahrzehnten ersonnen und seither weiterentwickelt: die Ökosoziale Marktwirtschaft. Deren Erfinder und Verfechter wissen, dass die Wirtschaft Freiraum braucht. Nur eine konkurrenzfähige und florierende Wirtschaft kann die Basis für ein Leben in Wohlstand sichern, von der alle Menschen profitieren. Nur ausreichende wirtschaftliche Erträge können den Sozialstaat finanzieren. Das wird vor allem in Ländern Mitteleuropas immer kostspieliger, weil die Menschen immer länger leben und viele Jahre ihre Pension genießen können. Daraus ergeben sich aber immer höhere Gesundheitskosten, die aus den Finanzmitteln finanziert werden müssen, die von der Gesellschaft erwirtschaftet werden können.

Kritiker, die eine Ökosoziale Marktwirtschaft als Instrument zur Knebelung der Wirtschaft betrachten und dieses System für einen unfinanzierbaren Geldautomaten für teure Agrar- und Umweltförderung halten, haben die Ökosoziale Marktwirtschaft nicht verstanden. Es geht nicht um die Verteilung von Subventionen, sondern um die Stärkung der Wirtschaft, die allerdings nicht zu Lasten von sozial Schwächeren oder der Umwelt erfolgen darf. Und es geht um die Erhaltung der Lebensgrundlagen.

Andere Kritiker der ökosozialen Idee haben das System sehr wohl durchschaut, bekämpfen es aber umso vehementer, weil sie ihre wirtschaftlichen Interessen bedroht sehen. Die plakativsten Beispiele in diesem Bereich sind die Öl- und Kohleindustrie. Eine Beschneidung dieses weltweit wahrscheinlich mächtigsten Wirtschaftszweiges würde den Tausende Milliarden schweren Profiteuren der Fossilenergieindustrie maßgebliche Umsatz- und Gewinneinschränkungen bescheren. Damit ginge auch deren Macht verloren. Dagegen wehrt man sich mit allen erlaubten und noch mehr unerlaubten Mitteln.

Auf globaler Ebene wird hier mit mehr Brutalität und Härte gearbeitet, als im Spitzensport. Das ist auch eine Frage des Maßstabs. Im Spitzen-

> *„Es geht nicht um die Verteilung von Subventionen, sondern um die Stärkung der Wirtschaft, die allerdings nicht zu Lasten von sozial Schwächeren oder der Umwelt erfolgen darf."*
>
> Kurt Ceipek

sport geht es um viele Millionen Dollar, Pfund oder Euro, in der Öl-, Kohle- und Gasindustrie, aber auch in der Atomindustrie und in der Autoindustrie geht es um Tausende Milliarden, also um Größenordnungen, die für Normalverbraucher kaum noch vorstellbar sind.

Wie die Feinde der Ökosozialen Marktwirtschaft agieren, ist schon unzählige Male beschrieben und belegt worden, bleibt aber weitgehend ohne Konsequenzen. Da kann der Klimawandel mit den dadurch drohenden Gefahren von ganzen Heerscharen seriöser Wissenschafter aus unterschiedlichsten Bereichen noch so lückenlos erforscht und dokumentiert sein, finden die Klimakrieger mit ihrer Behauptung, es gebe gar keinen Klimawandel, oder zumindest sei er nicht vom Menschen verursacht, gläubige Anhänger.

Öl- und Kohleindustrie fühlen sich nicht vom Klimawandel bedroht, sondern von den Bestrebungen der Ökosozialen Marktwirtschaft und der Klimaschützer, die CO_2-Emissionen zu reduzieren. Daher wird der Klimawandel gezielt und unter Einsatz von enormen Geldsummen geleugnet und verächtlich gemacht.

Exxon kennt seit 1981 die Gefahren

Dabei weiß man in der US-Ölindustrie schon seit den 1970er-Jahren um die Gefahren der immer höher werdenden CO_2-Konzentration in der Atmosphäre. Der weltweit agierende US-amerikanische Ölriese Exxon, der seit Jahrzehnten intensive Klimaforschung betreibt, prophezeite schon 1981 in einem CO_2-Positionspapier, dass die Verdoppelung der CO_2-Konzentration in der Atmosphäre innerhalb von 100 Jahren zu einer globalen Temperaturerhöhung um drei Grad Celsius führen werde.

Die Reaktion des Ölriesen war nicht, auf den Ausbau zukunftsträchtiger erneuerbarer Energien zu setzen, sondern das Gegenteil. Ab Ende der 1980er-Jahre pumpt der Ölkonzern gemeinsam mit anderen Ölriesen viele Dollarmilliarden in politische Kampagnen. Deren Ziel ist es, die Bevölkerung durch gezielte Desinformation davon zu überzeugen, dass es keinen vom Menschen verursachten Klimawandel gebe und daher auch keine Gegenmaßnahmen notwendig seien.

Als im Jahr 1988 die mit hochkarätigen Wissenschaftern aus aller Welt besetzte internationale Klimaorganisation IPCC gegründet wurde, blieb auch die Ölindustrie nicht untätig. Exxon beteiligte sich an der Gründung der Global Climate Coalition. Dieser Zusammenschluss von Lobbyisten verfolgt mit viel Energie und noch mehr Geld das Ziel, in großem Stil Desinformation zum Thema Klimawandel zu betreiben. Woher das Geld für diese kostspielige Arbeit kommt, wird verschleiert. All das spielt sich vor allem in den USA ab und hatte zur Folge, dass sich die US-Politik aus dem Kampf gegen den Klimawandel weitgehend verabschiedet hat. Die von Lobbyisten, klimakritischen Wissenschaftern (die sehr häufig aus anderen Bereichen als der Klimaforschung kommen) und hochdotierten Marketingagenturen desinformierte Bevölkerung nimmt das weitgehend ungerührt hin.

Österreichische Gegner

Die Ökosoziale Marktwirtschaft hat aber auch in Österreich mächtige Gegner. Der hochkarätige Wirtschaftsforscher Karl Aiginger, führender Kopf der „Querdenkerplattform Wien-Europa", erinnert sich in seinem Beitrag auf Seite 53 dieses Buches an die Zeit vor etwa 30 Jahren, als er auf Ersuchen von Josef Riegler, gemeinsam mit Experten aus Technik, Politikwissenschaft, Landwirtschaft und Verkehr, eine wissenschaftliche Grundlage für die Ökosoziale Marktwirtschaft erarbeitete. Die von diesem Team erstellte Strategie sei von führenden Vertretern der Wirtschaft sehr rasch als so „gefährlich" eingestuft worden, dass die Vereinigung österreichischer Industrieller ihren Finanzbeitrag zur Wahlkampffinanzierung für die ÖVP vom weitgehenden Verzicht auf das damals neue Konzept der Ökosozialen Marktwirtschaft abhängig gemacht habe.

Auch aus der anderen Richtung sei heftiger Gegenwind gekommen, erinnert sich Aiginger amüsiert. Die damalige Führung der „Grünen" habe sich bitter beklagt, dass sich die Ökonomen jetzt auch noch in das Umweltthema einmischen wollten.

Unterstützung durch Papst und UNO

Trotz der Widerstände in aller Welt ist die ökosoziale Idee nicht mehr aufzuhalten. Zu groß ist die Gefahr, dass sonst die Balance zwischen den für die Menschheit wichtigsten Bereichen Wirtschaft, Umwelt und Soziales verloren geht. Immer einflussreichere Personen, Gruppen und Organisationen setzen sich für ökosoziale Grundsätze ein. Mittlerweile hat sich auch schon die UNO-Generalversammlung durch den Beschluss der „Nachhaltigen Entwicklungsziele 2015 bis 2030" klar in Richtung der ökosozialen Ziele deklariert. Auch der Klimavertrag von Paris sei ein wichtiges Signal gewesen, wie Josef Riegler in einem Gespräch mit Ernst Scheiber in diesem Buch (Seite 15) festhält.

Die mit Sicherheit wirksamste Schützenhilfe für den Durchbruch der ökosozialen Idee kam von Papst Franziskus. Durch seine vielbeachtete Enzyklika „Laudato si" habe das weltweit einflussreiche Oberhaupt der Katholischen Kirche „ein starkes Signal für die Schöpfung" ausgesendet, schreibt der Vorsitzende der Deutschen Bischofskonferenz, Reinhard Kardinal Marx, auf Seite 46 dieses Buches. Papst Franziskus stellt auch klar, dass ökologische und soziale Probleme weltweit eng miteinander verzahnt seien.

Dass sich die ökosoziale Idee trotz der enormen Widerstände ihrer mächtigen Gegner nun weltweit immer mehr Gehör verschafft, ist Anlass zur Zuversicht. „Nichts ist mächtiger als eine Idee, deren Zeit gekommen ist", schrieb der französische Schriftsteller Victor Hugo. Es ist zu hoffen, dass die Idee der Ökosozialen Marktwirtschaft noch rechtzeitig den Durchbruch schafft.

Foto Credits

Alle Porträtfotos wurden uns von den Autoren der jeweiligen Beiträge zur Verfügung gestellt.

Foto Norbert Schnedl © Andi Bruckner
Foto Elisabeth Köstinger © Paul Gruber
Foto Johann Hisch © kathbild.at/Franz Josef Rupprecht
Foto Franz Titschenbacher © Lwk Steiermark
Foto Gerd Müller © Ministerbüro BMZ
Foto Helga Kromp-Kolb © Gaggl.
Foto Karl Aiginger © Petra Spiola
Foto Bundespräsident Alexander Van der Bellen © Jork Weismann
Foto Stephan Pernkopf ©weinfranz
Foto August Astl © LK Österreich, Rene van Bakel
Foto Rudolf Bretschneider © GfK Österreich
Foto Fritz Neugebauer © Andi Bruckner
Foto Zapotoczky © Public Opinion Marketing- und Kommunikations-beratungs-GmbH
Foto Cornelius Grupp © CAG-Holding
Foto Ferdinand Lacina © Parlamentsdirektion - Carina Ott
Foto Conrad Seidl...© Pressefoto Günther Menzl
Foto Christoph Stark © Karl Schrotter
Foto Rainer Siegele © Anz Lach
Foto Harald Kraxner © Foto Ikarus
Foto Reinhard Marx © Erzbistum München

Der hemmungslose Liberalismus hat wenige Gewinner und viele Verlierer. Die Verfechter der Ökosozialen Marktwirtschaft sind überzeugt, dass ihr Modell die angeschlagene Wirtschaft beleben, den mörderischen Raubbau an Ressourcen bremsen und soziale Spannungen mildern kann.

Im Buch „Zukunft als Auftrag – Die Welt gehört unseren Kindern" wird das Modell der Ökosozialen Marktwirtschaft von 56 namhaften Autoren von verschiedenen Seiten beleuchtet und mögliche Auswirkungen analysiert.

Das Buch von Vizekanzler a. D. Josef Riegler, einem der geistigen Väter der Ökosozialen Marktwirtschaft, war nach dem Erscheinen im Spätherbst 2013 ein Bestseller.

Erhältlich ist das Buch „Zukunft als Auftrag – Die Welt gehört unseren Kindern" beim Verlag DTW ZukunftsPR; Post: Verlag DTW, 3001 Mauerbach, Postfach 6; E-Mail: zukunftspr@gmail.com; Telefon: +43 (0) 664 5458457 und im gut sortierten Buchhandel (ISBN 978-3-200-03195-1).

Das Klimaabkommen in Paris hat bei Menschen, die sich berechtigte Sorgen um das Klima und die Folgen des Klimawandels für Natur und Menschen machen, weltweit große Hoffnungen auf eine positive Zukunft geweckt. Der Erfolg des Abkommens hängt nach dem Austritt der USA unter US-Präsident Donald Trump noch mehr von den Maßnahmen der vielen im Abkommen verbleibenden Nationalstaaten ab.

Nachdem das Übereinkommen von Paris keine Sanktionen vorsieht, ist das Verantwortungsbewusstsein der Entscheidungsträger, aber auch jedes Einzelnen entscheidend für den Erfolg. In dem Buch „Paris – wie weiter?" (erschienen 2016) befasst sich der Autor Heinz G. Kopetz, langjähriger Präsident des Welt-Biomasseverbandes, mit den Auswirkungen des Übereinkommens von Paris auf Österreich. Kopetz erläutert sachlich und fundiert, was Österreich unternehmen muss, um seinen solidarischen Beitrag zur Beschränkung des Klimawandels zu erbringen.

Erhältlich ist das Buch „Paris – wie weiter?" zum Preis von EUR 9,50 (zzgl. Versandkosten) beim Verlag DTW ZukunftsPR; Verlag DTW, 3001 Mauerbach, Postfach 6; Mail: zukunftspr@gmail.com; Telefon: +43 (0) 664 5458457 und im gut sortierten Buchhandel. ISBN 978-3-200-04833-1

KLIMA: ALARMSTUFE ROT

Mutter Erde ruft um Hilfe

Heinz G. Kopetz im großen Interview

Weltweite Energiepolitik führt die Menschheit in den Abgrund

Ernst Scheiber
Kurt Ceipek

Dass US-Präsident Donald Trump den Klimawandel leugnet und damit un-
bändige Begeisterung bei Ölmultis, Ölscheichs, Kohle-Industriellen, Gas-
Anbietern und anderen Nutznießern der Vergeudung von fossiler Energie
auslöst, hat die mit dem Klimawandel verbundenen Probleme weiter verschärft.
Die besten Klimawissenschafter aus allen Erdteilen werden als idiotische
„Märchenerzähler" und Spinner verhöhnt.
Zu Unrecht, wie jeder erkennen kann, der alarmierende Berichte zu Stür-
men, Überschwemmungen, Dürrekatastrophen und rapide schmelzenden
Gletschern aus aller Welt mit Hausverstand und ohne Scheuklappen liest.
Mit den Gründen für den Klimawandel und der Tatsache, dass die Klimawende
noch zu schaffen ist, wenn sehr rasch und energisch gehandelt wird, befasst
sich das Buch „Mutter Erde ruft um Hilfe" von Heinz G. Kopetz.

Erhältlich ist das Buch „Mutter Erde ruft um Hilfe" zum Preis von
EUR 18,00 (zzgl. Versandkosten) beim Verlag DTW ZukunftsPR;
Verlag DTW, 3001 Mauerbach, Postfach 6; Mail: zukunftspr@gmail.com;
Telefon: +43 (0) 664 5458457 und im gut sortierten Buchhandel.
ISBN 978-3-200-04082-3